UMA FAMÍLIA FELIZ

CB021992

RAPHAEL MONTES

Uma família feliz

7ª reimpressão

Copyright © 2024 by Raphael Montes

Grafia atualizada segundo o Acordo Ortográfico da Língua Portuguesa de 1990, que entrou em vigor no Brasil em 2009.

Capa e ilustração
Rafael Nobre

Preparação
Lígia Azevedo

Revisão
Érika Nogueira Vieira
Fernanda França

Os personagens e as situações desta obra são reais apenas no universo da ficção; não se referem a pessoas e fatos concretos, e não emitem opinião sobre eles.

Dados Internacionais de Catalogação na Publicação (CIP)
(Câmara Brasileira do Livro, SP, Brasil)

Montes, Raphael
Uma família feliz / Raphael Montes. — 1ª ed. — São Paulo : Companhia das Letras, 2024.

ISBN 978-85-359-3703-9

1. Ficção brasileira I. Título.

24-189159 CDD-B869.3

Índice para catálogo sistemático:
1. Ficção : Literatura brasileira B869.3

Cibele Maria Dias – Bibliotecária – CRB-8/9427

Todos os direitos desta edição reservados à
EDITORA SCHWARCZ S.A.
Rua Bandeira Paulista, 702, cj. 32
04532-002 — São Paulo — SP
Telefone: (11) 3707-3500
www.companhiadasletras.com.br
www.blogdacompanhia.com.br
facebook.com/companhiadasletras
instagram.com/companhiadasletras
twitter.com/cialetras

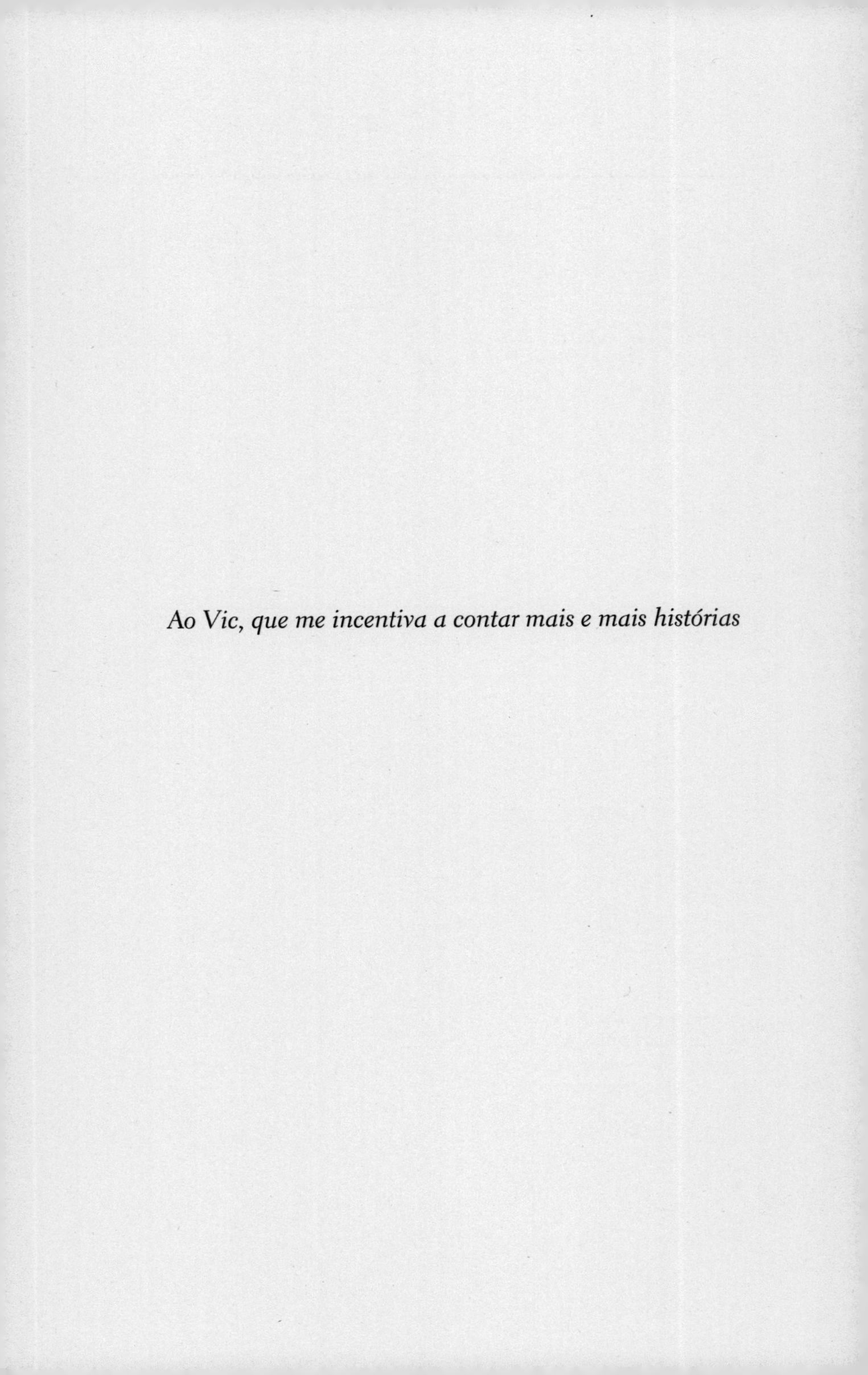

Ao Vic, que me incentiva a contar mais e mais histórias

O FIM

30.

Nunca pensei que chegaria a este momento. E aqui estou. Destruída, acabada, morta por dentro. Enxugo os olhos e volto ao que estava fazendo como uma funcionária diligente que não pensa, não hesita; só executa. Finco a pá na terra e vou abrindo a cova. Apesar de demandar grande esforço, tudo ainda parece um sonho. Na verdade, um pesadelo. Irreal, intangível, como se acontecesse em outro tempo ou com outra pessoa. A história absurda e violenta que se escuta da amiga de uma amiga. É cruel que uma coisa dessas aconteça *de verdade*. Mais cruel ainda que aconteça comigo. Enquanto revolvo a terra, repasso cada instante, cada escolha, cada migalha de culpa e omissão que me trouxe até aqui. É um caminho repleto de buracos e zonas cinzentas. Não posso ficar sofrendo. Não tem mais volta. Aconteceu.

Abrir uma cova é mais cansativo do que eu pensava. Sinto falta de ar, fico zonza e exausta. Solto a pá e aperto os olhos para medir o buraco. Acredito que, sim, é suficiente para uma criança. As lágrimas voltam, impossíveis de conter; é uma coisa física, não emocional. Deixo que sigam seu trajeto pelo meu rosto, levem consigo a maquiagem da noite de ontem e se misturem ao suor no meu pescoço até alcançarem o vestido vermelho, que, se antes era elegante e sedutor, agora soa inadequado, quase absurdo, neste lugar imundo e abandonado pelo tempo. A noite prometia tantas respostas. Cheguei a ter esperanças. Como tudo pôde terminar assim?

Indiferente à minha dor, o sábado amanhece. Um sol tímido, encoberto por nuvens, vai iluminando o quintal dos fundos da casa onde eu cresci, a casa que odeio e sempre odiei. É como se a luz trouxesse vida aos objetos, deixando a experiência mais brutal. O mato alto, com flores mortas e ervas daninhas, abraça as ferramentas enferrujadas, o entulho, o velocípede quebrado, os restos do meu caderno amarelo, destruído pelo fogo na pilha de pneus velhos, e o balanço de madeira preso aos galhos firmes da única árvore desse jardim patético que minha mãe um dia sonhou manter. Sinto uma vontade inconveniente de gargalhar, mas engasgo. Uma bola de fogo desce pela garganta na direção do estômago. Minhas entranhas fervem.

Não tenho muito tempo. Fico de pé e caminho até Sara. Eu a deixei deitada junto ao muro, fora do campo de visão, para não ser obrigada a olhar para ela enquanto abria a cova. Não posso mais adiar. Tenho que encarar o estrago. Eu me agacho para pegá-la no colo. Aos dez anos, ela pesa pouco mais de vinte e cinco quilos. Com delicadeza, eu a deito no túmulo e, evitando olhar para baixo, começo a cobrir seu corpinho com ajuda da pá. Primeiro os pés, com os All Stars coloridos que ela adorava, de cadarços fosforescentes; depois as meias longas listradas que chegam até a altura dos joelhos, e finalmente o pijama com bolinhas cor-de-rosa. A terra fofa facilita o trabalho. Em poucos minutos, só falta cobrir seu rostinho sereno, apesar do sangue coagulado na testa.

“Desculpa”, sussurro.

Quase não reconheço minha voz. Acaricio o pescoço frio, ajeito os cabelos loiros e me controlo para não beijar sua bochecha uma última vez. Ela era tão doce, tão curiosa pelo mundo, tão forte e determinada a lutar. Não merecia esse fim horroroso. A culpa é minha.

Passarinhos cantam, a brisa sacode as folhagens, o mundo segue adiante. Meu corpo está quente, febril. Sinto que vou desmaiar a qualquer momento. Termino de enterrá-la e jogo a pá longe. Recolho algumas flores coloridas e deixo sobre a terra, junto ao bilhete que escrevi tentando explicar tudo. Estou tão ofegante que me assusto quando o celular volta a tocar. Demoro a reconhecer o toque, a musiquinha irritante de algum desenho animado.

Não é meu celular. É o de Angela, que guardei no decote. Atendo.

"Angela? Filha, o que aconteceu?", Vicente grita do outro lado. "Fala comigo! Onde vocês estão? Pra onde essa louca levou vocês?"

Mil respostas vêm à minha mente. Ensaio dizer alguma delas, mas não sai nada. Vicente identifica minha respiração pesada do outro lado da linha, porque logo emenda:

"Eva? Que merda você fez? Pra onde você foi?" Ele suspira. "Se machucar minhas filhas, eu te mato! Te mato!"

Conheço esse tom do Vicente. Ele sempre foi calmo, gentil, de fala mansa e racional. Mas, como bom filho único criado nas melhores escolas, com as melhores viagens de férias e os melhores pais do mundo, detesta perder o controle.

"Vai... Me diz. Onde? Confia em mim", ele arrisca, baixando a voz. Também conheço essa condescendência posada, típica dos advogados. Ele espera, mas não aguenta e logo se revela: "Anda! Fala logo, sua filha da puta!".

O palavrão não me machuca. Ao contrário, chega como uma confirmação óbvia, ainda que cruel: estou fodida.

"Que caralho você fez, Eva? Cadê meu carro, porra?", ele continua. "Passa o celular pras meninas!"

Enquanto ele fala sem parar, busco identificar os sons do outro lado. Ele ainda está no hospital? Ou já pegou um táxi? O som de uma buzina deixa claro que ele está na rua, no trânsito. Deve estar vindo para cá, atrás de mim. Devo ter mais quinze minutos, no máximo. Preciso me apressar. Não posso correr o risco de que Vicente me encontre.

Desligo. Dói demais ouvir a voz dele. Volto a guardar o celular e retorno à casa. Pontos pretos surgem à minha frente. Quero esfregar os olhos, mas noto o sangue nas mãos. Entro pelos fundos, cruzo o corredor até o quarto da minha mãe e destranco a porta. Angela está encolhida debaixo da penteadeira, com a cabeça enfiada entre as pernas, chorando. Usa um pijama igual ao da irmã, com bolinhas cor-de-rosa. Vicente sempre gostou de vestir as gêmeas com roupas iguais, até mesmo para dormir. Eu era contra. Agora esse tipo de discussão tão banal parece uma piada de mau gosto.

Quando avanço na direção dela, Angela levanta o rosto e me encara assustada. Na bochecha esquerda, a marca do tapa, uma mancha vermelha e disforme. Seu nariz continua a sangrar. Antes que eu diga qualquer coisa, ela se adianta:

"Cadê a Sara?! O que você fez com ela?"

Sem responder, afasto a cadeira e a puxo pelo braço. Angela grita, agita as pernas, tenta se desvencilhar, mas não consegue.

"Me solta! Eu quero meu pai… Me deixa falar com meu pai."

Com certo esforço, arrasto Angela para fora do quarto e cambaleio até a sala. A televisão ainda está ligada — o jornal mostra uma reportagem sobre os preços altos nos supermercados. Passo direto pela cristaleira cheia de bonecas e abro a porta da frente.

Desço os degraus, empurro com o quadril o portão baixo, que range, e vou para a calçada.

A rua está deserta. Sigo até o carro, estacionado na frente da casa. Na lataria, resquícios de arranhões e tinta. É impressionante como as pessoas podem ser cruéis e insensíveis. Logo abandono esses pensamentos, abro a porta do carona e empurro Angela para dentro. Bato a porta e aperto o botão para trancar, sem dar a ela qualquer chance de escapar de mim.

Enquanto contorno o carro pela dianteira, observo o terço com o pingente de Nossa Senhora Aparecida pendular no retrovisor interno. Nunca fui exatamente religiosa, mas sempre tive um pouco de fé. Em Deus. Nos santos. Em milagres e redenções. Depois de hoje, não acredito em mais nada. No banco do motorista, giro a chave na ignição. Encaro a casa de subúrbio uma última vez, com o número vinte e dois na fachada e o muro baixo que mandei pintar há algumas semanas. Piso no acelerador.

Felizmente, ainda não há trânsito. Em poucos minutos, cruzo ladeiras e margeio a linha do trem até deixar o bairro residencial e alcançar a via expressa, com as faixas opostas separadas por uma mureta. A musiquinha irritante volta a tocar, e só então me lembro do celular que guardei entre os seios. É Vicente outra vez.

"Quero falar com meu pai", Angela diz, estendendo a mão.

Entreabro a janela e, sem pensar muito, jogo o celular fora. Angela se aninha no banco, emudecida, pequena diante do painel. Deixo a Linha Vermelha e tomo a BR-040. Ali, o SUV ganha velocidade. Cem. Cento e vinte. Cento e cinquenta quilômetros por hora. Carros buzinam quando passo por eles, tirando fina de suas carcaças. Angela faz menção de colocar o cinto de segurança, mas eu a impeço com um tapa forte no braço. Acuada, tenta abrir a porta do carro em movimento, mas está tudo travado. Sem saída, ela segura a alça do teto e se agarra ao encosto, enquanto me encara com horror genuíno.

"O que você tá fazendo? Me leva pro meu pai!"

Acelero mais e mais. A esta altura, as pistas contrárias não têm mais nada que as separe, apenas a sinalização no asfalto. Pelo retrovisor, observo a cadeirinha com o cinto de ursinhos e as pelúcias de elefante e girafa que comprei para Luquinhas há poucos meses. Um pensamento bom me invade e consigo sorrir. Um sorriso curto, que logo vai embora.

Fecho os olhos e, lentamente, como quem se deixa guiar numa valsa, viro o volante para a esquerda. O carro abandona a pista e trepida quando os pneus atropelam as tartarugas da faixa dupla, chegando ao outro lado. Um coro de buzinas ressoa no sentido contrário. Carros desviam para a esquerda ou para a direita enquanto acelero. Entreabro os olhos a tempo de ver uma picape se jogar no acostamento. Por um triz.

Como um bicho, Angela pula em cima de mim, tenta puxar o volante, trazer o carro de volta à pista. Eu não deixo. Sigo na contramão. Um Siena avança contra nós e desvia no último instante. Então, a poucos metros, um caminhão surge na curva à esquerda e desce o declive. O motorista buzina, enquanto nossas velocidades em sentido contrário devoram a estrada. A carreta de cabine azul avança lenta e pesada, como uma onda gigante, um muro de concreto contra nós. Volto a fechar os olhos, mantenho firme o volante. Não posso hesitar, não agora. É minha única saída.

"Eu não quero morrer, mamãe!", Angela urra. "Por favor, eu não quero morrer!"

É a última coisa que escuto. Em um milésimo de segundo, tudo acaba. A buzina explode em meus tímpanos. O impacto projeta meu corpo e o de Angela pelo painel, cacos rasgam minha pele, meu peito rasga, minha cabeça gira. Então não sinto mais nada.

UM ANO ANTES DO FIM

1.

"O resultado acabou de chegar... Deu positivo, Eva! Você está grávida!"

Fico muda. Aperto o celular, enquanto meu coração bate mais forte e começo a suar frio. Do outro lado da linha, consigo escutar a caneta de Vera, minha médica, martelando o tampo de vidro. Ela desiste de esperar minha resposta.

"Eva, você me ouviu? Você conseguiu, amorzinho. Já está de seis semanas."

"Cem por cento de certeza?"

"O exame é bastante preciso." Há certa impaciência na resposta. "O que foi? Você está feliz, não está?"

"Sim... Claro que sim", respondo, talvez rápido demais.

"Escuta... Vou ter que desligar. Minha agenda está bem cheia hoje. Liguei só pra contar... Sei que você estava ansiosa."

"Obrigada... Obrigada!", digo, forçando um entusiasmo que, por algum motivo, ainda não sinto. Percebo que ela já está desligando quando emendo: "Vera, desculpa... Posso te pedir um favor? Não conta pra ninguém ainda. Pelo menos por enquanto".

"Claro, imagina... Não vou te tirar o prazer de espalhar a boa nova pra todo mundo. Nem posso, por questão de ética!"

Ela dá uma risada curta. Além de minha médica, Vera é minha amiga. Moramos no mesmo condomínio. As meninas e o filho dela, Arthur, estudam juntos e estamos no mesmo grupo de WhatsApp de mães. Nos encontramos todos os fins de semana na piscina, no parquinho, na academia ou na praia da Reserva. Nossos maridos veem futebol juntos e organizam churrascos.

"Nossa, o Vicente vai ficar tão animado! Vocês merecem! Precisam comemorar... Mas sem vinho, hein? Só suco de uva a partir de agora."

Outra risadinha, e ela desliga mandando beijo. Sentada no sofá, continuo com o celular na orelha por mais algum tempo, como se esperasse outra voz surgir e gritar: *pegadinha!* Então, baixo o braço, deixo o telefone na almofada, me levanto devagar, um pouco zonza, e paro na frente do espelho. Automaticamente, meus olhos correm para baixo, para a cintura fina, com a barriga à mostra pelo top de lycra, e para a calça legging colada no quadril. Eu estava a caminho da musculação quando o celular tocou. Vera me pegou desprevenida.

Desisto de sair e volto a me sentar. Tudo começou dias atrás. Minha menstruação estava três semanas atrasada, mas nem liguei. Sempre fui irregular. Em uma segunda-feira, depois de deixar as gêmeas na escola, mudei o trajeto de volta para casa, como quem se lembra de passar no supermercado. Tomei um táxi na avenida das Américas até a farmácia mais próxima e comprei um teste de gravidez. Não queria comprar na farmácia que fica dentro do condomínio porque Ruth, a proprietária, mora no nosso prédio e adora fofoca.

De volta ao apartamento, me tranquei no banheiro, mesmo estando sozinha, e fiz o teste. Aguardei tensa enquanto o primeiro traço e depois o segundo surgiam no dispositivo, como um passe de mágica. Mesmo dando positivo, continuei sem acreditar. Meses antes, um teste de farmácia havia dado falso-positivo; algo raro pelo que eu soube, mas que acontecia. Além do mais, eu não me *sentia* grávida — e sempre confiei na minha intuição. Preferi não contar nada ao Vicente. Não queria alimentá-lo com expectativas para depois descobrir que era outro alarme falso. Como uma agente secreta, consegui um encaixe com Vera sem precisar alterar minha rotina ou avisar ninguém. O consultório dela fica em um pequeno mall ao lado do nosso condomínio, a uma distância de dez minutos a pé. Em menos de meia hora, fui atendida.

Por um instante, penso no porre que eu e Vicente tomamos no fim de semana. As gêmeas estavam com a Clarinha na casa da Solange, nós ficamos livres e sozinhos, como quase nunca acontecia. Era um momento único, de liberdade adolescente, sem o peso de cuidar de duas meninas. Vicente também se sentia especialmente festivo naquele sábado — as coisas andavam promissoras para ele no escritório. Saímos para jantar comida japonesa em um restaurante novo no shopping, e ele fez questão pedir uma garrafa de saquê.

Enquanto emborcava o primeiro copo, cheguei a pensar: *melhor não*... Mas engoli o pensamento junto com o arroz fermentado, delicioso por sinal. Ao virar o saquê, eu estava me arriscando. Mas era um risco calculado. Queria curtir a noite. Em casa, transamos maravilhosamente. Começamos na sala, largando as roupas pelo caminho; aquecemos na cozinha, com um oral maravilhoso na bancada, e terminamos na cama. Foi uma delícia, mas agora me sinto péssima e irresponsável.

Espanto a ideia, tento clarear os pensamentos. Sim, eu quero um filho. Vicente também. Conversamos muito sobre isso nos últimos meses, desde que parei de tomar pílula. "Um terceiro filho pode ser maravilhoso", ele sugeriu na época. "Você é saudável e linda! Por que não damos chance ao destino?"

E agora aconteceu. Qual é o problema? Chafurdo meu vocabulário mental, e a palavra mais próxima que consigo para definir o que estou sentindo é *medo*. Parece ridículo, absurdo. Como posso sentir medo de um futuro maravilhoso, cheio de possibilidades? Recuso a definição e encontro outra: *paralisia emocional*. É isso. Diante de uma coisa tão deslumbrante e esperada, não sei como reagir. E essa falta de reação me apavora.

Para variar, estou problematizando quando deveria apenas me deixar inundar por sentimentos bons. Nós temos uma rotina tranquila, uma vida financeira estável, moramos em um condomínio com toda a infraestrutura, com uma vizinhança amiga e atenciosa. Nossa vida é perfeita. Somos uma família feliz. E é assim que eu devo me sentir: *feliz*.

Ponho na mesa pães quentinhos, frutas (bastante uva verde sem semente, que as meninas adoram), suco de laranja, um bolo de chocolate amargo que eu mesma fiz, queijos duros, geleia, tapioca e um pote de Nutella. Ansiosa, encaro o relógio, depois a porta, então o celular pela centésima vez. Faz uns cinco minutos que Vicente enviou mensagem avisando que tinha pegado as gêmeas na escola, mas eles devem estar presos no tráfego intenso do condomínio a essa hora. Checo minha imagem no espelho: o vestido bonito e caseiro que escolhi, de tecido leve azul-claro, combina com as sandálias de salto baixo. Preferi deixar os cabelos soltos, fiz uma escova e uma maquiagem leves. Levei mais tempo nisso do que esperava. Às vezes, a maquiagem para parecer que não se está maquiada é a mais trabalhosa de todas. Não quero que Vicente perceba o quanto me preparei para esse momento. Quero que tudo seja natural e maravilhoso.

Cogito me sentar, mas estou nervosa demais. Pego um livro e me recosto no braço do sofá, viro as páginas, leio palavras soltas, até que eles finalmente chegam. Escuto a chave girar na porta, e ela logo se escancara. Deixo o livro de lado num movimento que, por um segundo, me parece teatral demais. Angela vem correndo e abraça minha cintura. Joga a mochila sobre o sofá e vai abrindo o zíper.

"Olha, mãe! Olha quanto eu tirei em Ciências!"

Ela estende duas folhas grampeadas, que encaro um pouco zonza. No topo, a professora escreveu em caneta vermelha: 9,5, com um *Parabéns!!!* ao lado, finalizado com estrelinhas.

"E a Sara tirou só oito", Angela diz, apontando a irmã. "Ela não ganhou nenhuma estrela."

Sorrio e olho para Vicente, que balança a cabeça de leve.

"Oito também é uma ótima nota", replico. "As duas estão de parabéns."

Vicente se aproxima e lança uma piscadela para mim, então se volta para as meninas. Dá tapinhas leves no bumbum das duas, enquanto as conduz pelo corredor.

"Pro banho... Já... Vocês estão muito suadas."

Elas obedecem, e eu fico ouvindo as risadas e as vozes abafadas de Angela e Sara se revezando para contar com entusiasmo sobre a escola. Vicente volta sozinho, de bermuda e regata. Gosto de olhar para ele — não importa quanto tempo passe, meu marido continua a ser o homem mais bonito que conheço, com um e noventa de altura, os olhos castanhos, profundos, emoldurados por óculos retangulares; o sorriso largo e caloroso, desenhado por uma barba discreta no rosto anguloso. "Fiz cinco reuniões hoje", ele diz. "E você acredita que aquele juiz desgraçado indeferiu meu pedido de extensão de prazo? As impugnações vão ficar todas pro final da semana."

Toda noite, Vicente me conta como foi seu dia. Gosto de escutá-lo detalhar as conversas com os clientes do escritório, narrar os momentos de tensão no tribunal como se fossem um capítulo de seriado, mencionar nomes de pessoas que não conheço e nunca vou conhecer, mas que fazem parte do meu imaginário. Ele é como um mensageiro que traz notícias do mundo lá fora. Hoje, ainda que nada do que Vicente tem para me dizer seja tão importante quanto o que tenho a dizer para ele, não o interrompo.

Só então ele se dá conta da toalha de mesa especial, do bolo e do pote de Nutella, que em geral eu não permito que as crianças comam no lanche da noite.

"Uau, a mesa hoje tá caprichada! Estamos comemorando alguma coisa?"

Eu o encaro. Chegou a hora. Sorrio e faço que sim com a cabeça, de leve. Ele devolve um olhar confuso, não entende de cara. Percebo que vasculha na mente se esqueceu alguma data importante: o dia que nos conhecemos, nosso aniversário de namoro…

"Aconteceu, Vicente", digo. "Estou grávida."

A naturalidade com que seus olhos se enchem d'água me emociona. Não há qualquer vestígio de hesitação. Ele sorri, enxuga as lágrimas que escorrem sem vergonha e se levanta para me abraçar. Acaricia minha cabeça contra seu peito largo e baixa o rosto para murmurar em meu ouvido:

"É a melhor notícia do mundo, princesa. Eu nem acredito…"

"Também ainda estou sem acreditar… Um bebê!"

Ele segura meu rosto entre as mãos e me enche de beijos. Seus olhos brilham ao me encarar. É um olhar inédito, especial, como se subitamente eu tivesse me tornado uma figura divina.

"Vai ser um menino", ele diz.

É impossível resistir à certeza dele. Vicente sempre foi um grande pai: tem uma energia contagiante, um entusiasmo infantil para inventar brincadeiras e se divertir de verdade com elas, além de uma paciência sem fim para contar histórias e encontrar explicações criativas para as perguntas que as meninas fazem. Nesses anos, não sei quantas vezes vi meu marido assistir ao mesmo filme da Disney, buscar incansavelmente na internet o exato modelo de vestido da princesa que as meninas queriam ou ensaiar com elas a coreografia completa da música do momento, tocada à exaustão. Jamais percebi nele qualquer frustração por ser pai de duas meninas, donas de um mundo completamente diferente do dele. Mas, ao dar a notícia, encontro algo novo em Vicente, uma excitação irracional com a possibilidade de ser pai de um menino. Por um instante, desejo que ele tenha razão. Não quero desapontá-lo.

Estamos abraçados, emocionados, lado a lado na mesa, quando as meninas vêm correndo, com os cabelos molhados, já de pijama. Na idade delas, tudo tem muita urgência. As duas estão sempre gritando, correndo, pulando, cantando, mexendo em algo ou fazendo tudo isso ao mesmo tempo. Elas se sentam na mesa e vão se servindo, sem perceber o que está acontecendo. Em uma troca de olhares, faço um gesto de cabeça para que Vicente tome a iniciativa e dê a notícia. Ele pigarreia e começa, enquanto esfarela o bolo de chocolate em um pratinho.

"A gente tem uma surpresa maravilhosa", Vicente diz, e olha para mim. "Vocês vão ganhar um irmãozinho."

Sara e Angela se encaram. Então escancaram a boca em um *Ohhh* sonoro e me observam, fascinadas.

"Posso escolher o nome dele?", Angela pergunta.

"A gente não tem certeza se vai ser mesmo um menino", corrijo.

"Se for menino, a Angela escolhe. Se for menina, a Sara escolhe. Que tal?"

A sugestão me pega de surpresa. Vicente não deveria oferecer uma coisa dessas sem me consultar. Por mais que eu ainda não tenha pensado no assunto, quero poder escolher o nome. Ao mesmo tempo, não quero contrariá-lo, especialmente em um momento de celebração. Engulo o incômodo e sorrio.

"Acho uma ótima ideia", digo. "Mas não comentem com ninguém ainda sobre a gravidez. É um segredo só nosso, tudo bem?"

"Como assim, Eva? Por quê? Minha vontade é ir até a janela e gritar pra todos os vizinhos escutarem! Eu vou ser pai de novo! E dessa vez de um garotão!"

Ele bate as mãos fechadas no peito, como o Tarzan, e uiva de alegria. As meninas acham graça e imitam o pai, repetindo "Um garotão! Um garotão!" em uníssono.

"É sério, Vicente. Melhor ficar só entre a gente. Por enquanto. É só que..." Eu me volto para as meninas e explico: "É só que o bebê ainda é muito frágil, pequenininho. Está se desenvolvendo, começando a crescer dentro da mamãe, sabe? Não é bom sair falando disso por aí".

"Tudo bem, mamãe."

Angela aceita e começa a comer uma tapioca com Nutella. Sara não come nada. Respira ofegante, amassa a toalha de mesa com as mãozinhas.

"Por quê, mamãe? O bebê... Ele ainda pode morrer?"

"Não, claro que não!", Vicente diz.

A resposta é enfática, mas vem tarde demais. O rosto de Sara fica vermelho, e ela começa a chorar. Treme e soluça, enquanto vou me sentindo uma imbecil sem coração por provocar isso. Eu devia ter previsto sua reação. Há pouco mais de um ano, Sara teve uma doença autoimune que comprometeu seu pulmão. Ela passou um tempo no hospital, conviveu com a sombra da morte, a ameaça do fim precoce. Desde então, se emociona à toa, chora ao encontrar uma borboleta morta no jardim ou ao ver um filme na TV em que alguém se machuca.

“Ei, ei… Não fica assim, meu amor”, digo, acariciando seus cabelinhos loiros. “O bebê está bem… Vai dar tudo certo.”

Aos poucos, o choro vai cessando. Ela solta pequenas fungadas, esfrega os olhos e me encara com ar de dúvida. Então olha para Angela e depois para Vicente.

“Vai mesmo, papai?”, pergunta, ainda manhosa.

“Sem dúvida, princesinha. Sabe quem vai adorar saber a novidade? O vovô e a vovó! Por que a gente não conta pra eles?”

Sara se anima. Vicente busca minha aprovação antes de pegar o celular. Eu aceito, claro. Meus sogros são pessoas maravilhosas, o típico casal-modelo, os pais que todos adorariam ter: uma advogada e um engenheiro bem-sucedidos, agora aposentados, cheios de animação, vitalidade e lucidez para aproveitar a terceira idade. No ano passado eles botaram sua casa no Recreio dos Bandeirantes para alugar e decidiram rodar o mundo, começando pela América Latina. Todo dia eles telefonam ou mandam fotos no WhatsApp para mostrar onde estão e o que estão comendo. Por correio, enviam postais, lembrancinhas e presentes para as netas.

Vicente liga por vídeo para a mãe, que atende no segundo toque. Luiza usa um vestido de noite e está sentada numa mesa ao lado de uma piscina de borda infinita, com palmeiras ao fundo. Em algum lugar, uma banda instrumental toca um ritmo animado.

“Estamos em Cancún, filho! Isso aqui é o paraíso!”, ela diz. “Seu pai está aqui na minha frente, atracado com uma lagosta!”

Luiza vira a câmera para mostrar o marido, César, com a pele vermelha de tanto sol. Diante dele, há um prato bonito de frutos do mar.

“A gente vai ganhar um irmãozinho!”, Angela se adianta, pegando a todos de surpresa.

"Meu Deus, isso é maravilhoso!", Luiza repete sem parar. "Parabéns, filho!"

Os dois erguem suas taças de vinho e brindam ao futuro neto. *Nota 9,5! Com estrelinhas!*, penso, mas não digo. Seria uma maldade. É claro que estou incluída nas felicitações da família. Só me incomodo porque, ao contrário de Vicente, não tenho para quem ligar. Não tenho ninguém para quem precise contar a novidade com urgência. Emocionada, Luiza diz que podemos contar com eles para o que precisarmos nos próximos meses.

Após desligar, Angela puxa Sara da mesa e as duas saltam no sofá, de mãos dadas, enquanto gritam "um irmãozinho!". Vicente se junta a elas, girando, pulando, jogando almofadas. Ele me estende a mão, me chama para a brincadeira. Hesito, mas aceito. Faço cosquinhas em Angela, depois em Sara. As duas me atacam de volta, e eu me engasgo com as gargalhadas e peço socorro a Vicente. Aos poucos, relaxo, me divirto. De repente, sou invadida por uma felicidade que não havia sentido até então. Uma felicidade *real*. Não tenho para quem telefonar, mas não importa: esta é minha família. Eu não preciso de mais nada.

2.

Na infância, meus dias eram tão incertos que eu não sabia se iria ou não para a escola, a que horas seria o almoço ou se teria algo para o jantar. Assim que aprendi a pegar o ônibus sozinha, passei a frequentar as aulas todos os dias, era uma aluna aplicada, mas o que me esperava ao voltar para casa era sempre uma surpresa: podia ser uma noite tranquila, com meus livros e bonecas no quarto, ou triste, com muita gritaria, choro e objetos quebrados pela casa. Tudo dependia do humor da minha mãe, da quantidade de álcool que ela havia bebido à tarde e se tinha ou não tomado seus remédios. Por isso, a ideia de seguir uma rotina sempre me pareceu uma miragem, um aconchego da vida adulta.

Agora, acordo às cinco e quarenta todo dia, com o despertador. Mas hoje me permito ficar mais um pouco na cama, encarando o teto, com as mãos quentes sobre a barriga. Então me posiciono de lado, com as pernas entrelaçadas às de Vicente, que ronca baixinho, com a boca entreaberta.

Pouco depois das seis, no entanto, a vontade de fazer xixi é imensa. Eu me levanto e confiro rapidamente o celular na mesa de cabeceira. Ao longo da madrugada, Luiza, minha sogra, enviou dezenas de links e tutoriais sobre os primeiros meses da gravidez, o bem-estar da mulher e cuidados essenciais para a maternidade. Agradeço com um coraçãozinho e a promessa de que vou ler tudo.

No banheiro, percebo olheiras discretas. Tomo um banho quente, me enxugo e faço o skincare sem pressa. Penduro o cabide com o terno e a camisa social já passados do Vicente na maçaneta do quarto, jogo o uniforme das meninas e a toalha de mesa da noite anterior na máquina de lavar.

O café da manhã, assim como o lanche da noite, é um ritual que Vicente herdou dos pais. Todos reunidos ao redor da mesa para começar e terminar o dia. Sinto que meu corpo vai despertando conforme pego tudo na geladeira, espremo laranjas, passo o café e preparo os ovos do jeito que cada um gosta.

Enquanto arrumo a mesa, a casa acorda. Os sons chegam pouco a pouco pelo corredor: Vicente escutando um podcast de economia enquanto alinha a barba; o despertador no quarto das gêmeas. Adoro a agitação das duas, a disposição matinal delas preenche tudo, contagia. Pela janela, vejo o céu limpo, o sol forte e acolhedor. Do décimo segundo andar, os jardins do condomínio parecem especialmente verdes, pontuados por flores rosas e roxas. Pela nesga entre os prédios, enxergo o mar, agitado, num tom azul-escuro que se funde ao céu. É definitivamente um dia lindo. *Combina com meu humor*, penso. Sorrio sozinha e belisco um morango.

O porteiro interfona para avisar que chegou uma encomenda. Agradeço e peço que me mande pelo elevador de serviço. Abro a porta dos fundos e busco o pacote. É para Vicente. Uma compra on-line. Deixo a embalagem na cadeira em que ele sempre se senta e termino de arrumar a mesa. Não tarda, ele aparece no corredor, com Angela ao lado, já de uniforme.

"Como passou a noite, princesa?", ele me pergunta.

"Melhor, impossível!" Aponto a caixa de papelão. "Chegou pra você."

Angela se senta no colo do pai e vai rasgando o embrulho. Lá dentro, um carro em miniatura com a lataria bege e o capô azul.

"É um Simca Vedette Chambord, de 1960", Vicente declara, orgulhoso. "Raríssimo!"

"Que incrível", Angela diz. "Posso segurar, papai?"

"Com cuidado."

Angela pega o carrinho e passeia com ele pela mesa, entre pratinhos, talheres e o cesto de pães. Vicente adora miniaturas de carros antigos, e deixa vários à mostra nas prateleiras mais altas da estante da sala, ao lado da TV. Herdou a coleção do pai e a ampliou bastante nos últimos anos, comprando, vendendo e trocando com outros colecionadores na internet. Na cozinha, termino de bater a vitamina com banana congelada, que deixa a textura mais cremosa. Sirvo em copos de vidro.

"Sara! Sara?", grito para o corredor.

Pego um copo de vitamina e encontro Sara no banheiro, de uniforme, em cima do banquinho. Ela é linda: os cabelos loiros caem até os ombros, emoldurando a boca pequena e delicada, o nariz fino e os olhos verdes, profundos e complexos. Está um pouco mais magra do que o normal, o tratamento a deixou meio ossuda, mas controlo seu peso com atenção e tenho feito de tudo para que ela engorde. O dr. Ary garante que não devo me preocupar. É natural que demore um pouco para ela recuperar o peso ideal. Entrego o copo de vitamina para Sara.

"Tomou o remédio?"

Em resposta, ela estende o braço até o frasco que fica na prateleira acima da pia. É um vidro grande de farmácia de manipulação, com tampa laranja e uma tarja vermelha no rótulo. As cápsulas são todas coloridas (imagino que são assim porque foram feitas para uma criança), e hoje ela escolhe uma amarela. Sara engole o remédio com a vitamina; precisa tomá-lo todos os dias. Tenho a impressão de que, às vezes, ela se esquece de propósito, uma espécie de flerte com o perigo. Por isso, toda manhã pergunto e confiro se tomou.

Volto para a sala. Sara vem atrás de mim, ajoelha na cadeira e começa a se servir, enquanto Vicente e Angela continuam se divertindo com o carrinho.

"Ainda não estão comendo? A gente vai se atrasar! Vai pro seu lugar", digo.

Angela sai do colo do pai e segue para sua cadeira, ao lado da irmã.

"Posso levar o carrinho pra escola hoje?"

"Não é brinquedo, meu amor", Vicente diz. Ele se levanta e posiciona o carrinho na prateleira alta, ao lado de dezenas de outros modelos. Depois, se senta ao meu lado.

Satisfeita, observo enquanto minha família conversa, ri e come. Sara troca um olhar rápido comigo e abre um sorriso breve, de gratidão e cumplicidade. Somos mais próximas, temos uma intimidade inexplicável. Percebo como ela está ficando parecida comigo, temos traços e expressões em comum, o que não deixa de ser curioso. Então observo Angela, brincando com os talheres, que ela nomeou de João (o garfo) e Joaquina (a colher), colocando leite com Nutella em um copo, acrescentando sal, geleia de morango e sucrilhos, fascinada conforme a gororoba muda de cor. Ela sempre gostou de brincar com poções, de combinar um líquido com outro, de descobrir que água e azeite não se misturam. Por muito tempo, andava para cima e para baixo com um kit de laboratório, e mostrava aos adultos e coleguinhas os resultados de suas experiências.

Apesar de idênticas, as gêmeas não poderiam ser mais diferentes. Talvez por causa da doença, Sara parece mais madura —

guarda os pensamentos para si, tem uma tristeza insondável, um mistério. É racional, séria, mas ao mesmo tempo frágil e carinhosa. Exige cuidados, gosta de carinho, mas é avessa ao contato físico. Já Angela é intensa, selvagem, física; uma criança em todos os sentidos: fala o que pensa, faz o que tem vontade, sem medir as consequências (costuma chegar em casa com os joelhos ralados, as mãos sujas), e tem seu mundinho imaginário, onde os objetos ganham vida e possuem nome próprio. Angela se vira como pode, se acostumou desde cedo a não ter toda a atenção. É falante, barulhenta, gosta de aparecer, como que para lembrar: *ei, ela é a doente, mas eu também estou aqui!*

Vicente põe a mão sobre a minha e me tira desses pensamentos.

"Vai precisar do carro hoje?"

"Não... A cliente vem aqui em casa", respondo. "E depois vou passar a tarde trabalhando. Tenho duas entregas para semana que vem."

Às vezes, preciso usar nosso SUV para fazer entregas, comprar material de trabalho ou levar Sara para ver o dr. Ary, no Leblon, ou a Magali, terapeuta infantil, no início da Barra, então uma chave sempre fica comigo. Mas hoje é um dia comum, e não preciso sair do condomínio. Após a aula, as meninas almoçam na escola, têm aulas de balé e de inglês e só voltam para casa no fim da tarde. Olho a hora e me levanto. Volto à cozinha, pego o interfone e ligo para o apartamento de Solange, que mora na cobertura.

Ontem à noite, ela me ligou pedindo que eu levasse Clarinha para a escola: "Será que você quebra esse galho, amiga? Carlos resolveu receber uns amigos pra jantar aqui em casa amanhã... E eu fico como? Preciso pensar em tudo, comprar tudo, fazer tudo... A Nete não dá conta, não sabe servir nada mais sofisticado... Arroz, feijão e olhe lá! E quando dá cinco da tarde ela já começa a se arrumar pra ir embora... Diz que mora longe, não tem como ficar nem mais uns minutinhos pra dar uma mão... É aquilo, você sabe...". *Pelo menos você tem alguém pra te ajudar em casa*, pensei em responder, mas desisti. Pensei também em contar da gravidez, mas não queria esticar o assunto. Se deixar, Solange não para de falar.

Agora, depois de alguns toques, a empregada atende.

"Oi, Nete, tudo bem? A Clarinha tá pronta?"

"Sim, dona Eva."

"Vamos sair em cinco minutos. Pede pra ela descer?"

Nete responde que sim. Desligo e volto à mesa, onde todos já terminaram de comer. Pego mais um morango, viro a xícara de café e levo as meninas para escovar os dentes. Faço uma maquiagem rápida, borrifo um bom perfume, penteio de novo os cabelos. Gosto de estar sempre bonita. Escolho um colar discreto, o pingente com quatro bonequinhos de mãos dadas, folheado a ouro. *Agora, vai ganhar mais um bonequinho*, penso.

De volta à sala, Vicente está lendo as notícias e conferindo os índices do mercado financeiro no iPad, enquanto bebe seu café sem pressa. Ele deixa o aparelho de lado e se levanta para me dar um beijo.

"Te amo. Sempre te amei. E agora te amo ainda mais."

Vicente coloca a mão no meu ventre. Agacha-se para encher minha barriga de beijos. As meninas fazem o mesmo. Sinto cosquinhas, a pressão de suas mãos e bocas me desagrada um pouco. Por um instante, me sinto apenas um invólucro, uma embalagem de papelão levando um carro em miniatura muito valioso para Vicente. Espanto a ideia com um sorriso.

"Eu também amo você. Amo *vocês*", corrijo, encarando Angela e Sara. "E não quero que a gente se atrase para a aula, nem que tenha que sair correndo pelo condomínio. Vamos?"

As meninas abrem a porta e correm na frente para chamar

o elevador. Vicente segura meu braço, me dá mais um beijo no cangote e murmura baixinho:

"Você vai na dra. Vera? Quando vai dar pra saber o sexo?"

"Ainda é cedo, amor", digo. "Vamos com calma."

Dou mais um beijo em Vicente e, finalmente, saio de casa.

Clarinha espera no hall de entrada, com sua mochila da princesa Tiana nas costas. Está sentada no sofá principal, logo na frente de um papel de parede com algas marinhas e águas-vivas psicodélicas. É uma menina doce, bem-educada, a melhor amiga das meninas. Solange e Carlos a adotaram quando ela tinha dois anos. Solange não queria enfrentar uma gravidez. Como sempre faz questão de explicar quando conhece alguém: "Pra que colocar mais uma criança no mundo se há tantas por aí, precisando de um lar? Foi isso que eu falei pro Carlos. Além do mais, Deus me livre ficar imensa, com dores, ânsia de vômito, sem dormir... Não é à toa que os filmes de terror adoram uma gravidez. Repara só: sempre é uma coitada que se deforma por nove meses pra parir um extraterrestre, um monstro, uma criança demoníaca... Nada contra, mas tô fora!".

A lembrança dessa conversa me invade enquanto Clarinha se levanta do sofá e vem caminhando na nossa direção. As meninas a abraçam e vão andando na frente, brincando de saltar as pedras e conversar através de sinais que só elas entendem. Cumprimento seu Pedro, o porteiro, e saímos do prédio.

O condomínio Blue Paradise é enorme, com quinze edifícios com mais de cem apartamentos cada. Nosso apartamento é aconchegante, com cento e vinte metros quadrados e vista parcial da restinga. No futuro, quando for promovido de advogado pleno para sênior e tiver um aumento, Vicente vai comprar um apartamento maior (talvez de cento e cinquenta, ou até duzentos metros quadrados), mas ele ainda está pagando as parcelas do financiamento deste.

No condomínio, todas as fachadas são pintadas de azul e as entradas, decoradas com motivos marítimos, o que me pareceu exagerado de início, mas com o tempo acabei gostando. Nas quadras mais distantes, tem um conjunto de casas com dois andares, onde moram até algumas celebridades, como o vocalista de um grupo de pagode e um cirurgião plástico renomado. Toda a área — eu não sei dizer a extensão exata — é costurada por ruas sinalizadas com faixas duplas e velocidade máxima permitida de vinte quilômetros por hora. A entrada principal, com duas guaritas de segurança, dá para a avenida das Américas e tem suas grades ornamentadas com conchas e algas marinhas, além de duas estátuas de Poseidon com seu tridente, coroando o conceito de fundo do mar.

Nosso prédio, o Cavalo-Marinho, fica no setor leste do condomínio, com outros dois prédios. Prefiro tomar o trajeto arborizado em vez de pegar a linha reta que leva direto para o oeste, onde fica a escola das meninas. Mesmo sendo um pouco mais longe, é um caminho mais seguro (sem carros) e agradável. Cruzamos um pequeno lago com chafariz; depois, o parque principal, que agora está tranquilo, mas fica lotado de babás uniformizadas a partir das oito horas, e então duas pracinhas com tanque de areia, gangorras e balanços, bancos e amendoeiras. *Que vou visitar com mais frequência em breve*, penso com um calor no coração.

Praticidade, bem-estar e segurança são os lemas do Blue Paradise. Todos os dias, em horários distintos, um ônibus circular percorre todo o perímetro do condomínio e outro leva e traz os moradores para as demais regiões da cidade, em um trajeto que atravessa toda a Barra da Tijuca, segue pela zona sul, chega ao Aterro do Flamengo e vai até o centro. Aos sábados e domingos, balsas cruzam a lagoa do Marapendi em meio à natureza silvestre para nos deixar direto na praia — um luxo de que desfrutamos quase toda semana.

O colégio das meninas, Santa Joana d'Arc, fica em um mall anexo, e quase sessenta por cento dos alunos moram no condomínio. Nesse mesmo mall, temos farmácia, padaria e todo tipo de restaurantes e consultórios (nosso dentista, nosso clínico-geral e a dra. Vera trabalham ali). Dá para resolver toda a nossa vida a dez minutos a pé de casa.

Na porta da escola, as gêmeas se despedem de mim com um abraço apertado e correm para a entrada ao lado de Clarinha, animadas, enquanto o sinal toca. Sete e meia em ponto. Espero que elas cruzem o portão, onde um inspetor observa a movimentação.

No Blue Paradise, somos uma pequena comunidade unida e preocupada uns com os outros. As pessoas se ajudam, se respeitam e se cuidam. Ao sair de casa, mesmo que seja para ir à esquina, não posso me dar ao luxo de estar descabelada ou malvestida.

Às vezes, toda essa convivência extrapola os limites. Outro dia, o grupo de WhatsApp parecia prestes a dar início à Terceira Guerra Mundial porque Márcia, uma das moradoras mais ativas, havia descoberto piolhos nos cabelos loiros de seu filho Caio. Uma investigação se instaurou, e uma mãe mais ausente do grupo foi acusada de ser relapsa com o filho, o que teria originado todo o surto. Uma foto da coitada vestindo calça larga e blusão rasgado circulou por todos os celulares; chegaram a insinuar que ela estava mergulhada nas drogas e não se importava mais com ninguém. No fim das contas, a mulher tirou o filho da escola e se mudou do condomínio.

Em geral, é Márcia quem inicia esses movimentos. Ela mora em um invejável duplex de duzentos e cinquenta metros quadrados no Água-Viva, prédio vizinho ao nosso, tem uma predisposição geral à indignação e vive fazendo escândalo para cumprir à risca as missões que toma para si. No ano passado, puxou um abaixo-assinado com os moradores para trocar toda a equipe responsável pela jardinagem do condomínio. E conseguiu que um faxineiro fosse demitido porque, segundo ela, o sujeito tinha brincado de maneira estranha com as crianças no parquinho.

Apesar de alguns excessos, acredito que o cuidado com a segurança nunca é demais. Temos porteiros vinte e quatro horas nas duas entradas, câmeras instaladas em diversas áreas, muros verdes com cerca elétrica, salva-vidas na piscina e monitores no parquinho e na academia. No trajeto de volta para casa, cruzo e cumprimento com a cabeça cada um dos vigias em suas cabines, posicionadas em pontos estratégicos. Não sei os nomes deles, mas seus rostos conhecidos me trazem um conforto inexplicável. Pode ser um exagero, mas a verdade é que, em uma cidade violenta como o Rio de Janeiro, é raro que eu tenha vontade de sair do Blue Paradise.

Aqui dentro, me sinto segura.

3.

A cliente chega pouco antes do meio-dia. É uma mulher alta e esguia, de rosto ossudo e olhos esbugalhados que a deixam com a aparência tensa o tempo inteiro. Deve estar na faixa dos quarenta e cinco anos, tem os cabelos loiros malcuidados e as unhas descascadas, mas veste um bom tailleur e traz consigo uma bolsa cara a tiracolo. Parece uma mulher rica que tem vivido dias ruins.

"Sílvia?", pergunto, ao abrir a porta.

Ela faz que sim, séria.

"Você deve ser a Eva." Sílvia observa os tênis das meninas, minha sandália e um sapato social de Vicente deixados em um móvel baixo ao lado da porta. "Preciso tirar os sapatos?"

"Se não se importar… É um hábito da casa", digo.

Ela se senta no sofá e, sem dizer nada, descalça os saltos finos. O fecho está apertado, o que a faz levar alguns segundos. O silêncio se prolonga e me incomoda. Forço simpatia:

"Fiquei feliz que me procurou. Como conheceu o meu trabalho?"

"Pesquisei algumas artistas. Olhei sua página no insta e achei você ótima. É incrível como parecem de verdade."

"Obrigada."

Em um rápido passeio com o olhar, ela repara nos brinquedos pela sala, nas duas bicicletas infantis na varanda com rede, nos desenhos, massinhas, frascos coloridos e lápis de cor espalhados na mesa de centro, onde também há um quebra-cabeças de mil peças que as meninas estão montando com Vicente.

"Você tem quantos filhos?"

"Duas gêmeas. Elas vão fazer dez no final do ano." Por um instante, quase conto que, na verdade, são três, mas seria patético dar a notícia em primeira mão para uma desconhecida. "Vamos lá pra dentro?"

Pego os sapatos dela e deixo junto com os nossos. Seguimos pelo corredor até a cozinha. Abro o quarto dos fundos, que a maioria dos moradores deixa para a empregada. Como só temos a Isabela, uma diarista que vem uma vez na semana, acabei fazendo desse cômodo meu ateliê. Meu mundo.

"Aqui é minha maternidade", digo, enquanto abro passagem para Sílvia entrar na frente.

É um ambiente simples, com papel de parede fofo, rosa e branco, e uma pequena janela sem vista. Na mesa retangular, há moldes, potes de tintas, pinças, agulhas, pincéis, esponjas e as demais ferramentas que uso no trabalho. Na cômoda lateral, muitas gavetas e o forno elétrico para secar a pintura e fazer a selagem. Na parede ao fundo, um sofá simples de dois lugares e uma estante vertical com um mostruário das dezenas de bonecos reborn que fiz nos últimos anos. Apenas alguns deles estão à venda no meu Instagram, @eva.love.reborn.

Sílvia se aproxima, fascinada. Há meninos e meninas de diversas idades, desde bebês prematuros a maiores, de seis ou oito meses, nos mais variados tons de pele, cabelo e olhos. Tenho muito orgulho do meu trabalho: quando estou dedicada a um reborn, entro em uma espécie de transe, fico horas sem pensar em mais nada, sem sentir fome ou sede, sem checar o celular, tudo para me concentrar em cada detalhe, nas dobrinhas nas pernas, nos cabelos delicadamente implantados, fio a fio, na pintura das veias. Percebo que é a primeira vez que entro no ateliê desde que soube da gravidez, e uma ideia divertida me invade: enquanto construo bebês de vinil e silicone, a natureza está tratando de construir um *de verdade* dentro de mim.

Desde criança, sou apaixonada por bonecas. Meu pai, que morou com a gente até meus dez anos, fazia bonecas. As dele eram de porcelana, clássicas, pintadas a pincel fino, com cabelos exageradamente ondulados e roupas com babados. As bonecas eram minhas melhores amigas, meu refúgio imaginário de um cotidiano insuportável. Mais tarde, já adulta, cursei educação física, queria ser atleta ou preparadora física, mas acabei conhecendo a arte reborn e voltei a me aproximar desse universo. Aceitei minha paixão. Comecei acompanhando outras profissionais, fui atrás de aprender as técnicas, me aprimorei e logo me tornei uma cegonha — como chamamos as artesãs que se dedicam à nossa arte.

"Você já tem algum reborn?"

"Não. Vai ser o primeiro", Sílvia responde. Ela observa os pares de bracinhos e perninhas, pintados há dois dias, secando na estrutura de madeira sobre a mesa. No momento, estou trabalhando em uma reborn chamada Julia, com cabelos ruivos e nascimento previsto para daqui a um mês. "Quanto tempo demora pra fazer?"

"Depende. Em geral, de seis a oito meses, porque faço vários ao mesmo tempo", digo. Então, penso na gravidez e calculo que meu ritmo de trabalho ficará mais irregular. "Na verdade, estou com muita encomenda na frente. Acho que a sua vai ser oito meses mesmo, tudo bem?"

"Não tenho nenhuma pressa."

Sílvia tira da bolsa uma foto impressa e me estende. Nela, um bebê real, com cerca de quatro meses, encara a lente com os olhinhos entreabertos, surpresos, e sorri, banguela, entre as bochechas fartas, segurando um chocalho tricolor na mão direita. A imagem me enche de ternura.

"Meu Deus, que lindo! É seu filho?"

"É, sim", ela diz, com orgulho incontido. "O Bernardo é o amor da minha vida."

"Quer que faça parecido com ele?"

"Quanto mais parecido, melhor."

"A gente nunca consegue fazer idêntico. Cada artista tem um estilo, sabe? Mas dá pra chegar perto, sim."

Vou até a cômoda e abro uma gaveta por vez, procurando o molde perfeito entre variados kits com cabeças, braços e pernas ainda sem pintura. Cada kit é feito de vinil ou cerâmica plástica por uma fábrica americana e enviado por correio — além dos kits clássicos, tenho kits especiais, de edição limitada e numerada.

"Olha esse... É um modelo de bebê recém-nascido, com moleira definida. Olha como ele está franzindo o rostinho..." Mostro a ela outra opção, de um bebê acordando. "Esse aqui já é maiorzinho, bem cabeludo e bochechudo. E essa gordurinha nos braços? Coisa mais gostosa."

"Parece o sorriso do Bernardo."

"Também acho. Vamos nesse, então?"

Ela concorda. Escolher o molde é muito importante, mas é apenas o primeiro passo. A partir daí, começo a pintura e a aplicação dos fios e olhos para que o boneco ganhe a aparência hiper-realista do reborn. Passo o preço, a forma de pagamento e informo sobre a assinatura em formato de coração que costumo fazer na nuca dos meus reborns. Pergunto se ela se importa.

"De maneira alguma!", ela diz. "Uma artista tem que assinar seu trabalho!"

Agradeço com um sorriso. Faço sinal para que ela se sente no sofá ao meu lado e pego meu caderninho para anotar as informações principais.

"Algum sinal, pinta ou marca que você quer que o bebê tenha?"

"Sim. Uma pinta aqui no pescoço. Como o Bernardo."

Volto a olhar a foto e reparo em uma pinta bem discreta ao lado do queixo.

"Ótimo. Um charme!", digo. "E os olhos? Vão ser castanhos mesmo?"

"Isso. Mas pode fazer puxando um pouquinho pro verde."

"Ok." Anoto castanho-claro. "O bebê vem numa caixa especial, com enxoval, certidão de nascimento e uma cartinha. O nome dele vai ser Bernardo mesmo?"

"Não. Vai ser Bruno. Não quero usar o nome do meu filho. Quero eternizar o Bernardo, mas sei que nenhum boneco vai substituir o filho que perdi…"

Quando percebo, ela já está chorando.

Entro na academia do condomínio ainda perturbada pela conversa. São três da tarde e mal consegui trabalhar depois que a cliente foi embora. Também não almocei — fiz o prato, mas não toquei na comida. Depois que Sílvia começou a chorar em meu ateliê, não parou mais. Ela me contou que sempre havia sonhado em ter um filho. Então conseguiu um doador de esperma e engravidou. Bernardo era sua realização, seu orgulho, sua maior conquista. Ela era empresária, dona de uma rede de lojas de lingerie, e tirou um período sabático para cuidar do filho, contando com uma rede de babás para ajudar no dia a dia.

Quando Bernardo completou dois anos, Sílvia voltou ao trabalho. Dividia-se entre as lojas, a casa e o filho; dormia muito pouco. Em um domingo à tarde, pegou no sono enquanto ele brincava tranquilo. A poucos metros da mãe adormecida, Bernardo montou na poltrona, alcançou a janela, subiu no parapeito, se desequilibrou e despencou do décimo quinto andar.

"A imagem dele caído lá embaixo, morto, cercado de sangue, não sai da minha cabeça. É por isso que quero um reborn. Pra guardar outra imagem do meu Bernardo comigo..."

Por um segundo, aceitar o trabalho me pareceu uma espécie de mau agouro. Mas a mulher estava destruída, e eu não queria piorar sua situação. Em vez de dispensá-la, eu a abracei e disse que faria o Bruno com todo o meu amor e dedicação. E não me arrependo.

Coloco os fones de ouvido e me concentro na série de exercícios. Começo pela esteira, depois sigo para os pesos. Não posso deixar que a tragédia da coitada me influencie. Coisas horríveis acontecem todos os dias, mas isso não significa que acontecerão comigo. Aos poucos, o suor alivia tensões e meu corpo pulsa, respondendo aos estímulos.

Estou perdida em pensamentos quando uma mão toca meu ombro. Márcia aparece ao meu lado, com roupa de ginástica e seus cabelos ruivíssimos. Ela interrompe meu leg press com um abraço apertado. Enche minhas bochechas de beijos. Tiro os fones para entender o que está falando.

"Meu Deus, Eva, estou tão feliz por você!", diz. "Grávida!"

O entusiasmo dela me ofende como um cuspe na cara.

"Você vai ver... Sua vida vai mudar! Sabia que a Diana e a Viviane também estão grávidas? Por que não montam um grupinho pra compartilhar experiências? Que delícia!"

Como você ficou sabendo?, penso em perguntar, mas não dá tempo, porque ela emenda:

"Passei só pra te dar os parabéns, lindona. Já tô atrasada. Tão acostumada a fazer aqueles bonecos lindos, imagina o bebê *per-fei-to* que você vai aprontar, hein?"

Márcia sorri e se afasta com tchauzinhos, enquanto continuo ali, ofegante, sozinha, invadida como nunca.

CINCO MESES ANTES DO FIM

4.

Entro no ateliê na semiescuridão, caminho até a bancada e pego os dois embrulhos que deixei ali mais cedo. O presente de Angela está em uma caixa pequena, de papelão rígido, dentro de uma sacola de loja. O de Sara é maior e mais pesado, com papel cor-de-rosa e um laço dourado. Escrevi um cartão para cada uma. Tenho certeza de que elas vão amar. Seguro os embrulhos e, com a dificuldade de quem também carrega uma barriga de trinta e oito semanas, volto para a sala, onde a festa acontece.

Imediatamente, um cheiro enjoativo de salsicha, incenso, suor e fritura me invade. Engulo em seco, respiro fundo e tento sorrir. A festa está linda. Durante a tarde, com a ajuda das meninas e de Isabela, a diarista, preparei tudo: bexigas presas ao teto, uma mesa com doces e salgados, além de pipoca, refrigerantes e cachorros-quentes servidos em bandejas. É uma comemoração simples, organizada em cima da hora com prestadores de serviço que encontrei no próprio condomínio. Ainda assim, um aniversário muito melhor do que os da minha infância.

Passo os olhos pela sala. Na frente da TV, quatro meninas

riem enquanto fazem uma coreografia de TikTok no ritmo da música que sai das caixas de som. *Ela me pede mais. Não para, não, meu bem. E vem sentando gostosinho pro pai. E vem jogando de ladinho, neném.* Na varanda, os adultos bebem cerveja em rodinha e conversam em voz alta. Seis crianças brincam de pique-pega ao redor da mesa. Isabela circula por ali, recolhendo a bagunça que deixam para trás. Nem sinal das minhas filhas.

Cumprimento com um sorriso os convidados que acabaram de chegar e, sem perder tempo, avanço pelo corredor. Checo a porta do banheiro social. Está trancada. Meio desajeitada, dou duas batidinhas:

"Angela? Sara? Estão aí, princesas?"

Silêncio do outro lado. Aguardo mais alguns segundos antes de bater de novo. Na terceira tentativa, a porta se abre num rompante. Caio, com sua franja bem cortada e seus olhos de pestinha, segura uma bexiga cheia d'água e sorri para mim. No processo de enchê-la, ou de dar o nó na bexiga, encharcou toda a bancada de mármore. Deixo os presentes no chão, fecho a torneira que ele deixou aberta e tomo a bexiga de suas mãos, com violência.

"Ei!", Caio protesta, assustado.

Penso em pedir desculpas, mas falo:

"Você não pode fazer isso!"

"Quem disse?"

A rebeldia me exaspera, mas antes que eu responda qualquer coisa Caio empurra a porta com força e sai correndo. Na fuga, seu cotovelo raspa na minha barriga e por reflexo me encolho. Eu a apalpo para confirmar que está tudo bem, mas o gesto contra a pele rígida me enche de tristeza. Exausta, bato a porta e me tranco ali dentro, aproveitando alguns segundos de solidão.

Agora, as risadas, a música barulhenta e os gritinhos estão distantes, abafados, mas o alívio não dura muito. Os cheiros do banheiro reviram meu estômago: perfume doce, xixi, água sanitária e toalha molhada. Tonteio e, apoiada à descarga, me sento na privada. Contra a minha vontade, lágrimas começam a escorrer pelo rosto. Na visão nublada, tento estabelecer a cronologia de dores, mudanças físicas e noites insones que me trouxeram até aqui.

Logo que descobri a gravidez, passei a vomitar diariamente. Pouco depois, comecei a ter vontade de comer coisas aleatórias. Semana a semana, eu me sentia mais cansada e faminta: comia por dois, vivia por dois. E assim, cumprindo o checklist dos trágicos clichês que uma grávida enfrenta, fui tendo enxaquecas, azias, inchaço sem parar, perdendo massa magra e a tonificação dos músculos. Meu abdômen, antes definido, se transformou numa bola de basquete disforme, com estrias e manchas, mesmo com os exercícios matinais. Certo dia, há cerca de um mês e meio, me encarei no espelho e não me reconheci. Não era mais eu; era outra, com um anexo indissociável, um *parasita*.

Tudo piorou quando o ultrassom confirmou que estou mesmo esperando um menino. Do dia para a noite, esse ser amorfo que cresce dentro de mim ganhou um nome, escolhido por Angela: Lucas. Eu até gosto da sonoridade, mas não consigo deixar de chamá-lo secretamente de *parasita*. Um ser que, antes mesmo de vir ao mundo, controla meus órgãos, arbitra minhas sensações, esgota minhas energias. Dizem que o último mês é o pior de todos e honestamente não sei se estou pronta. Não importa o que digam os filmes românticos e as mães sonhadoras: a gravidez é um contrato abusivo, em que as cláusulas já vêm todas redigidas pela parte mais forte, o bebê.

Engulo o choro, lavo o rosto e corrijo a maquiagem. Consulto o relógio: são oito da noite de uma sexta-feira, estou um caco. Como uma miragem, vislumbro o fim antecipado da festa. Na imaginação, chego a me ver entrando na sala, acendendo as luzes, desligando a música, expulsando os convidados. Isso me diverte. Mas sei que não vou fazer nada. Esta noite é importante não só para as gêmeas, mas para Vicente. Foi ele quem teve a ideia. Uma festa de aniversário era a desculpa perfeita para convidar alguns sócios do escritório e estreitar as relações. Sei que ele está fazendo um esforço enorme para causar boa impressão e ser promovido. Caso consiga, todos vamos sair ganhando. Não quero estragar tudo com minhas alterações de humor. Mais algumas horas e acaba.

Ajeito os cabelos e abro a porta, como quem volta para o campo de batalha.

"Angela? Sara?"

Sigo pelo corredor, com os presentes na mão. Nada no quarto de casal. Nada no antigo escritório de Vicente. Entro no quarto das gêmeas e vejo Sara sentada na ponta da cama, abraçada às pernas. Chego mais perto.

"Meu amor, tá tudo bem?"

Ela levanta o rosto, assustada. Dá uma tossida leve, que me preocupa.

"Tá passando mal? Com falta de ar?"

Sara faz que não com a cabeça. Pelo corredor, gritinhos infantis chegam, pontuados pelo estouro de balões.

"O que foi, então? Por que está quietinha aqui?"

"Só queria ficar um pouco sozinha", ela diz.

Eu me sento ao seu lado, coloco o embrulho maior entre nós duas.

"Acho que você nunca mais vai ficar sozinha", digo, com um sorriso. "Abre seu presente."

Sara rasga o papel, abre a caixa e, tomada de emoção, abraça o reborn que fiz para ela ao longo dos últimos meses.

"O Pedrinho! Ele é tão lindo!", ela diz, com os olhos cheios d'água. "Ficou perfeito, mamãe."

Uma noite, enquanto eu vomitava agachada na privada, Sara me disse que queria brincar de ser mãe e perguntou se podia ganhar um *filhinho* de aniversário. Juntas, escolhemos o molde e as características do bebê: o nariz pequeno, os olhos meio fechados, o cabelo loiro, do mesmo tom do dela, a boca de quem pede o peito. Adiei as demais entregas só para priorizar o presente dela. Deixei as roupas com cheiro de talco e coloquei brinquedos como chocalho e um bichinho de pelúcia dentro da caixa. Agora, pego a certidão de nascimento impressa numa folha A4 e mostro para ela.

"Aqui... O Pedrinho nasceu hoje, o mesmo dia que você. E olha o peso dele."

O reborn tem o peso de um recém-nascido — três quilos e meio. Viro Pedrinho de bruços e mostro, na nuca dele, próximo ao couro cabeludo, a discreta assinatura que deixo em todos os meus reborns: um pequeno coração em linhas finas, feito com pinça metálica.

"Vou ser uma ótima mamãe", Sara diz. "Eu prometo."

"Não tenho dúvidas disso, meu amor. Agora cadê a Angela?"

No mesmo instante, uma mão surge debaixo da cama e agarra meu tornozelo.

"Filha!", protesto, com uma indignação que logo vira risada. "Não vai ganhar o seu, hein?"

Ela ri e não espera. Já vai pegando o presente sobre a cama e destroçando o embrulho.

"Um iPhone! Eu ganhei um iPhone!", grita, pulando no meu colo para um abraço apertado, envolvendo minha cintura com suas pernas finas e enchendo minha bochecha de beijos.

"Como você pediu."

Eu e Vicente discutimos se já era hora de deixar as meninas terem um celular. Fui criada cercada de proibições e limites na infância: para mim, ainda era cedo. Para ele, restringir era o pior caminho. Angela vivia dizendo que outras meninas da turma já tinham telefone. Até quando a gente ia adiar? No fim das contas, fui convencida de que ela merecia nossa confiança — mas seu acesso à internet seria controlado e orientado por nós, claro.

Enquanto ela olha para o telefone como quem encara um diamante, tenho certeza de que tomei a decisão certa. Angela me dá outro beijo e sai correndo para a sala. Seguro a mão de Sara e faço um carinho em seu rosto.

"E aí, vamos pra festa? Pode levar o Pedrinho."

Ela concorda e caminha ao meu lado, abraçada ao novo reborn. Do corredor, a bagunça na festa parece um pesadelo: em todos os cantos, crianças correm e brincam de pular, gritar, dançar e lutar. Meu estômago ronca. Na cozinha, sem pensar muito, devoro dois cachorros-quentes que Isabela acabou de montar. Não adianta: continuo irritada e faminta. Tenho a impressão de que, não importa quanto eu coma, nunca será suficiente. O *parasita* sempre quer mais.

Isabela termina de montar os lanches e eu a ajudo a levar duas bandejas cheias para a mesa de jantar. Assim que nos veem, as crianças correm em nossa direção como moscas-varejeiras e atacam a comida.

"Calma, calma... Um de cada vez."

Em menos de um minuto, acabou tudo. Sophia, uma amiguinha nova das gêmeas, deixa cair uma salsicha perto do tapete de tanta afobação. Ela me encara com os olhos culpados e corre para abraçar a mãe. Isabela se agacha para pegar a salsicha.

"Odeio crianças", diz, baixinho.

Sorrio, mas não tenho certeza de que ela falou de brincadeira.

"Às vezes eu também", respondo.

Trocamos um olhar cúmplice. Ela recolhe um copo plástico sujo e algumas pipocas pisoteadas, depois volta para a cozinha.

"Lindona! Que festa maravilhosa!"

Márcia se aproxima com os braços abertos. Usa um vestido chamativo e joias pouco adequadas a uma festa infantil. Trocamos beijinhos, sem encostar os rostos.

"Que bom que você veio", minto.

Por mim, nem ela nem o delinquente do filho teriam sido convidados, mas Vicente insistiu, não queria se indispor com os vizinhos. *"O Caio é amigo das meninas! O que custa, Eva? Uma criança a mais, uma criança a menos..."* Pensei em responder que custava minha paciência, meu bem-estar. Mas, para isso, teria que contar sobre o encontro com Márcia na academia, meses antes, quando a notícia da minha gravidez vazou para todo o condomínio e passou a ser compartilhada nos grupos de WhatsApp. A cada *parabéns!* e *viva!* que recebia, eu me sentia mais e mais violada.

Na época, quis investigar como Márcia havia descoberto. Pensei em perguntar a Vicente, mas não queria sugerir que desconfiava dele. Pensei em questionar Vera, porém achei melhor não criar confronto à toa com minha médica. No fim das contas, desisti e aceitei que era impossível manter segredo sobre essas coisas. Às vezes, a ignorância é mesmo uma bênção.

Márcia coloca a mão na minha barriga sem pedir licença.

"Uau! Falta tão pouco! Nessa época, eu achava que ia explodir!"

Uma das primeiras coisas que aprendi quando meu ventre começou a inchar é que a gravidez é uma espécie de domínio público. Todo mundo, homem ou mulher, jovem ou velho, rico ou pobre, se julga no direito de apalpar sua barriga, todo mundo sempre tem uma opinião, uma orientação infalível, uma crítica construtiva ou um segredinho de família para contar.

"Não está fácil", digo. "Mas meu amor pelo Luquita é tão grande que compensa tudo."

Me sinto hipócrita, mas não importa. Márcia continua com as mãos quentes no meu vestido, como se tentasse se comunicar com o bebê.

"Criança consome demais... Só o Caio pra mim já deu", ela diz. "Você agora vai ter que lidar com três! Nem consigo imaginar. Deus me livre!"

Troco um breve olhar com Solange, que me observa da varanda. Próximo à TV, as crianças rodeiam a piñata em formato de unicórnio presa ao teto, comprada por Vicente. Estão ansiosas para o momento em que poderão destrui-la e brigar pelas balas que caírem.

"Você está com medo?", Márcia pergunta.

"Deveria estar?"

Ela abre um sorriso patético, dando de ombros. De maneira sutil, giro o corpo, sorrio de volta e me afasto, como se precisasse resolver algo urgente.

"Fica à vontade, viu?"

Na varanda, Vicente conversa animado com os sócios do escritório e alguns pais de amiguinhos das gêmeas. Quando chego perto, ele me dá uma piscadela abobalhada. Está se divertindo muito. Vicente tem muitas qualidades, mas sensibilidade não é uma delas. Sequer cogita que estou odiando tudo. Não imagina quanto eu preferia estar na minha cama, dormindo ou vendo um filme, em vez de ciceroneando essas pessoas com quem não tenho nenhuma afinidade. Por um segundo, fico orgulhosa de mim mesma por disfarçar tão bem.

Sento em um banco alto ao lado de Solange. Ela pega minha mão e aperta de leve. Vicente retoma o monopólio da conversa e vai contando como descobriu que era uma criança especial, com inteligência tão acima da média que foi submetido a um teste de QI na época da escola. Meus sogros, que pegaram um voo de Bogotá para o Rio de Janeiro apenas para prestigiar o aniversário das meninas e aguardar o nascimento do neto, fazem coro, rasgando elogios ao filho. Angela participa da conversa, como se fosse uma adulta, com seu celular novo na mão. A cena toda me soa patética, teatral, mas que seja.

Infelizmente, não tarda e o assunto descamba para o de sempre: o bebê.

"Tenho certeza de que o Luquita vai puxar a mim", Vicente diz. "Vai ser bem-dotado! Em todos os sentidos!"

Gargalhadas gerais.

"Como assim, papai?", Angela pergunta.

Mais gargalhadas. Vicente bagunça os cabelos da filha e desconversa:

"Tive que abrir mão do meu escritório em casa... Vou fazer um quarto incrível pra ele... Estou reformando tudo. Nas horas vagas, claro."

Ele está mentindo. No fim de semana, Vicente comprou latas de tinta e uma cortina com motivo de carros de corrida, mas só. Tanto a cortina como as latas de tinta estão em sacolas em um canto do escritório. Enquanto se gaba das supostas mudanças que fez, percebo como ele conta cada detalhe como quem confessa um grande sacrifício.

Vicente se atropela nas palavras enquanto abre outra cerveja. De súbito, tenho vontade de voltar à cozinha e virar uma latinha inteira. Estou há meses sem beber nenhuma gota de álcool. Também tive que abrir mão do café e da comida japonesa que costumávamos pedir nos fins de semana. Quando fico com enxaqueca, são poucos os remédios que posso tomar além de um Tylenol, que não ajuda em nada. Ainda que Vicente não perceba, os sacrifícios são todos meus.

"Você se importa que eu fume?"

A mulher que pergunta se chama Sheila ou Sharon. É a nova namorada do sócio majoritário do escritório, Antônio, e vinte anos mais nova do que ele. Me esforçando para soar gentil, sorrio e digo que não, não tem problema. Ela agradece e vai para o fundo da varanda.

"Ele está chutando muito, Eva?", Márcia pergunta, encontrando um espaço entre Fernanda, mãe de Jonas, e minha sogra.

"Não... É calminho."

"A Valentina não para de chutar... Acho que vai ser bailarina", Diana comenta, com as mãos no barrigão. Está com trinta semanas e acabamos ficando mais próximas por frequentarmos juntas um curso para grávidas.

"Normalmente nessa fase eles não param quietos mesmo", Márcia pontua. "Com sete meses, o Caio já parecia um jogador de futebol."

"Mas o médico disse que está tudo bem, não?", minha sogra pergunta, já ensaiando certa preocupação. "É normal não chutar, não é?"

"Cada bebê é de um jeito", digo.

Tenho todas as respostas na ponta da língua. Desde que descobri a gravidez, decidi não decepcionar ninguém, especialmente a mim mesma. Me esforcei para ser a grávida exemplar, a melhor mãe possível. Li muito sobre gestação, educação e como se conectar ao bebê. Pesquisei e pus em prática dicas, receitas e mandingas. Frequentei aulas de ioga, hidroginástica e firmei amizades com outras grávidas, que, ao darem à luz, compartilharam suas experiências e sensações em longos áudios no WhatsApp.

"E o parto? Já decidiu como vai ser?", Sheila/Sharon pergunta, debruçada no parapeito, enquanto assopra a fumaça pela rede de proteção.

"Queremos normal", Vicente responde antes de mim. "Pro Luquita chegar ao mundo da maneira mais pura possível."

"Eu também quero normal", Diana diz, como se a questão fosse dirigida a todas as grávidas no ambiente.

"Parto humanizado é tão lindo!", Fernanda comenta, servindo-se de mais comida. "Tenho uma amiga que pariu na banheira, com uma equipe médica só dela! Ela amou."

"A Viviane tentou normal, mas não conseguiu", Márcia diz. "Foi cesárea mesmo."

Há certa crítica em sua voz, como se passar por uma cesárea indicasse uma falha de caráter. Sinto certa tontura, mas me mantenho ereta. Olho o relógio: oito e vinte e um. Não é possível. Não se passaram nem trinta minutos?! Não sei como vou chegar ao final da festa.

"Eva… Eva? Está tudo bem?"

É minha sogra quem pergunta. Engulo em seco e percebo que estou suando frio. Todos os cheiros me enjoam, e a mistura de cerveja, comida e cigarro começa a ficar insuportável.

"Sim, eu… Só estava distraída."

"Você está pálida, parece ansiosa", minha sogra atesta. "Mas não precisa… Não tenho dúvida de que vai ser parto normal… Com as meninas foi assim. Em poucas horas, elas vieram ao mundo, lindas, sem chorar."

"Estou me preparando pra isso", digo. E acrescento com um sorriso: "Não quero que descubram que sou uma impostora…".

Arranco algumas risadinhas. No sofá da sala, as crianças fazem uma guerra de almofadas. Angela sai correndo para brincar. Cansou da conversa de adulto. Por um instante, ficamos em silêncio, observando a algazarra. Vicente me abraça por trás, colando seu rosto ao meu.

"Estou ferrado… Tenho certeza de que o Luquita só vai querer a mamãe…"

"Quero ser uma mãe maravilhosa", digo.

"Você *já é* uma mãe maravilhosa, Eva", Solange corrige.

"Fico tão feliz de ver as meninas assim, animadas, pra cima!", Márcia pontua. "Depois de tudo... Elas até que se acostumaram rápido com você, né?"

Desvio o olhar para Vicente antes de voltá-lo para Márcia e concordar com a cabeça. Quero mudar o assunto, mas lá do fundo Sheila/Sharon pergunta:

"Você... não é a mãe das meninas?"

Vicente me abraça mais forte e diz, no tom mais natural que consegue:

"A mãe biológica? Não."

"Nossa, eu não sabia!", um sócio do escritório diz. "Mas vocês são até parecidas!"

"Muita gente acha isso", respondo, forçando simpatia.

"E a mãe delas? Não veio?", Sheila/Sharon insiste.

"Minha ex-mulher morreu", Vicente diz. "Em um acidente."

"Alice era como uma filha pra mim", minha sogra acrescenta.

Vicente me lança um olhar incomodado: assim como eu, ele detesta falar sobre isso. Aqui em casa, Alice é assunto proibido; uma sombra sentada à mesa do café da manhã. Ainda é muito recente. Às vezes, me sinto ameaçada pela ausência dela.

"Como aconteceu?", Sheila/Sharon pergunta, inconveniente.

"Foi uma tragédia", Vicente se limita a dizer. "Uma tragédia horrenda..."

"Posso imaginar", o sócio diz. "Que sorte que as meninas te encontraram, não é, Eva?"

Faço que sim, sorrindo. Então peço licença e sigo para a cozinha para buscar o bolo. Enquanto coloco as velas no glacê, reflito que a sorte foi toda minha. Quando conheci Vicente, tinha saído havia pouco tempo da casa da minha mãe — ela fazia questão de marcar que a casa era *dela* e não nossa —, dividia uma quitinete com uma colega antipática da faculdade e fazia bicos de professora de vôlei.

Foram os bonecos que me levaram a Vicente. Eu estava começando a me profissionalizar e vender na internet. Solange conheceu meu trabalho enquanto procurava um reborn para Clarinha. Fui ao apartamento dela para conversar sobre o projeto e acabamos nos tornando amigas. Ela me achou muito bonita, perguntou se eu namorava e contou sobre a história que andava movimentando o Blue Paradise havia algumas semanas: a morte inesperada de Alice Funaro enquanto passeava de lancha com o marido e as filhas de sete anos.

"Ninguém sabe direito o que aconteceu. Parece que ela não sabia nadar. Acabou se afogando, coitada", Solange disse. "Você precisa conhecer o Vicente. É um partidão!"

Achei graça, mas não levei a sério. Solange, no entanto, não desistiu da ideia e, semanas depois, ligou para dizer que tinha marcado um encontro às cegas. Fui contra, mas ela insistiu que ia valer a pena. "É um partidão", repetiu ao telefone.

E foi assim que, com um pouco de má vontade, me arrumei para jantar com um desconhecido em um restaurante japonês no Barra Shopping. A primeira impressão foi ruim (até hoje, rimos juntos daquele encontro, que começou truncado, cheio de constrangimento). Vicente não sabia flertar e derramou um copo de saquê no meu vestido logo no início da noite. Depois da primeira garrafa, ele foi se abrindo mais, mostrou com orgulho algumas fotos das filhas e confessou seus sonhos, medos e ambições. Ao final da noite, eu já estava apaixonada.

Após três encontros, dormimos juntos e foi maravilhoso. Na vez seguinte em que nos encontramos, conheci as gêmeas — ele tinha avisado que convidaria uma *amiga* para jantar em casa. De início, elas me encararam com desconfiança. Eu era uma estranha, uma novidade. Propus uma brincadeira com desenhos e mímicas e acabamos nos divertindo muito naquela noite.

"Você tem jeito com criança", Vicente me disse, mais tarde. "Elas te amaram!"

No mês seguinte, minha mãe morreu. Enquanto me consolava, ele me convidou para morarmos juntos. Ainda era cedo? Era. Mas aceitei sem hesitar. Era um pacote completo, irrecusável: um advogado bonito, educado e com uma carreira promissora. Duas meninas lindas e fofas, fisicamente parecidas comigo — olhos verdes, cabelos louros, rosto angular. Um apartamento em um condomínio de classe média alta na Barra da Tijuca — bem distante da casa suburbana, com quartos abarrotados de quinquilharias, cheirando a mofo e madeira velha onde eu havia crescido. Me entreguei com tudo, não só a Vicente, mas ao combo. Eu queria fazer parte dessa família. Queria me encaixar, me sentir amada.

Naquele ano, criei uma rotina, montei meu ateliê na despensa, fiz novas amizades e conheci meus sogros. Quando as meninas começaram a me chamar de mãe, vivi o momento mais emocionante da minha vida. Eu me sentia mesmo mãe delas. Era como se não faltasse nada. Mas, no fundo, eu sabia que faltava. Faltava algo que me ligasse para sempre a eles. Agora, não falta mais. Por mais que esteja sendo difícil, esse bebê é a passagem só de ida para um lugar distante e maravilhoso onde sempre ambicionei chegar; meu visto de residência definitivo nesse país exótico chamado maternidade.

5.

“Toda essa violência me assusta.”

É domingo. Eu e minhas vizinhas estamos deitadas em espreguiçadeiras ao redor da piscina infantil do condomínio, enquanto as crianças brincam na água e nossos maridos fazem churrasco em um bangalô do outro lado do clube, mais próximo às quadras de tênis e de futebol. O sol está fraco, já passa das três da tarde. Estou faminta, mas ao mesmo tempo cansada demais para me levantar. Minhas costas doem, a posição com a barriga apontada para o céu não é nada confortável. Giro o corpo de leve para me ajeitar e tento voltar à conversa.

“Aumenta sem parar, está fora de controle”, Ruth conclui.

“É isso que dá não ter pena de morte no Brasil”, Márcia diz. “Por mim, tinha que ser assim: roubou, perde a mão. Matou, perde a vida.”

“Esse país não tem mais jeito”, Fernanda comenta, segurando o brinco de ouro como um amuleto e repuxando o lóbulo da orelha de leve, enquanto olha para o vazio. “É assustador... Já avisei o Marcos que, assim que o dólar baixar, quero mudar pra Miami."

"Outro dia, cercaram o carro de uma família aqui perto, na Abelardo Bueno. Um casal com dois filhos pequenos. Eram cinco da tarde, e os bandidos chegaram armados com escopetas. Escopetas, tipo guerra do Iraque! Renderam todo mundo, pegaram dinheiro, celular e pediram a chave do carro. A coitada da mulher demorou pra sair do carro, em choque, e levou três tiros. No peito. Morreu na hora, na frente dos filhos. Dá pra imaginar?"

"É tanta coisa ruim que nem tenho vontade de sair do condomínio", Ruth atesta.

Não consigo continuar nessa conversa. Apoio os cotovelos na espreguiçadeira e tomo impulso para me levantar. O bebê pressiona minha bexiga. Estou enorme, eclipsada pela barriga. As costas continuam a arder. É uma dor inédita, diferente das anteriores, mas nada mais me surpreende: nessas trinta e nove semanas, descobri sensações que jamais imaginei serem possíveis em um corpo humano. Aprendi a conviver com o incômodo, a dormir e respirar com ele.

Visto meu robe transparente enquanto observo Vicente de longe, de bermuda e sandálias. Prestes a completar quarenta anos, ele tem fios brancos nos cabelos lisos e na barba. Acho um charme. Ele faz exercícios semanais e mantém as pernas grossas e o abdômen seco. Não sei se é a gravidez, mas meu tesão por Vicente aumenta a cada dia. Mesmo com minha barriga, continuamos a transar com frequência, ainda que o cuidado dele em não machucar enquanto me penetra atrapalhe um pouco minhas fantasias.

Hoje cedo, enquanto eu vestia com dificuldade meu maiô, Vicente me encurralou no banheiro do quarto, enfiou o rosto em meu cangote e começou a lamber meu pescoço. Deixei que ele se divertisse um pouco, enquanto encarava meu reflexo no espelho.

"Estou enorme", eu disse.

"Uma enorme gostosa..."

Ele foi descendo o maiô e, ajoelhado, com as mãos espalmadas na minha barriga, me chupou com vontade. Gemi baixinho, recostada ao box, entregue ao prazer daquele encontro furtivo. Não sei quanto tempo durou antes que fôssemos interrompidos pelas gêmeas, tentando abrir a porta e perguntando se já era hora de irmos para a piscina. Vicente descolou os lábios imediatamente da minha pele e girou o trinco para dar um abraço nas filhas, me deixando sedenta. Antes de ser marido, Vicente é pai. E isso me encanta nele.

As cólicas, cada vez mais persistentes, me trazem de volta à realidade. Arrisco caminhar em movimentos lentos, calculados, que demandam grande esforço. Margeio o perímetro da piscina. Sara está na beirada da parte rasa, molhando apenas a ponta dos pés. Desde que a conheço, ela tem medo de água. A morte de Alice deve tê-la traumatizado. Na área mais funda, Angela, Clarinha e Jonas brincam de afogar um ao outro.

Repentinamente, a dor abandona minhas costas e começa a irradiar para a frente. Sei que não é fome: o cheiro de carne na brasa me enjoa. Estou tendo contrações. Paro e monitoro o intervalo entre uma e outra, enquanto o dia corre normalmente diante de mim. Vêm de quinze em quinze minutos. Recosto em uma cadeira alta e faço sinal para que Vicente se aproxime.

"E aí, gostosa, quer um pão de alho?"

"Acho que estou entrando em trabalho de parto", digo baixinho, com alguma vergonha.

Um parto não estava nos planos de domingo. Quase peço desculpas por atrapalhar o churrasco, mas Vicente assume o controle: imediatamente envia mensagem aos médicos, combina que Solange vai ficar com as gêmeas e volta comigo para o apartamento. Na sala, ele esquenta uma bolsa quente de ervas e coloca a playlist que preparou para esse momento — Beyoncé, Madonna e Amy Winehouse, que estava tocando no restaurante quando nos conhecemos. Em seguida, no chão, iniciamos a série de alongamentos e exercícios respiratórios que praticamos nos últimos meses.

As contrações ficam cada vez mais fortes e dolorosas. *Uf, uf, uf*, faço. Inspiro fundo. Expiro. Repito mentalmente algumas frases positivas. Tento pensar em coisas boas: meu marido me ama, as meninas me amam, meu trabalho me espera, vou voltar com força total aos meus reborns, é o fim desse peso que sou obrigada a carregar para cima e para baixo.

Curiosamente, não sinto apreensão nem medo. Me preparei tanto para esse momento que só consigo pensar *finalmente*! Quero que tudo aconteça logo, como se tivesse um compromisso mais importante agendado para depois. Ao mesmo tempo, não quero me precipitar e parecer uma idiota correndo para o hospital antes da hora.

Usando um aplicativo, Vicente monitora as contrações. Meu corpo arde, as contrações ficam insuportáveis. Não dá mais para esperar. Tomamos o elevador até a garagem no subsolo, entramos no carro. Com a cabeça no encosto, observo a cidade lá fora: o trânsito flui tranquilo, as pessoas seguem suas vidas, e eu queimo por dentro, prestes a colocar mais um ser humano no mundo.

Toda essa violência me assusta. Por um segundo, vislumbro duas picapes fechando nosso carro. Os bandidos saem depressa e chegam perto de nossas janelas com armas em punho. Não querem o SUV, nem os relógios e as joias. Querem o bebê. É uma ideia absurda, que me perturba em meio à confusão de sensações.

“Chegamos”, Vicente diz.

Entro no hospital e, quando percebo, o palco já está armado: eu tinha me preparado mentalmente para parir de quatro, de cócoras, na banheira, mas me deitam numa maca em um quarto todo bege, com holofotes brancos na minha cara e as pernas arregaçadas sob um pano. Médicos e enfermeiros me circundam, monitoram meus batimentos, injetam não-sei-o-quê com uma seringa. Vera está aqui e conversa comigo, tenta me deixar tranquila. Não presto atenção em nada. Só quero que acabe logo.

Como uma criança que vai a um circo pela primeira vez, Vicente se agita por todos os cantos, com o celular na vertical. Filma os médicos, filma meus pés no apoio, dá zoom no meu rosto suado e vermelho, vira para o modo selfie e faz um joinha patético antes de buscar outro ângulo. Desvio o olhar dele quando, sem pedir licença, uma enfermeira enfia as mãos na minha vagina e confere a dilatação. Deixo que me sentem e apliquem anestesia.

Chegou o momento. Vera manda que eu faça força, que eu deixe fluir. Não é tão fácil quanto parece. Horas se passam num piscar de olhos. E a dor só aumenta. Estou pegando fogo. Minhas pernas pesam, minha cabeça gira. Tenho a impressão de que o efeito da anestesia passou e continuo aqui, lutando. Tento manter o controle, mas é impossível. Por um instante, enxergo minha falecida mãe na sala. Eu a vejo, vestindo roupa branca de enfermeira. Ela me encara com expressão de desdém. Há um sorriso de satisfação sob a máscara cirúrgica que esconde sua boca. Então ela precisou passar por essa dor para me colocar no mundo? Agora eu entendo por que me odiava tanto. Deve ter começado aqui, no parto.

“Vamos, Eva! Mais! Um pouco mais!”

Tenho vontade de socar a dra. Vera. Já estou dando meu máximo, sua infeliz. A luzinha do flash do celular de Vicente me irrita. Quero gritar com ele, e grito, fazendo força. Seus olhos cheios de lágrimas me irritam. Como pode se emocionar enquanto estou sofrendo tanto? Vicente não se preocupa comigo. Só consegue ansiar por *seu* bebê, *sua* propriedade. Quer colocar as mãos na criança, e eu que me foda. *Toda essa violência me assusta.*

"Filho da puta!"

Não sei quem estou xingando. Mas repito o palavrão várias vezes, enquanto amasso o lençol nas mãos, deito a cabeça, aperto os olhos. Na bandeja metálica, vejo uma série de instrumentos médicos. Muitos bisturis, um fórceps. Não quero que enfiem um objeto de tortura em mim.

"Vai, Eva! Vai!", Vera insiste. "Falta pouco!"

Espremo minhas entranhas e só consigo pensar em como mentiram para mim. Todas aquelas grávidas que conheci no curso mentiram ao dizer que o parto é como um orgasmo. Que é um momento de plenitude. Que é a realização de uma missão de vida. Eu não nasci para isso. E consigo pensar em uma série de coisas que me levam ao orgasmo bem menos dolorosas do que uma melancia deslizando pelo meu canal vaginal. Estou suada, vulnerável e derrotada. Imploro para que o momento termine logo.

"Cesárea! Abre tudo! Por favor! Eu não aguento mais."

Vicente baixa o celular e, pela primeira vez, presta atenção em mim. Olha no fundo dos meus olhos e sorri, decepcionado.

"Não desiste, amor... Falta pouco."

Você falhou, é o que sua cara idiota me diz. *Alice era muito mais forte, fez o parto normal de gêmeas sem choramingar.* Sinto que estou perdendo Vicente e, de maneira desesperada, tento reverter o jogo. Faço mais força. Grito, me dobro ao meio, arreganho meu colo, tiro energia nem sei de onde. *Sobra oxitocina em mim*, penso. Minha dilatação é perfeita. Estou pronta para amar essa criança. Estou pronta para abraçar essa nova vida. Vamos lá, porra, Eva! *Toda essa violência me assusta.*

Então, como um milagre, um choro alto, agudo, devora o quarto. Com a visão nublada de suor, procuro Vicente, mas ele está entre meus joelhos dobrados, registrando os primeiros segundos de Lucas na Terra. Os médicos seguem os procedimentos, cortam o cordão umbilical, depois de um tempo puxam a placenta. Já fiz meu trabalho, não sou mais a protagonista.

"Eu quero ver… Me deixa ver", digo, não por amor maternal, mas porque ter Lucas em meus braços vai me confirmar que acabou. Que eu consegui.

Vicente chora muito quando o médico se aproxima com o bebê e o deita no meu colo com delicadeza. Olho para a criança que acaba de sair de mim e penso em todas as coisas que me contaram sobre esse instante: quando tiver seu bebê nos braços pela primeira vez, você vai sentir algo que nunca sentiu. Vai entender tudo. Vai descobrir uma nova forma de amor.

Não sinto nada. Chafurdo minhas sensações, tento buscar em camadas mais profundas sob a dor, a ansiedade, a tensão e o alívio que borbulham em mim. Nada, nada. Estudo cada detalhe de seu rostinho, as linhas na testa, o nariz delicado, as manchas vermelhas nas pernas e no pescoço. Começo a pensar qual molde seria perfeito para um reborn do meu filho.

Meu filho. É a primeira vez que digo isso, mesmo mentalmente. Vicente já voltou ao celular para registrar nosso primeiro encontro. Ao ver que estou sendo filmada, começo a atuar como se estivesse na TV. Beijo a cabeça de Lucas, que continua a espernear, e me esforço para fazer a coisa certa: ofereço meu seio direito, tento encaixar o bico em sua boquinha. Porém ele move a cabeça molenga, agita os bracinhos, aperta os lábios. Desvio o olhar para a câmera, constrangida.

"Desliga, amor…"

"Dá de mamar pra ele. Vai..."

Tento o outro peito. Uma enfermeira se aproxima para ajudar, mas não tem jeito, Lucas se rebela ainda mais. Recusa duas, três, quatro vezes. Vicente continua a filmar. Sinto certa tontura, mas me esforço e tento de novo. Aperto o seio, um pouco de colostro numa cor amarelada desce pela minha barriga. Parece até pus. Tudo acontece muito rápido, sem que eu consiga controlar: enquanto Lucas agarra meu polegar com a mão minúscula, sinto uma bola quente subir minha garganta, como se eu estivesse prestes a dar à luz de novo, pela boca. Entrego meu filho de qualquer jeito para a enfermeira, giro a cabeça para o lado e, sem conseguir me conter, vomito.

Lucas dorme no meu colo. É sua primeira soneca desde que chegou em casa. Aproveito os minutos de silêncio para descansar na poltrona de amamentação, próximo à janela, com vista para a área de lazer do condomínio. Passo os olhos pelo quarto colorido. As paredes azuis fazem o lugar parecer um céu limpo e tranquilo. A cômoda com trocador e o guarda-roupa também são azuis, em um tom um pouco mais claro. Nas gavetas, estão as dezenas de fraldas, roupinhas de algodão e de crochê que compramos ou ganhamos de presente dos vizinhos nos últimos meses. Desde que souberam da gravidez, meus sogros enviaram dezenas de pacotes da Amazon com mimos: gorrinhos, sapatinhos, cobertas e brinquedos. Na parede maior, uma prateleira já está abarrotada de bichos de pelúcia, e a outra segue o mesmo caminho. Logo abaixo, fica o berço americano. Ao lado, a bola de pilates que usei muito durante a gravidez.

Fico de pé e caminho até o berço. Tento transferir Lucas sem que ele acorde, e consigo. Coloco um ruído branco para tocar e fico olhando para meu filho dormindo, imóvel. Então um pensamento ruim me invade. Ele está respirando? Coloco o indicador em suas narinas e sinto o vento leve, quase imperceptível, de sua respiração. Sorrio diante da paranoia infundada e brinco com o móbile do berço, de estrelinhas e luas. Corrijo a posição da babá eletrônica, presa à prateleira. Pensei em colocá-la no próprio berço, mas Vicente me contou sobre quatro casos de recém-nascidos que morreram estrangulados com o fio da câmera. Agora quero comprar um modelo sem fio.

No hospital, depois de muitas tentativas de que Lucas mamasse, acabei conseguindo. O trajeto para casa foi difícil. Ele gritou o tempo todo no meu colo. Eu estava exausta e cheia de dores. Ao chegarmos no apartamento, dei um banho morno (ele ainda esperneava) e troquei a fralda. Com muito esforço, Lucas mamou outra vez: sugou meu peito por um tempo e depois dormiu. Agora eu o observo, com um misto de fascinação e medo. Ainda estou perturbada por ter vomitado quando o colocaram no meu colo. Não é a reação física que esperava de um momento que tanto fantasiei. Onde tinha ido parar o meu instinto materno?

"Amiga, estou muito feliz! Deu tudo certo."

Estou tão distraída que levo um sustinho quando Solange aparece na porta do quarto, com Angela e Sara. Faço sinal para que se aproximem em silêncio. As gêmeas avançam correndo até o berço e se debruçam sobre as grades, balançando-o de leve.

"Cuidado..."

Elas não me escutam. Só têm olhos para Lucas, que se move devagar, de olhos fechados. Quase em câmera lenta, ele esfrega as mãozinhas na cabeça e dobra as perninhas. Um bebê de verdade numa casa cheia de bebês de mentira.

"Ele é lindo", Solange diz, segurando minha mão.

"Parece o papai", Sara diz.

"Eu pareço mais", Angela retruca.

Coloco o indicador na boca, pedindo que façam silêncio. Vicente entra no quarto carregando cinco miniaturas de carros antigos de sua coleção.

"Uau, mas já?", provoco.

"Tudo o que é meu é dele", Vicente responde, com orgulho. Deixa os carrinhos enfileirados na segunda prateleira, ao lado dos bichos de pelúcia, e se aproxima do berço, passando a mão pela minha cintura. "Meu pai fez o mesmo comigo."

Para mim, meu pai deixou muitas bonecas, uma casa velha e uma mãe violenta, penso.

"Posso encostar nele?", Sara pede.

"Melhor não, filha."

"Deixa, Eva", Solange diz. "Elas tocam devagarzinho."

"Lavaram as mãos?"

"Eu lavei a mão, o pé e o sovaco!", Angela diz em voz alta. "Tô toda cheirosa!"

"Shhhh!"

No berço, Lucas choraminga, se agita, parece que vai acordar, mas logo volta a ficar imóvel. Vicente segura as mãos das gêmeas e as aproxima do bebê, deixa que elas passeiem os dedos pelo corpinho dele com calma. Agora, a respiração de Lucas está mais evidente — a barriguinha pálida sobe e desce, o que me deixa mais tranquila.

"Ai, gente, que coisa mais linda! Vou tirar uma foto."

Solange pega meu celular, que tem a melhor câmera, e tira uma série de fotos. Nós cinco reunidos pela primeira vez. Ela mostra as imagens na tela, comenta o sorriso deslumbrado de Vicente, o brilho nos meus olhos, a excitação das meninas e a serenidade de Lucas.

Por que eu quis tanto ser mãe?, me pergunto. E a primeira coisa que me vem à mente é: *porque Vicente quis ser pai de novo*. Rechaço a hipótese. É verdade que ele vivia comentando sobre a vontade de um terceiro filho, mas, no fim das contas, se parei de tomar a pílula foi porque quis. O apoio dele me ajudou a tomar a decisão, claro, mas não fez nascer a vontade. Ela já estava em mim. Arrisco outra resposta — *porque sempre amei bonecas e bebês* — e logo me sinto patética. *Porque minha própria mãe era uma filha da puta*, respondo. Essa me parece mais verdadeira, finalmente.

Então, como um estalo, um peso enorme sai dos meus ombros e consigo respirar. Não preciso me sentir culpada. Nem por ter sofrido durante a gravidez nem por ter odiado meu marido durante o parto nem por ter vomitado quando vi o bebê. De algum modo, o vômito é como o saquê que Vicente derramou em mim em nosso primeiro encontro. Um dia, vou me recordar com bom humor desse incidente — *dá pra acreditar que começou assim?* Enquanto a paz reina, observo Lucas e penso: eu amo esse bebê. Eu o gerei. Ele é meu. Não foi fácil, mas eu faria tudo de novo. Quero provar que posso ser diferente da minha mãe.

Ser feliz é a minha vingança.

UM MÊS ANTES DO FIM

6.

O choro preenche todo o apartamento. É alto, forte, visceral. Zonza, entreabro os olhos e vejo o relógio na mesa de cabeceira: oito e quarenta da noite. Estou deitada sozinha na cama, toda torta, abraçada a um lençol emaranhado, vestindo apenas calcinha e sutiã. Já não tenho hora para dormir. Há semanas, meu sono é controlado pelos desejos primais do bebê — comer, dormir e se manter limpo.

Tateio a mesa de cabeceira em busca do celular para acessar a babá eletrônica, meu vício mais recente. A tela em preto e branco se abre e o choro sai distorcido do aparelho, ecoando o de verdade, que chega pelo corredor. No centro da imagem, Lucas se debate, franze o cenho e baba, com os punhos cerrados e as pernas esticadas, como um lutador. Espero um pouco: às vezes, ele começa a chorar e logo para, voltando a dormir.

Não acontece desta vez. Seus urros só aumentam. Fico de pé e sinto meu corpo implorar por descanso. A gravidez causou sérios estragos nele. Estrias marcam minha barriga, mesmo com os cremes que tenho usado. Meus seios estão inchados e doloridos; os bicos, em carne viva. Impressionante como Lucas — *o parasita* — tem forças para me ferir com as gengivas desdentadas.

Com a cabeça explodindo, passo diante do quarto das gêmeas. Vicente está no banho com elas. Como eu estava cochilando, eles devem ter feito o lanche da noite sem mim.

"Eu sou um monstrooooo", escuto Vicente dizer, com a voz grave.

Ele arranca gargalhadas das duas.

"Faz no meu cabelo, pai!", Sara pede.

"Põe mais xampu. Pra ficar punk. Um topetão!"

"Eu também quero!", Angela diz. "Ai, sua barba faz cosquinha!"

No outro quarto, Lucas não dá trégua — esperneia, como se estivesse sofrendo uma espécie de tortura medieval. Mesmo com as risadas das meninas e o jato forte do chuveiro, é impossível que Vicente não esteja escutando. Não dá mais para adiar. Giro a maçaneta (Vicente pendurou duas chuteiras minúsculas nela. O bebê tem pouco mais de três meses, mas o pai já sonha em levá-lo para a escolinha de futebol do clube.). Chego perto do berço e me inclino para erguer Lucas com cuidado, sustentando sua cabeça com a palma da mão.

Coloco o ruído branco para tocar, ofereço a chupeta, que Lucas cospe com vigor, e assim começa o ritual de nossa relação tóxica: na poltrona de amamentação, abro o sutiã e ofereço o seio direito. Lucas não aceita, desdenha. Está com fome, mas parece ter ojeriza a tudo que vem de mim: meu toque, meu cheiro, meu colo. Tento virá-lo, balançando de leve para niná-lo enquanto ofereço o outro peito. Ele esperneia ainda mais, se é que isso é possível, vira o rosto, geme, trágico, espremendo os lábios e colocando a língua para fora como se sentisse gosto de leite azedo.

Em geral, depois de muito tempo nessa batalha, quando já estou entorpecida, vencida pelo cansaço, Lucas finalmente cede, morde o bico para me punir e suga sem parar. Hoje, no entanto, nosso cabo de guerra dura mais. Ele definitivamente não quer meu peito.

Saio da poltrona de amamentação e estico os braços, erguendo-o no ar. Suas perninhas balançam, sua cabeça pende para o lado e ele chora ainda mais — não vê a menor graça em enxergar tudo do alto. Eu o deito e checo a fralda: limpa. Sento-me na bola de pilates e começo a balançar de leve, embalando seu corpinho.

"Pega, meu amor... Pega. É o mamá da mamãe", digo, cheia de afeto.

Minha voz não o acalma. Ao contrário, parece irritá-lo. Olho o relógio sobre a cômoda: nove e meia da noite. Estou há quase uma hora tentando fazer Lucas parar de chorar, mas sua persistência é maior do que tudo. Vicente aparece na porta do quarto e me observa, com as mãos para trás. Está de pijama, com os cabelos molhados. Sorrio pateticamente para ele, enquanto sigo tentando domar o bebê.

"Não ouvi você chegar", digo.

"Você estava no décimo sono."

"As meninas estão bem?"

"Já na cama. Prontas pra dormir", ele responde. "E o chefinho? Dando muito trabalho?"

Há alguns dias, Vicente começou a chamar o bebê de *chefinho*. Sorrio toda vez que ele usa o apelido, muito mais aceitável e simpático do que o meu *parasita* — seco, despido de qualquer firula diminutiva, a verdade nua e crua.

"O de sempre", respondo. "Daqui a pouco ele para."

Lucas aumenta o volume do choro, como que para mostrar que não vai ser vencido pelo cansaço. Vicente suspira e entra no quarto, com os braços ao lado do corpo. Em sua mão, noto a mamadeira cheia. Viro de lado, finjo que não vejo, continuo a ninar meu bebê.

Vicente coloca a mão no meu ombro.

"Pelo amor de Deus... Deixa eu tentar com a fórmula, vai. Você não está conseguindo."

O tom acusatório não se volta ao bebê, que continua a gritar no meu colo, mas a mim. Sem saída, eu cedo. Entrego o pacotinho para ele e fico me balançando sozinha na bola de pilates, feito uma idiota. Assim que troca de mãos, Lucas diminui a intensidade do choro e agarra a mamadeira, chupando o bico com a voracidade de quem devora um cheesebúrguer com bacon. Nos braços do pai, ele sente o conforto e a segurança que não sente nos meus. Por um instante, sou tomada por uma enorme melancolia e me sinto deslocada. Estou sobrando.

Fico de pé e saio em silêncio. No meu quarto, me sento na cama, humilhada, e me esforço para engolir o choro. Faço exercícios de respiração e tento não pensar em nada. É impossível. Para me torturar, acesso a babá eletrônica. Pelo vídeo, vejo Vicente caminhar de um lado para o outro com Lucas no colo. Quando a mamadeira já está no fim, ele se senta na poltrona para que Lucas arrote, e então o deita no berço. Pega dois carrinhos em miniatura da coleção e coloca nas mãozinhas do bebê, que automaticamente os leva até a boca.

Enquanto observo a inabalável sintonia entre os dois, sinto a presença de alguém na porta do quarto. Viro a cabeça e vejo Angela, descabelada e de pijama. Deixo o celular de lado e me aproximo dela, agachando-me para abraçá-la.

"Tá sem sono, meu amor?"

Ela faz que sim, esfregando os olhos com as costas das mãos. Então me encara, alarmada:

"O Luquinhas... Ele tá doente?"

A pergunta me deixa mais ansiosa. Sem dúvida, foi difícil

para Angela quando Sara ficou no hospital. Ela teme que todo aquele pesadelo se repita. Arrumo seus cabelos loiros e lhe dou um beijo na testa.

"Não se preocupa", digo. "É que a gente demora a se adaptar a esse mundo."

Os sons da cozinha me entorpecem: ovos crepitam na frigideira, o liquidificador bate a vitamina de banana das meninas, enquanto uma mamadeira esquenta e o esterilizador com as usadas gira dentro do micro-ondas — o símbolo da minha derrota. Na sala, Lucas chora sem parar. Tento me isolar da cacofonia e abro a geladeira. Merda! Muita coisa faltando: geleia, frutas, pão de forma. Pego a manteiga, o suco de laranja em caixinha e as embalagens de queijo e de presunto.

Coloco tudo debaixo do braço, agarro o saco de torradas e pego a mamadeira, que está pelando e me queima. Merda! Enfio debaixo da torneira para que esfrie um pouco, enquanto retiro o copo do liquidificador do bocal, desligo o fogão e o micro-ondas apita. Coloco os dedos na boca para minimizar a dor da queimadura, olho o relógio e me apresso. O fim de semana foi cansativo. Perdi a hora hoje, não acordei com o alarme. Preciso correr ou as meninas vão se atrasar.

Vou para a sala e deposito tudo sobre a mesa, passeando os olhos pelos pratinhos e talheres para ver se me esqueci de mais alguma coisa. A mesa está sem toalha, mas é tarde demais. Vicente já está sentado, com calça e camisa social azul-clara. Ele nina Lucas com um braço. Com o outro, pega o bule, se serve de café e faz uma expressão de desagrado ao tomar o primeiro gole.

"Ficou fraco?", pergunto, quase berrando para vencer os decibéis do choro de Lucas, com a cabeça apoiada no ombro do pai.

Vicente faz um gesto vago de quem não se importa e gira o

corpinho do bebê, colocando-o de barriga para cima. Ele ajeita o paninho e oferece a mamadeira que lhe entrego. Lucas aceita sem protestar. Finalmente, um pouco de silêncio.

"Olha essa camisa... Menor condição de usar", Vicente diz.

A camisa está bastante amarrotada, especialmente no colarinho e ao redor dos botões. Como é possível que eu a tenha colocado no armário desse jeito?

"Você pode usar a cinza", digo, com um suspiro. "Eu passei ontem à noite."

"Mamããããe", escuto através do corredor. "A Sara fez xixi na cama de novo..."

"Mentira! Você que fez!"

As gêmeas entram na sala vestindo uniforme da escola, mas ainda estão descalças. Sentam-se ao redor da mesa. Reparo que a roupa de Sara tem uma mancha amarronzada próximo ao bolso, mas finjo que não vejo. A essa altura, não posso me dar ao luxo de ser perfeccionista.

"Xixi na cama de novo, filha?", Vicente pergunta.

Sara baixa a cabeça e dá uma tossida de leve.

"Desculpa, papai..."

"Não tem geleia?", Angela pergunta, enquanto tecla sem parar no celular.

Sem responder, volto à cozinha para buscar o restante das coisas. Aproveito a solidão para me apoiar na bancada por um instante e respirar fundo. Quando me disseram que a chegada de um bebê podia ser intensa e pesada, não imaginei que intensa e pesada, na verdade, significava infernal.

Semana passada, ao levar Lucas pela milésima vez ao pediatra, tentei confirmar que tudo aquilo era mesmo só cólica, que não havia nada de errado com ele. Depois de ouvir minha queixa, o dr. Glauco abriu um sorrisinho sacana e pediu paciência.

"O bebê sente sua energia", ele disse. "Quanto mais tensa você ficar perto dele, mais tenso ele fica."

A julgar pelo choro de Lucas dia e noite, estou mesmo muito tensa.

"Não costumo fazer isso, mas... Esse remedinho vai te ajudar a se acalmar. Já pensou em procurar um psicólogo? Pode ser bom pra você."

Doutor Glauco me estendeu a receita de um antidepressivo e o cartão de visitas de um terapeuta. Agradeci com um sorriso e me apressei a sair do consultório, porque Lucas já estava esperneando de novo e agitando os outros bebês calminhos na recepção, cujas mães me encaravam com desprezo.

Ao chegar em casa, guardei o contato do psicólogo no fundo da gaveta. Nunca gostei de terapia. E tenho lá meus motivos. Não estou precisando de ajuda psicológica, mas de ajuda em casa.

Agora, Angela aparece na porta da cozinha. "Cadê a vitamina?"

Consulto o relógio. Precisamos sair em dez minutos.

Pego o copo do liquidificador, entrego para ela, coloco os ovos em um prato e corro para a sala. Deixo tudo na mesa e me sento. Angela vem logo atrás, com um bigode branco formado pela vitamina.

"Eu não aguento mais, amor", digo. "Preciso de uma babá..."

"E a Isabela?"

"Ela é diarista. Chega depois das dez porque mora longe. E só vem três vezes na semana."

"Antes ela só vinha uma vez. Você pediu pra aumentar, eu aumentei. Agora, três vezes não é mais suficiente?"

Angela e Sara terminam de beber a vitamina enquanto nos observam com os olhinhos arregalados. Não quero assustá-las.

Como um pedaço de torrada, recupero a calma e tento dizer no tom mais leve possível:

"Só estou dizendo que não consigo dar conta sozinha."

"E eu estou dizendo que a gente não tem como contratar ninguém fixo. Você sabe que minha promoção no escritório ainda não saiu."

"Até quando acha que vão te enrolar?"

Vicente me encara, ofendido. Coloco a mão no braço dele, num pedido de desculpas silencioso, e observo Lucas sugar a mamadeira, que já está chegando ao fim.

"Demora, Eva... Faz parte. É um jogo. Você nunca vai entender."

Me irrita que, toda vez que questiono a promoção, Vicente desconversa, diz que é o tempo natural, que há arranjos políticos na hierarquia do escritório, que o assunto não é do meu alcance.

"Não dá pra gastar mais agora", ele continua. "Acha que é fácil bancar tudo isso? A escola das meninas é cara. Sem falar no carro, nas roupas, nas prestações do apartamento, nos jantares no shopping, no cinema, na pipoca, no iPhone da Angela, no seu iPhone!"

Quem faz questão de trocar de carro todo ano é você! Pra aparecer pros seus amigos do trabalho, penso em dizer, mas só pioraria tudo. Não importa se a casa está um caos, Vicente só quer saber de continuar comprando suas polos de marca, seus ternos finos e seus relógios caros. Mesmo que nossa vida não seja confortável e luxuosa, para ele é importante que *pareça* ser. Toda essa discussão me exaspera. É a quarta no último mês. Por um instante, cogito vender meus sapatos, minhas roupas e até meu celular. Nada disso tem mais valor. Sou capaz de trocar qualquer coisa por uma babá em tempo integral.

"Só acho que a gente tem que redefinir o que é prioridade", argumento.

"Prioridade é colocar a casa da sua mãe à venda!", ele diz. "Por que você não faz sua parte, Eva?"

Esse assunto de novo. De um jeito ou de outro, Vicente sempre acaba voltando a ele. Finjo que não escuto e consulto a hora no celular. Cinco minutos para sairmos. Fico de pé e vou puxando as meninas pelo braço.

"Aaaaai, mãe", Sara reclama.

"Desculpa", digo, beijando o topo de sua cabeça. Talvez eu esteja irritadiça demais e tenha usado muita força sem querer. "Vamos, vamos... Escovar os dentes, colocar os tênis."

"E o xixi na cama?", Angela insiste.

"Depois eu limpo. Não se esquece de tomar seu remédio, Sara."

Ela faz que sim, enquanto a irmã pergunta:

"Que cheiro é esse?"

Cheiro de queimado. Abro a porta da cozinha e uma labareda engole a frigideira, deixando tudo esfumaçado. A imagem me deixa confusa, demoro a reagir. Corro até o fogão e, tomando cuidado para não me queimar, giro o botão. Podia jurar que tinha desligado o fogo quando saí da cozinha, mas devo ter me confundido. Dormi tão mal essa noite — todas as noites, desde que Lucas chegou em casa. Pego a frigideira pelo cabo, jogo dentro da pia e abro a torneira. A panela está destruída, completamente chamuscada.

Merda, merda, merda! Preciso correr. Na sala, Lucas já terminou de mamar e voltou a chorar. Vicente está de pé, sacudindo-o de um lado para o outro, sem resultado. Pego o carrinho encostado na parede e trago para perto da mesa. Mal tive tempo de comer, um cansaço extremo inebria meu corpo, e ainda não são nem oito da manhã.

"Você esqueceu o fogão ligado?", Vicente pergunta.

Faço que sim com a cabeça. Agora estou me sentindo culpada.

"O apartamento podia pegar fogo."

"Não exagera."

Vicente suspira e retoma o assunto:

"E a casa da sua mãe? Tem tempo que a gente fala disso... Por que não resolve logo? Se a gente vende, entra uma grana extra que vai ajudar."

"Tá, vou lá tirar fotos. Até o final da semana, prometo. E vou colocar o anúncio num site. Tudo bem?"

Ele concorda, fazendo uma expressão de quem não acredita em nada do que digo. Lucas chora ainda mais alto, arreganhando a boca e espremendo os olhos, enquanto fica mais e mais vermelho.

Vicente o deita no carrinho e se estica, enfiando a camisa social amassada para dentro da calça de qualquer jeito e apertando o cinto. Ele também está atrasado.

"Eu divido com você o que posso, Eva. Quando estou em casa, fico com o Luquita pra te deixar descansar. Tô fazendo um esforço enorme pra chegar mais tarde e sair mais cedo do escritório. Tô até me prejudicando um pouco por isso..."

"E o meu trabalho, Vicente?"

Nos últimos meses, atrasei quase todas as minhas entregas de reborns, recebi críticas negativas no site e no Instagram. Perdi clientes devido à demora.

"Por que você não diminui o ritmo e se dedica mais às crianças?", ele pergunta.

"Tenho meu trabalho, as coisas que eu gosto de fazer, minha vida. Não posso parar tudo..."

Vicente termina o suco de laranja e vai pegando seu paletó na poltrona.

"Depois a gente conversa", diz. "Alguém tem que trabalhar de verdade enquanto você brinca de boneca."

A frase é como um tapa na cara. Tonteio, sem ter certeza de que escutei certo. Tenho vontade de bagunçar a mesa, rasgar a camisa amassada dele, chutar a cadeira para longe, tacar fogo na casa inteira.

"Você falou isso mesmo? Porra, Vicente, que merda!"

Sem pensar muito, penduro a sacola do bebê na alça do carrinho, que gira sobre as rodinhas e quase tomba de lado por causa do peso. Lucas esperneia enquanto prendo o cinto de segurança. Guio o carrinho até a porta, abro e chamo o elevador.

"Não vai levar as meninas pra escola?", Vicente pergunta.

Foda-se seu horário no escritório. Se vira, filho da puta, penso em responder. Mas a porta do elevador se abre antes e empurro o carrinho para dentro. As rodinhas travam no desnível entre o andar e o elevador, empurro com mais força, sacolejando com brutalidade, e aperto o térreo.

O trajeto até a portaria não é suficiente para me acalmar. Sigo adiante, com as mãos empalidecendo enquanto aperto as alças do carrinho com força. Passo pela entrada de cabeça baixa, com passos rápidos, sem reparar no funcionário.

A luz do sol fere meus olhos quando chego à calçada. Os sons estão superdimensionados — crianças, trânsito, música alta, os berros de Lucas. Cada vez mais alto. Não consigo parar de andar. Preciso seguir em frente, não sei para onde. De repente, uma buzina! Cada vez mais perto. Estou no meio da rua interna do condomínio, fora da faixa, e um carro avança sobre nós. Acontece num piscar de olhos. Eu me encolho, estagnada, mas o carro freia a tempo. Por pouco, não passa por cima do carrinho.

"Olha por onde anda, maluca!", o motorista grita.

Não ligo para ele. Continuo a empurrar o carrinho pelo condomínio — o parquinho, o chafariz, as quadras, os bangalôs com churrasqueira — sem reparar em ninguém. Finalmente chego a um corredor com pilotis do prédio Estrela-do-Mar. Olho ao redor, está deserto. Paro um instante e me recosto em uma coluna.

Quando percebo, estou em prantos. Deslizo pela parede até me deitar, abraço minhas pernas e choro, escondida entre o carrinho e a pilastra. Esfrego o rosto, tento devolver as lágrimas para dentro, mas elas cismam em sair. Não consigo segurar. Levo algum tempo para regular a respiração. Fico de joelhos e me debruço sobre o carrinho, enquanto enxugo os olhos. Lucas parou de chorar.

7.

Acesso o bloco de notas no celular para confirmar que não estou me esquecendo de nada: artigos de higiene, geleia, Nutella, pão, morango, banana, maçã, fraldas e mais fraldas. Vicente me enviou um áudio avisando que deixou as meninas de carro na escola e perguntando onde estou. Sem responder, guardo o celular e sigo para o açougue, empurrando o carrinho de compras com uma mão e o carrinho de bebê, coberto por um pano, com a outra.

O supermercado do condomínio não é muito grande, mas às vezes me perco dentro dele. Passo pela área de grãos e biscoitos, pelo setor de bebidas e finalmente chego. Pego frango desossado e uma carne mais barata. Se não podemos ter uma babá, Vicente vai ter que entender quando não tiver salmão no jantar do fim de semana.

"Meu Deus do céu... Tô doida para ver esse príncipe!"

Viro o corpo e vejo Ruth se aproximar, com um sorriso largo e os olhos brilhantes. Por instinto, puxo o carrinho.

"É melhor não... Ele tá dormindo. Se acordar..."

Ruth me ignora e já vai se inclinando, abrindo uma fresta no pano sobre o carrinho e passeando os dedos pela manta que cobre o bebê.

"Ele não vai acordar", diz. "Ai que sono gostoso!"

Lucas está dormindo há quase uma hora, o que é uma espécie de milagre. Não posso demorar a terminar as compras, porque, caso ele acorde, vou precisar interromper tudo para lhe dar atenção e tentar fazê-lo parar de chorar.

"Ele é lindo, Eva! Já tem cara de homem... Um rapaz! Quantos meses mesmo?"

"Três", digo. Quero encerrar logo a conversa.

"Impressionante como passa rápido, não é? Parece que foi ontem que você estava na piscina com a gente e entrou em trabalho de parto."

Para mim, não foi nada rápido. Sou como uma prisioneira riscando tracinhos na parede para contar a passagem do tempo, ansiosa para o dia da liberdade.

"E você? Como está, minha querida?", ela pergunta.

"Tudo bem..."

"Tem certeza?"

A insistência me perturba. O que ela espera? Que eu conte como realmente estou me sentindo ali, de pé, recostada no frigorífico de um supermercado?

"Sim, tenho certeza de que estou bem", digo, com firmeza. "Por quê?"

"Falaram que você parecia esquisita hoje cedo..."

"Falaram? Quem?"

Ruth finge não escutar, se inclina para pegar uma bandeja de carne moída, consulta o preço e, com um suspiro, a devolve. Escolhe outra bandeja com uma porção menor, coloca em sua cestinha de compras e finalmente me encara.

"O que eu quero dizer é que sei que não somos exatamente

íntimas, Eva... Mas você pode contar comigo para o que precisar, tá?", ela diz. "Dá pra ver que você está cansada."

É claro que estou cansada. Desde que minha vida virou de cabeça para baixo deixei de me importar com minha aparência. Nesse momento, estou vestindo um short vagabundo, uma blusa larga, sandálias de plástico e não lavo o cabelo direito há dias. Procuro a porta da geladeira para enxergar meu reflexo. Ruth toma minha mão de maneira carinhosa.

"Escuta, quer uma dica? Procura coisas que te dão prazer... Vai te fazer bem."

Com que tempo?, penso em perguntar. Em vez disso, agradeço o conselho.

"Quando o Klebinho nasceu, achei que nunca mais fosse dormir", ela diz. "A casa virou uma zona, pensei que não ia dar conta. Mas quer saber? Eu dei conta, sim. E hoje sinto até saudades."

A ideia de que um dia vou sentir saudades desse pesadelo me parece absurda. Mesmo assim, forço um sorriso para Ruth e digo que já está na minha hora. A qualquer momento, Lucas vai acordar e exigir uma boa dose de leite.

No caminho até o caixa, passo novamente pelo setor de bebidas e paro um instante. Passo os olhos pelas garrafas de vinho e, sem hesitar, escolho um Malbec argentino que sempre adorei e que não bebo há meses. Eu mereço. Procurar coisas prazerosas, não foi o que Ruth disse? Vou seguir seu conselho à risca.

Limpo os seios com água corrente, visto a máscara higiênica e, sentada na poltrona de amamentação, conecto a bomba de tirar leite. Faço movimentos circulares na aréola, me sentindo uma vaca de fazenda. O frasco vai enchendo bem aos poucos, enquanto mexo no celular com a outra mão. Dou uma olhada no WhatsApp — o grupo de mães do condomínio tem centenas de mensagens não lidas. Me impressiona como todas parecem desocupadas, com tempo livre para ficar enviando memes sem graça, notícias alarmantes e links com tutoriais de beleza, saúde e culinária ao longo do dia. Por um instante, penso em fazer uma rara aparição no grupo para perguntar quem se preocupou comigo a ponto de comentar com Ruth que eu estava *esquisita* mais cedo. Desisto. Não quero arrumar confusão.

Sem pensar muito, entro no Instagram. Respondo algumas mensagens, interajo rapidamente com colegas e clientes pelos stories. No feed, Viviane — uma das grávidas do condomínio que acabou se tornando uma espécie de amiga — não para de postar fotos e vídeos ao lado de Enzo, seu bebê de cinco meses. Faz questão de mostrar a harmoniosa rotina dos dois, com músicas fofas de fundo. Nos comentários, outras vizinhas respondem com emojis de coraçãozinho e frases como "mãe maravilhosa", "bebê abenzoado!!!!", "que família linda!!!!", "Anciosa pra conhecer esse príncipe!". Sempre com muitas exclamações e erros de português.

Não posto nas minhas redes sociais há semanas. E ainda não postei nenhuma foto minha com Lucas. Para Vicente, usei a desculpa de que quero preservá-lo. Preservar nossa intimidade. Ele pareceu acreditar. A verdade é que não tenho a menor vontade de compartilhar minha rotina de choro insuportável, poucas horas de sono e casa bagunçada.

Olho para a foto mais recente postada por Viviane, sentada em um sofá com o filho no colo, com roupa azul e a boquinha aberta numa gargalhada. Uma foto aparentemente cotidiana, em casa, na qual Viviane também sorri, impecável, maquiada, com cabelos arrumados, sem olheiras nem rugas. Ao fundo, um raio de sol entra pela janela, atravessando os dois e trazendo certo ar sacro à conexão entre eles. Essa felicidade materna compulsória me cansa. Não tenho dúvidas de que essa foto seria impossível se Viviane não tivesse babás vinte e quatro horas pagas pelo maridão.

Separo o frasco cheio de leite, passo a bomba para o outro seio, retomo a massagem na aréola e, então, abro o e-mail para responder alguns clientes e fornecedores. Uma das mensagens é de Sílvia, que me contratou há quase um ano para fazer o reborn de seu filho morto. Com educação, ela pergunta se *agora* já tenho previsão de quando o reborn vai nascer.

Meses atrás, enviei uma mensagem a ela informando que não poderia entregá-lo no prazo combinado porque estava grávida. Escrevi também que entendia perfeitamente caso ela preferisse buscar outra profissional. Eu não queria trabalhar em um bebê morto enquanto gerava uma vida dentro de mim.

Torci para que ela se irritasse, para que cancelasse o pedido, mas Sílvia foi compreensiva: me parabenizou pela novidade e reiterou que esperaria quanto tempo fosse necessário. Só agora, que Lucas está com três meses, voltou a me cobrar: *Eva, alguma ideia da data em que meu Bruno vai chegar? Por favor, não se sinta pressionada! Só estou ansiosa. E animada! Já até preparei um quartinho para ele. Sílvia.*

Mesmo com a licença-maternidade, sinto vergonha pelo atraso. Não dá mais para adiar. Respondo de maneira simples: *Sílvia, mil perdões pela demora. Os dias seguem confusos por aqui. Mas estou com foco total em terminar o Bruno. Que tal marcarmos o nascimento para daqui a duas semanas? É uma boa data para você? Mais uma vez, desculpas.* A parte do foco total é mentira. Mas, caso em duas semanas o reborn ainda não esteja pronto, penso em outra desculpa. De todo modo, preciso me impor algum prazo ou minha vida nunca vai voltar ao normal. Preciso recuperar a disposição para as coisas básicas — malhar, trabalhar, sair para um passeio sem preocupação.

Lucas tinha acordado soltando o berreiro quando eu estava pagando as compras no mercado. Tive que voltar depressa para casa, para tentar acalmá-lo entre quatro paredes. Acabamos ficando assim por horas: ele gritando e eu me desdobrando. Decidi dar um banho, só para sentir que fazia alguma coisa. Esgotado, ele adormeceu enquanto eu o vestia, e agora está no berço.

Sigo para a cozinha, onde congelo os frascos de leite fresco ao lado do estoque remanescente. Isabela, nossa diarista, está ali, lavando a louça e preparando algumas refeições para os próximos dias. Ela me observa em silêncio, enquanto continua a trabalhar. Retiro um frasco de leite congelado e peço que ela vá preparando a mamadeira.

"Vou ficar no ateliê enquanto ele não acorda..."

Isabela faz que sim, sem reclamar. Outro dia, enquanto eu tentava terminar um reborn, pedi que ela ficasse algumas horas com Lucas e o colocasse para dormir. "Desculpa, dona Eva, mas não mexo com criança", Isabela respondeu. Engoli em seco. Aquele problema era meu, não dela. E eu não podia perdê-la de jeito nenhum.

Entro no ateliê, sento diante da bancada e pego o celular. Acesso a babá eletrônica — Lucas continua a dormir o sono dos anjos. Abro a garrafa de vinho e me sirvo de uma taça generosa. O primeiro gole desce estranho, forte demais. É natural, já que não tomo uma gota de álcool há muito tempo. Tento focar no trabalho, mas não é fácil.

Enquanto misturo as tintas, a ofensa de Vicente me invade em cheio: *alguém tem que trabalhar de verdade enquanto você brinca de boneca*. Então é isso que ele pensa do que eu faço? Bruno está avançado, falta apenas fixar os cabelos e retocar a pintura, especialmente as camadas de tom de pele sobre as veias que correm em seu rosto, em feixes discretos, quase imperceptíveis. É uma arte bastante delicada, que exige paciência e firmeza nos traços.

Após preparar as tintas, organizo os pincéis e pinças sobre a mesa, enquanto vou degustando o vinho. Agora, seu sabor encorpado é como um abraço acalentador. Aos poucos, meu corpo relaxa e consigo me concentrar. Sirvo mais uma taça generosa, fecho a garrafa com a rolha e a guardo na cômoda lateral. *Não estou escondendo nada*, digo para mim mesma. Não sou como minha mãe.

Quando estou pronta para começar o trabalho de fato, Lucas desperta, e seu urro animalesco se espalha pela casa. Meu celular apita com o aviso do aplicativo. Na imagem pixelada da babá eletrônica, vejo seu corpinho se debater e suspiro, impaciente. Parece até uma provocação. Sigo pelo corredor, invadida por um misto de indignação e raiva. Entro depressa no quarto e o pego no colo. Quando chego à cozinha, Isabela estende a mamadeira já pronta.

Volto ao ateliê e me sento na cadeira alta, acomodando meu filho nos braços e oferecendo o leite para ele. Lucas espreme os lábios, chora sem parar. Empurro para o canto as partes do reborn em que estava trabalhando e devolvo pincéis e tintas ao estojo de madeira, abrindo espaço no tampo. Ponho Lucas sentado, sustentando seu tronco com minha mão espalmada em suas costas, e tento distraí-lo com uma musiquinha que invento na hora. Pego um chocalho, um carrinho, um bicho de pelúcia... Nada adianta. Observado por dezenas de bebês com olhos de vidro, Lucas faz questão de mostrar que é diferente, de carne e osso, com cordas vocais potentes e fôlego inabalável.

Por um instante, sou tomada por uma súbita vontade de machucá-lo. A ideia vem como uma imagem: um empurrão forte e seco, uma explosão inconsequente, que faz meu filho rolar pela mesa de fórmica e cair no chão, com a cabeça pendendo, molenga. *Cala a boca, parasita!*, grito, na imaginação. E logo me condeno: para uma mãe, esse tipo de desejo é criminoso.

Continuo a encarar Lucas, derrotada, ajeitando-o em mil posições, oferecendo a mamadeira que ele cisma em recusar. Aos poucos, vou entrando em uma espécie de transe, meus ouvidos se acostumam aos gritos que reverberam no cômodo minúsculo, meus olhos piscam, bocejo. É o sono acumulado. Deixo-me levar por esse embalo gostoso que me distancia e protege do caos.

Acordo com o deslizar da porta de correr da cozinha. Ainda zonza, tateio no escuro em busca de Lucas. Ele não está aqui. Sento-me depressa, enquanto me localizo: estou deitada no sofá de dois lugares do ateliê. Pela janelinha, vejo que lá fora já escureceu. Que horas são? Há quanto tempo estou dormindo? Afinal, Lucas mamou ou não? Onde ele está? E meu celular?

Não tenho tempo de assimilar nenhuma resposta porque, no instante em que me levanto e acendo a luz, alguém abre a porta. Vicente entra de terno, com a camisa para fora da calça, desabotoada pela metade. Disfarço minha sonolência com um movimento exagerado — caminho até a bancada de trabalho e mexo em um pote de tinta seca, como se ele tivesse interrompido algo muito importante. Vicente parece não perceber: está de cabeça baixa, perdido em pensamentos.

"Chegou tem muito tempo?", pergunto para preencher o silêncio.

"Pouco mais de meia hora... Não quis te atrapalhar. Estava colocando as meninas no banho."

Encontro meu celular ao lado dos moldes de membros para reborns. Confiro as horas: quase sete da noite. A taça de vinho, que devo ter bebido até o final, não está mais na bancada. Onde foi parar?

"E o Lucas?"

"No berço..."

Eu o coloquei no berço? Minha última memória é do meu filho no ateliê, chorando, sem aceitar a mamadeira.

"Isabela deixou o lanche pronto", Vicente continua. "Entreguei a ela o dinheiro da passagem da semana."

Pagar o transporte da diarista é uma das minhas obrigações. Levar as meninas na escola é outra. Hoje, não fiz nenhuma das duas, mas, mesmo assim, não agradeço a Vicente. Sentada diante da bancada, evito encará-lo. Alcanço um pincel fino e, com a cabeça do reborn Bruno em uma das mãos, dou pinceladas inúteis em suas bochechas. Vicente se aproxima, hesitante, escondendo os braços atrás das costas.

"Desculpa por hoje mais cedo... Tá difícil pra você, eu sei. Tá difícil pra mim também. Vamos fazer as pazes?", ele propõe. Ao meu lado, estende um embrulho dourado. Como não solto o pincel para pegá-lo, Vicente deixa o presente na bancada. "Pensei em dar o lanche pras meninas e depois ver se a Solange fica um pouco com elas. E aí a gente curte juntos um pouquinho, só nós dois... Que tal?"

Minha vontade é aceitar, mas ainda estou chateada com o que ele disse.

"Não posso", respondo. "Hoje eu vou ficar até tarde aqui... brincando de boneca."

Vicente engole em seco. Mesmo sem olhar, sei exatamente a expressão de garoto bobo arrependido que ele está fazendo. Giro o pincel em movimentos mais curtos e agitados. Sem dizer nada, Vicente sai do ateliê, deixando a porta encostada. Suspiro.

Depois de alguns minutos, de maneira quase milagrosa, consigo engrenar no reborn: termino as veias, retoco a pinta perto do queixo e coloco o molde da cabeça no forno elétrico para secar mais depressa, enquanto separo os fios de cabelo. Me sinto determinada e disposta, finalmente.

Quando retiro a cabeça do forno e começo a bater com a

esponja para tirar o brilho e criar a ilusão de poros, percebo os sons que chegam da sala. A TV está ligada no YouTube, em uma sequência de músicas que as gêmeas adoram. Elas devem ter tomado o lanche da noite e estão dançando. Deito a pinça e meus olhos se desviam para o embrulho dourado que Vicente deixou na bancada.

Curiosa, pego e abro: é um porta-retratos bonito, de borda larga, com espaço para duas fotos horizontais. A primeira mostra nós quatro ao redor da mesa do bolo, com bexigas coloridas ao fundo, no último aniversário das gêmeas. Me impressiono com o tamanho da minha barriga. Pelo menos agora Lucas está fora de mim. O pensamento me arranca um sorriso. A segunda foi tirada no dia em que chegamos da maternidade: todos reunidos sorridentes ao redor do bebê no berço. Essa foto estava no meu celular, e não me lembro de tê-la enviado para ele. Vicente tem minha senha, deve ter pegado a foto enquanto eu estava dormindo ou no banho, para fazer surpresa.

Deixo o porta-retratos na cômoda e volto ao trabalho. Tenho que aproveitar que estou inspirada. Devolvo a foto de Bernardo — o bebê morto de Sílvia — à posição na bancada e vou comparando com o molde à minha frente. Começo a aplicar fio a fio, preenchendo a frágil cabeleira do boneco da maneira mais parecida possível. Estou bastante concentrada quando Vicente entra sem bater na porta.

“Vem comigo, Eva”, ele diz. “Agora.”

Demoro meio segundo para reagir. Começo a guardar o material, mas ele insiste:

“Deixa tudo aí… É o Lucas. Anda logo.”

Ele some pela cozinha, transtornado. Levanto depressa e vou atrás. Tenho o ímpeto de perguntar o que houve, mas não digo nada. Passamos pela sala, tomamos o corredor e logo escuto o choro do bebê; o choro alto e insuportável que vem se tornando uma espécie de ruído branco para mim.

Vicente abre a porta do quarto, coloca as mãos nas grades do berço, levanta o rosto e me observa parada na soleira da porta. Faz um gesto de cabeça para que eu me aproxime.

A passos lentos, chego perto e vejo Lucas deitado sobre a mantinha verde-claro, pelado, com os punhos cerrados, as pernas esticadas, o rosto inchado de tanto espernear. O macacão amarelo que vesti nele está amassado entre os travesseirinhos.

Só então vejo: na barriguinha, logo acima da virilha e abaixo do umbigo, há uma mancha enorme, desproporcional ao seu tamanho, vermelho-escura. Um hematoma horrível. Minha primeira reação é esticar o braço e deslizar o indicador pela pele fina e quente. Preciso confirmar que é de verdade. Lucas chora ainda mais alto, o que me faz recuar. O machucado está doendo.

Levanto os olhos.

"Isso aconteceu agora?"

"Ele começou a chorar e não parou mais", Vicente diz. "Achei que era fralda suja. Fui trocar e vi... Vi... *isso*."

O ferimento tem um desenho disforme, perturbador, pouco maior do que um punho. O choro de Lucas sufoca nossa conversa.

"Será que foi brincando com as meninas?", pergunto. "Elas tentaram pegar ele no colo?"

Ele nega com a cabeça. Não desvia o olhar de mim nem por um instante, estuda minhas reações. Procuro algo mais para dizer, mas não encontro nada. Minha mente está vazia, oca. Acuada, baixo a cabeça e observo minhas mãos pálidas. Ficamos, assim, imóveis por não sei quanto tempo, até que Vicente caminha para o corredor.

"Vou conferir a babá eletrônica."

8.

“Você deu banho nele hoje, depois que voltou da rua?”

“Sim, claro.”

“E não tinha nada na barriga?”

“Não... Eu teria visto.”

“O que você fez depois do banho?”

“O de sempre.”

“Como assim o de sempre, Eva? Quero detalhes.”

“Coloquei a roupinha nele. Ele dormiu. Aproveitei pra tirar mais leite.”

Sentada na cama, diante de Vicente, me sinto em um interrogatório. Lucas finalmente adormeceu, e o apartamento está mergulhado em um silêncio sombrio. Apenas a luz do abajur está acesa, o que deixa tudo mais intimidador.

“E você deu mamadeira pra ele?”

“Sim, no ateliê.”

“E depois? Foi você que colocou ele no berço?”

“Foi... Acho que sim...”, digo. “Não sei aonde você quer chegar.”

Vicente desiste de fazer perguntas e baixa os olhos para o telefone. Na tela, o aplicativo da babá eletrônica, que armazena as últimas seis horas de conteúdo, está terminando de carregar. 95%... 98%... 100%. Me ajoelho no colchão e abraço Vicente por trás, olhando por cima do ombro dele. Com o indicador, ele acelera o vídeo, mas, enquanto o contador avança, a tela em preto e branco não se modifica: mostra apenas o berço vazio.

De repente, surjo e ponho Lucas no berço, já de banho tomado e vestindo o macacão amarelo. Minutos depois, minha sombra volta a aparecer na margem da tela, sentada na poltrona de amamentação. Sinto-me estranha, como uma suspeita que precisa ter seu álibi confirmado para se livrar de um crime inafiançável.

"Ele deve ter se machucado sozinho", digo, incomodada. "No próprio berço."

O vídeo mostra Lucas sobre a manta, a boca entreaberta em um sono profundo. Quando ele se mexe, gira o corpo devagar e esfrega o rosto com as mãos fechadas. Então, desperta sozinho, chorando alto antes mesmo de abrir os olhos. Volto a aparecer no canto da imagem, pegando meu filho no colo com certa irritação. Não sei se dá mesmo para ver a irritação no vídeo ou se é algo da minha imaginação. Tento ler a expressão de Vicente, mas ele está de cabeça baixa, atento ao celular.

O vídeo volta a mostrar o berço vazio. O relógio na parte inferior avança, devorando os minutos. Até que Isabela surge na imagem com Lucas no colo. Ele chupa o bico da mamadeira e adormece. Isabela o coloca no berço com cuidado e sai, deixando a porta encostada.

"Desde quando a diarista dá de mamar e coloca nosso filho pra dormir?"

"Eu..."

"Você disse que colocou ele no berço, Eva. Por que mentiu?"

“Não menti… Só caí no sono, apaguei.”

Minha voz soa culpada.

“Você teve um apagão?”

“Não exagera, Vicente.”

Ele parece prestes a contra-argumentar, quando, de repente, a tela do celular fica preta e exibe uma mensagem em letras garrafais: SEM SINAL.

“Ué, não gravou o resto?”

Surpreso, Vicente volta o cursor e dá play nos minutos finais, ativando a exibição em modo lento. Na imagem, Lucas dorme no berço, com os braços erguidos ao lado da cabeça. Então, às dezoito horas, vinte e dois minutos e três segundos, o vídeo se interrompe. Não entendo como isso aconteceu, mas o silêncio entre nós se torna tão insuportável que preciso dizer:

“Deve ter quebrado…”

Vicente segura o telefone com as duas mãos, tenso.

“Que coincidência doida, né?”, acrescento. “Não se preocupa. Vou mandar consertar…”

Sem comentar nada, ele deixa o celular na mesa de cabeceira, entra debaixo do lençol e se deita dobrando o corpo, de costas para mim.

“Vamos dormir”, diz finalmente. “Amanhã meu dia é cheio.”

Vicente estica o braço para desligar o abajur. Observo sua sombra na semiescuridão, ainda incomodada pela maneira brusca como a conversa terminou. Por que ele não falou mais nada? O que está pensando? Antes, nós dois conversávamos sobre tudo — nossos medos, nossos sonhos, nossos defeitos. Agora é como se houvesse uma barreira invisível entre nós, um muro de não dito. Não gosto de ficar brigada com Vicente. É o homem que eu amo.

Coloco minhas pernas sobre as dele e me aconchego em seu cangote.

"Amei o porta-retratos", digo, baixinho. "E, sim, quero fazer as pazes."

Pela sua respiração, sei que Vicente está acordado. E que escutou bem o que eu disse.

Mas ele não se mexe nem me responde.

"Eva... Eva?"

Perdida em pensamentos, sou chamada de volta à realidade pela voz aguda e ligeiramente fanha do dr. Ary. A voz não combina em nada com ele, um sujeito corpulento, nos seus sessenta anos, de pele negra, cabeleira branca e óculos retangulares que aumentam seus olhos. Vestindo jaleco, ele caminha sem pressa até a mesa, deixando o estetoscópio pender no pescoço.

No consultório há uma série de diplomas emoldurados em uma parede e uma estante de madeira com livros grossos e alguns brinquedos coloridos em outra. Um biombo separa sua mesa da antessala com maca onde ele examina os pacientes — crianças e adolescentes doentes. Um quadro enorme com a foto de uma menina sorridente e careca me deixa deprimida.

"Já terminou?", pergunto.

O dr. Ary faz que sim, se senta e desvia o olhar para o biombo onde Sara termina de limpar o gel em seu colo e de vestir a blusa. Sentada no chão, em um canto, Angela se diverte com um joguinho barulhento no celular.

Após se ajeitar, Sara cruza as pernas ao lado da irmã, abraçada a Pedrinho. Observo as duas enquanto movo o carrinho de bebê para frente e para trás, criando um embalo gostoso para que Lucas não desperte antes do final da consulta. O dr. Ary pega o receituário e pergunta:

"Como ela anda?"

"Passou a tossir mais. Principalmente de noite."

"Reparei que Sara emagreceu um pouco. Ela está tomando o remédio todo dia?"

A pergunta dele me surpreende.

"Sim… Eu fico no pé dela."

Para ser honesta, é possível que eu tenha esquecido de cobrar uma ou duas vezes no último mês, mas isso me parece pouco grave diante da confusão que minha vida virou. Além disso, Sara é responsável e sabe que tem que tomar uma cápsula toda manhã.

"O pulmão deu uma piorada", ele diz. "Vou pedir alguns exames."

O ar-condicionado está bem na minha direção, me deixando com frio. Sara está distraída com Angela, e penso que é melhor assim. Prefiro que ela não escute a conversa.

"Talvez seja o caso de aumentar a dose", ele diz, escrevendo em letras grandes no receituário médico. "Ou até de mudar a medicação."

"Internada ela não fica mais, né?"

"É melhor esperar o resultado dos exames." Ele arranca uma folha do bloco. "O importante agora é observar de perto…"

Faço que sim com a cabeça, transtornada. Pego a receita da medicação controlada e a guardo dobrada na bolsa.

"Além da tosse, você percebeu alguma coisa diferente?"

"Ontem ela fez xixi na cama."

Ele leva a mão ao queixo e suspira, recostado à cadeira.

"Xixi na cama nessa idade é sinal de que alguma coisa não está legal. Você tentou conversar com ela?"

"Sim… Mas a Sara é muito fechada. Hoje cedo avisei à psicóloga. Estamos atentas."

"Olha só… Não tenho dúvidas de que esse meninão aí tem demandado muito de você e do Vicente… Talvez a Sara só esteja se sentindo um pouco de escanteio. O xixi pode ser uma forma de chamar a atenção. Ou de pedir ajuda."

"Ajuda?"

"Podem ser várias coisas... Bullying na escola, alguma mudança que parece pequena para vocês, mas para ela é muito séria. Atrito entre os pais, por exemplo."

"Eu e o Vicente estamos muito bem."

"E mais nada de incomum, então?"

Por um instante, penso em contar sobre o hematoma que apareceu na barriguinha de Lucas. Mas de que adiantaria? Já estou me sentindo péssima o suficiente com a possibilidade de ter falhado em cobrar o medicamento de Sara. Não quero que ele pense que sou uma mãe relapsa.

"Nada", minto. "Está tudo ótimo."

É quarta-feira. O dia está feio, com muitas nuvens no céu. Um vento forte entra pelas frestas das janelas num ribombar incômodo que sacode os vidros e reverbera por toda a sala. Deixo as meninas na escola e tento trabalhar no reborn de Sílvia, mas Lucas acorda exigindo leite. Ele parece tão faminto que nem oferece resistência e aceita meu seio, sugando-o com voracidade. Por um instante, fico emocionada. Quero mostrar para alguém que meu filho está mamando no meu peito, mas estamos sozinhos em casa. Faço uma selfie e envio para Vicente, celebrando a conquista.

A esmola de afeto não dura muito. Logo após se saciar, Lucas vira a cabeça, regurgita um pouco e volta a chorar. Dou banho nele e examino o hematoma com a ponta dos dedos. O machucado parece uma queimadura áspera, mas já começa a ganhar tons de roxo e azul-marinho. Tento brincar com Lucas, mas ele não quer saber. Dorme depois de uma hora de choro alto, incessante. Aproveito a paz momentânea para voltar ao trabalho. Sentada diante da bancada do ateliê, seguro a pinça e analiso a cabeça do reborn.

Não estou satisfeita com o resultado. E, pior, não consigo me concentrar. Saio do ateliê, sem saber direito o que fazer. Penso que mereço me exercitar um pouco. Antigamente, eu malhava pelo menos cinco vezes na semana. Desde que Lucas nasceu, não tenho disposição para nada. Perdi minha flexibilidade, assisti às minhas pernas incharem. Preciso voltar a ser vaidosa, atenta ao meu corpo. Sei que suar um pouco vai me fazer bem.

Às dez, Isabela chega. Aviso que vou trocar de roupa e descer para malhar na academia do condomínio. Se Lucas acordar, ela pode me ligar que subo imediatamente. Estamos só nós duas aqui. Seria o momento perfeito para perguntar a ela sobre o que aconteceu na segunda. Preciso preencher o vazio entre o momento em que Lucas chorava comigo no ateliê e quando acordei com Vicente se aproximando da porta, horas depois. Preciso entender o que aconteceu.

Não faço perguntas, no entanto. A prioridade agora é me exercitar. Quando já estou chegando à porta, o interfone toca. Atendo, e o porteiro informa que o técnico chegou. Suspiro, frustrada. Esqueci completamente que tinha marcado com a empresa de vigilância. Autorizo a liberação do técnico e descalço os tênis de corrida. Não vai dar tempo de malhar.

O técnico é um rapaz de vinte e tantos anos, com espinhas no rosto e barba curta. Veste um uniforme com o logo da empresa — BarraSafe — e traz consigo uma mochila que parece pesada. Enquanto Isabela passa roupa, sigo com ele pelo corredor.

Antes de entrarmos, peço que tire os sapatos e evite fazer barulho. Explico que a babá eletrônica pifou e que, para evitar novas falhas, decidi instalar uma câmera de segurança no quarto do bebê. Pergunto se consigo acessá-la através do meu celular.

"Sim, é só baixar o aplicativo", ele explica. "Na verdade, nossas câmeras são muito simples de configurar... Basta conectar à rede de internet da casa."

Ele mostra o modelo de microcâmera que trouxe para mim: um semicírculo que parece um olho de peixe. Fico impressionada com a leveza e o tamanho diminuto do aparelho — um pouco maior do que uma bola de gude.

"É quase invisível!"

"Muita mulher traída compra nossas câmeras pra vigiar o maridão", o técnico diz, com um risinho sacana. Como não acho graça, ele disfarça o constrangimento comentando que algumas câmeras funcionam por bateria e outras, como esta, por luz solar. "Posso instalar?"

Ele passeia os olhos pelo ambiente fofo e colorido — além das chuteiras na porta e dos carrinhos em miniatura, Vicente tem comprado mais e mais bichos de pelúcia. Eles não cabem na estante: ursinhos, girafas, elefantes e bonecos se empilham nos armários e gavetas. O quarto está fresco, na penumbra, iluminado pelo pouco sol que vaza entre as cortinas azuis. O som discreto do ruído branco se mistura ao ronronar baixinho de Lucas no berço, o que nos obriga a calcular cada passo.

De meias, o técnico sobe na poltrona de amamentação e busca a melhor posição para prender ao teto o fixador autoadesivo que fica na base da câmera. Ele escolhe um ponto acima da cômoda, estende a tela de seu tablet para mim e pergunta se está bom desse jeito ou se prefiro em outro lugar.

A tela mostra o quarto visto do alto, em um ângulo aberto que abrange desde a porta até o berço. A lente e a resolução da imagem são muito melhores do que as da babá eletrônica.

"Está ótimo", murmuro.

O técnico pega meu celular e baixa um aplicativo. Depois, começa a configurar a câmera. Enquanto tecla, esbarra sem querer em alguns bibelôs sobre a cômoda. Um carrinho em miniatura — Simca Vedette Chambord, bege e azul — gira sobre as rodinhas e cai no chão, fazendo um som baixo e seco, suficiente para despertar Lucas, que esperneia antes mesmo que o técnico se agache para alcançar o que derrubou.

Pego meu filho depressa, deitando sua cabeça em meu ombro e dando tapinhas leves em suas costas, mas o choro não diminui em nada. Ao contrário, aumenta. Depois de tanto tempo, tenho a certeza de que Lucas detesta meu colo.

"Caramba... Esse aí tem fôlego, hein?", o técnico comenta, de brincadeira.

Percebo que ele se apressa em terminar a instalação. Sorrio pateticamente e começo a cantar uma musiquinha qualquer para acalmar Lucas. Tento mudá-lo de posição, sinto a fralda sobre minha mão quando giro seu corpinho, deitando-o de barriga para cima. Não adianta.

Mantendo uma distância segura, o rapaz mostra as funcionalidades do BarraSafe. Através de um notebook, é possível acessar o armazenamento das últimas doze horas de gravação, consultar várias câmeras ao mesmo tempo e dar zoom. Com o indicador e o polegar, ele aproxima a imagem de nós três ao lado do berço, em tempo real. É estranho ver, através da tela colorida, Lucas se debater em meus braços. É como se fôssemos personagens de um filme perturbador.

"Obrigada... Obrigada."

Já a caminho da porta, o técnico percebe a babá eletrônica que deixei na bancada.

"E isso? Não voltou a funcionar?"

"Troquei a pilha e nada... Parece que pifou de vez."

"Estranho... Esse modelo é bom. Pesquisei recentemente, antes do nosso bebê nascer."

Surpreendo-me com a informação de que ele também tem

um bebê em casa. Não só pela sua aparência jovem, mas também porque ele parece bem-disposto e feliz. Sem olheiras, sem rugas por falta de sono. Então penso que Vicente também parece bem-disposto e feliz, e logo me pergunto qual deve ser o estado da mãe do filho dele. O técnico parece ler meus pensamentos, porque diz:

"O nosso não chora tanto assim... É mais fácil."

Curioso, ele se aproxima da babá eletrônica, abre o encaixe de plástico e analisa o interior.

"Ah, deixaram cair no chão. Olha aqui." Ele aponta uma rachadura na lente que, até então, eu não tinha reparado. "Alguém quebrou e devolveu pro lugar."

O comentário dele me perturba. Disfarço com um sorriso, ofereço uma gorjeta e o acompanho até a porta, enquanto Lucas varre a casa com sua gritaria.

De volta à sala, vejo Isabela espanar o pó e organizar os brinquedos das gêmeas espalhados pelos cantos. Eu a observo por alguns minutos, enquanto tento controlar meu filho. Então tomo coragem e pergunto:

"Isabela... Na segunda, como foi que você pegou o Luquita?"

Ela para de varrer e me encara, apoiada ao cabo de vassoura. Não sei se entendeu direito a pergunta, o que me faz explicar melhor:

"Eu estava com ele no ateliê... Aí não lembro direito como foi que eu te entreguei..."

"A senhora não me entregou", ela diz, seca, então encara Lucas no meu colo com certa repulsa. Ou seria desprezo? "Ele estava chorando muito. Como agora... Dava pra ouvir aqui da sala. Entrei no quarto pra ver se precisava de ajuda. A senhora estava dormindo com a cabeça na mesa, sentada na banqueta..."

Quando acordei, eu estava deitada no sofá. Em que momento saí de um lugar para outro sem nem perceber?

"E o Lucas? Estava onde?"

"Na mesa, dona Eva. Peguei ele no colo, dei a mamadeira, deixei a senhora descansar."

Nem preciso perguntar sobre a taça de vinho que desapareceu da bancada. Sem dúvida, ao entrar no ateliê, Isabela reparou nela e a levou para a pia.

"E o Luquita, ele logo parou de chorar? Ou aconteceu alguma coisa?"

"Que coisa?"

"Não, é que..." Tento encontrar a melhor maneira de fazer a pergunta. "Mais tarde, naquela noite mesmo, Vicente encontrou um machucado nele... Na barriguinha. E a gente queria entender como..."

"Como o quê? Eu não vi machucado nenhum!", ela me interrompe, defensiva.

"Mas foi você que colocou ele no berço, não foi? Pensei que alguma coisa podia ter acontecido."

"Que tipo de coisa? A senhora está desconfiando de mim?"

De repente, tenho uma sensação de déjà-vu. Estou de novo em um interrogatório, mas, desta vez, quem faz as perguntas sou eu. Para minha surpresa, isso é tão desconfortável quanto ter que respondê-las.

"A babá eletrônica pifou, e o técnico acabou de me dizer que alguém derrubou... Pensei que talvez..."

"Eu não quebrei a babá eletrônica."

"A que horas você foi embora na segunda? Tipo seis e meia?"

"A senhora está desconfiando de mim." Agora não é mais uma pergunta.

"Nós só ficamos preocupados..."

"A senhora acha que machuquei ele. Tá me acusando!"

"O machucado é bem feio, olha."

Ergo a barra da camiseta de Lucas e mostro o hematoma que se espalha abaixo do umbigo. Isabela fica chocada. No mesmo instante, baixa a cabeça e começa a chorar. Suas mãos tremem sutilmente, apertando o cabo de vassoura.

"Eu não fiz isso", ela diz, baixinho. "Eu não..."

"Calma, Isabela! Não estou dizendo que você fez de propósito... Mas talvez sem querer..."

"Não fui eu! Tô dizendo que não fui eu!", Isabela se adianta, ríspida.

Se Lucas não se machucou sozinho, se nem eu, nem Vicente o machucamos, então alguém fez isso. E só pode ter sido Isabela. No mesmo instante, me lembro do que ela disse na festa de aniversário das gêmeas. *Odeio crianças*. Ela estava falando sério.

"Não precisa ficar nervosa", digo.

Lucas se incomoda com as vozes altas, se contorce, franze o cenho e urra ainda mais alto.

"Branco adora culpar preto, né?", ela devolve, cheia de ódio. "A gente é o primeiro a ser acusado de todas as merdas que vocês fazem."

"Isabela, pelo amor de Deus... Esse não é o caso", respondo, surpresa.

"Como não é o caso? A senhora só está me acusando porque sou diferente de vocês. Já reparou quantos pretos moram aqui no condomínio? Quantos pretos estavam no aniversário das meninas?"

"Que conversa é essa? O que isso tem a ver?"

"Só tinha eu na festa", ela responde. "Eu e aquela menina adotada que sua amiga insuportável fica exibindo por aí com o cabelo alisado..."

"Você não pode falar assim da Solange..."

Antes que eu termine a frase, Isabela joga a vassoura no chão. Pega sua bolsa e seu celular na cadeira.

"A senhora é uma péssima mãe e uma racista filha da puta", ela diz.

E bate a porta com violência.

9.

A senhora é uma péssima mãe e uma racista filha da puta. A frase não sai da minha cabeça. Toda vez que me distraio, que deixo a mente viajar, volto à conversa de ontem, quando Isabela me encarou da porta, com a expressão enojada, os olhos injetados, a boca se contorcendo para carimbar a ofensa que grudou em mim como graxa. Logo que ela bateu a porta, desabei no sofá, tremendo sem parar, e chorei. Chorei tão alto que até Lucas silenciou e ficou me encarando, confuso. Não sei o que me incomoda mais. Se é o fato de que ela atingiu certeira meu ponto mais frágil — *uma péssima mãe*! —, se é porque me xingou de racista ou se é porque, mesmo ao me ofender, respeitou certa hierarquia patroa-empregada e me chamou de senhora.

Naquele momento, me senti vítima, injustiçada, não merecia ter escutado nada daquilo. Mais tarde, em um mea-culpa, fiquei tentando me lembrar de outras conversas em que posso ter sido preconceituosa, grosseira ou até mesmo violenta com ela sem perceber. Não consegui. Ao contrário, eu a considerava uma amiga, alguém que realmente gostava de mim. Nesse ano, no aniversário dela, dei de presente um perfume igual ao meu, que ela comentou que adorava. Há algumas semanas, pedi que Isabela me ajudasse a arrumar meu armário e acabei doando algumas roupas que não queria mais, inclusive peças de marca. Por isso, todo aquele ódio me desestruturou. Mas agora tudo ficou claro. Nada me tira da cabeça que foi ela que machucou o Luquinhas e quebrou a babá eletrônica. Isabela só fez escândalo para não ter que assumir os próprios erros.

À noite, Vicente chega em casa, me estende uma caixa de bombons e, com um sorriso largo, conta que se saiu muito bem em uma audiência de um cliente importante, que os sócios estão impressionados. Tento ficar feliz com a notícia, não quero estragar o entusiasmo dele, mas também não posso ficar acumulando todas as coisas dentro de mim.

Depois que ele termina de contar do seu dia, falo em poucas palavras do meu: minha insatisfação com o reborn Bruno, a nova câmera no quarto de Lucas e, por fim, sem muito alarde, a demissão de Isabela. Não menciono detalhes, muito menos a briga que tivemos. Vicente fica agitado, nem me espera terminar de falar.

"Como assim ela pede demissão do nada? Ela não pode deixar a gente na mão!"

"Isabela era diarista. Não tinha carteira assinada."

"E agora? Ela cobrava mais barato do que as outras aqui do condomínio, Eva", ele diz. "Não consigo pagar um salário maior. Já estou pagando as prestações do apartamento, está pesado pra mim."

"Eu sei. Mas não dá pra eu cuidar sozinha de três crianças e de uma casa. Está pesado pra mim também."

"Você devia ter insistido pra ela ficar. Devia ter implorado!" Vicente é outra pessoa agora. Não resta mais nada do marido determinado e amoroso que chegou em casa com uma caixa de bombons. "Vou ligar pra ela."

"Não faz isso! Não adianta... Já pedi indicação de outra moça pra Solange. E a gente vai pagar, Vicente. Não importa quanto custe."

Ele suspira, exaurido. Então, abre um sorrisinho.

"Contrato quem você quiser. Mas só se colocar a casa da sua mãe à venda. Você não ia fazer isso essa semana?"

O tom de deboche me deixa ainda mais chateada, mas Vicente não percebe. Está muito preocupado consigo mesmo, não consegue me enxergar. Nunca vai entender o quanto o assunto casa-da-minha-mãe me machuca. Ao mesmo tempo, é injusto culpá-lo: ele não conhece a história inteira. Nossa conversa é interrompida pelo choro de Lucas. Corro para pegar meu filho e trocar a fralda, enquanto Vicente segue para o banho. No lanche da noite, com todos ao redor da mesa, não voltamos a falar de Isabela.

A senhora é uma péssima mãe e uma racista filha da puta. A voz continua a se repetir incessantemente enquanto atravesso o portão da Escola Santa Joana d'Arc, cruzo o pátio vazio empurrando o carrinho de bebê, chego ao corredor ímpar e sigo para a sala 5C. São nove e dez da manhã de quinta-feira, as salas de aula estão cheias e escuto o eco de gritos alegres vindos das quadras ao fundo. Confiro se Lucas continua a dormir, ajeito o pano que cobre o carrinho e, finalmente, encontro a sala certa, na frente da qual um pequeno grupo de babás uniformizadas conversa.

Na sala, sentadas nas carteiras, algumas mães conversam baixinho e mexem sem parar em seus celulares enquanto aguardam o início da reunião. Cumprimento todo mundo com sorrisinhos e gestos de cabeça, e me sento perto dos janelões, em uma carteira pequena e baixa, absolutamente desconfortável, ao lado de Solange. O evento se chama "reunião de pais", mas apenas as mães estão presentes. Tento me inteirar da conversa. Para variar, elas estão falando sobre os hábitos alimentares, o desempenho escolar e as manias divertidas de seus filhos, todos na faixa dos dez ou onze anos, ou sobre suas próprias rotinas de dieta, skincare, maquiagem, exercícios físicos e postagens nas redes sociais.

"E agora está provado que o jejum intermitente é a melhor opção para perder peso… Graças a Deus, os clientes não param de aparecer. Sou mesmo abençoada! Estou até pensando em alugar uma salinha para fazer de consultório", diz Laura, mãe dos gêmeos Pedro e Thiago.

Ela terminou o curso de nutrição há dois anos e passou a atender algumas pessoas do condomínio em seu próprio apartamento. É uma mulher magérrima — sua principal vitrine —, obcecada por procedimentos estéticos e por citações da Bíblia. Graças a ela, todas as manhãs, quando acesso o grupo de mães no WhatsApp, deparo com uma passagem bíblica nova, com imagens de nuvens alaranjadas e cachoeiras idílicas ao fundo, e um desejo de "bom dia" ou "semana iluminada". Tudo embalado, claro, por uma música cafona.

"Fiz meu plano de alimentação com a Laura há dois meses e já perdi sete quilos. E o melhor é que não fico com fome… Mas aquela injeçãozinha também ajuda, né?"

Essa é a Adriana, mãe do Rafael. Casada com Paulo, delegado da polícia civil, Adriana e o marido frequentam jantares privados em uma mansão no Jardim Botânico e viajam todo mês para um hotel-fazenda na serra, Cantinho dos Animais, sempre sem o filho. Segundo ela, são momentos do casal.

"Eu *pre-ci-so* entrar numa dieta", Fernanda comenta, enquanto rola a tela do celular com a ponta da unha cor-de-rosa. Ela é a mais velha de todas nós, a única que já passou dos quarenta. "Fico vendo seus posts no Insta, Laura. Qualquer dia, vou marcar uma consulta."

"Quando quiser, amiga..."

"E você, Eva? Sumiu do Instagram! Quando vai postar uma fotinho do Lucas?"

Fernanda mostra o celular com o último post do meu perfil @eva.love.reborn, de algumas semanas atrás: cinco bebês reborns enfileirados na bancada do ateliê.

"Meu perfil é profissional", digo, com leveza. "Prefiro não misturar as coisas..."

"Outro dia, vi uma foto de um bebê no seu perfil e achei que era o Lucas. Demorei um tempo para perceber que era um boneco."

Quem fala é Viviane, mãe de Gabriela, amiga das gêmeas desde a educação infantil, e de Enzo, que brinca agradavelmente no colo da mãe, enquanto uma babá espera ao lado, de sobreaviso. Invejo a sintonia dos dois: Enzo é rechonchudo, com bochechas fartas, olhinhos espremidos, sorriso fofo e banguela, lindo e calmo. Acho que nunca o vi chorar.

O comentário de Viviane arranca risadinhas das outras.

"Realmente, o boneco é demais!", Fernanda diz. "Impressionante como parece de verdade."

"O nome certo é reborn. Não boneco", Solange corrige. Ela já me escutou fazer esse discurso mil vezes. "E a Eva é a cegonha, que dá vida ao reborn."

Andreia, mãe de Julia e Renato, se junta à conversa.

"Eu acho lindo! E tá dando supercerto, né?"

Faço que sim. Andreia é muito religiosa e, no ano passado, propôs abrir uma igreja evangélica no mall do condomínio. Ainda que a maioria dos moradores não tivesse nada contra, a proposta acabou não encontrando muitos entusiastas.

"Desculpa, mas... Esse negócio de reborn é tão real que, pra mim, parece com brincar de Deus... Me dá um pouco de aflição", Laura confessa.

Viviane e Adriana concordam com a cabeça.

"Tudo bem. Tem gente que não gosta mesmo", digo. "Eu acho bom quando dá aflição. Sinal de que fiz bem meu trabalho."

A arte reborn sempre sofreu preconceito. Infelizmente, muitas pessoas veem como uma coisa de mau gosto ou estranha. Na internet, eu e muitas colegas já sofremos ataques, mas isso nunca me abalou. Para meu alívio, Solange puxa outro assunto — ela entrou para um clube de amantes de vinho — e eu deixo de ser o foco de atenção. Inclino-me para checar Lucas: ele dorme profundamente, mas, diferente de Enzo, parece tão esmirrado entre as cobertas — braços finos, pernas cambitas e rosto ossudo — que fico me perguntando se estou alimentando meu bebê direito.

Aos poucos, outras mães vão chegando e tomam seus lugares. Vera, mãe de Arthur, acena e faz um coraçãozinho com a mão ao ver o carrinho de bebê que balanço para a frente e para trás. Sorrio de volta e passo os olhos pela sala. Conheço quase todas aqui pelo nome. Elas são o que posso chamar de "minhas amigas". Ao mesmo tempo, tenho dificuldade em me identificar com várias delas: algumas são fúteis, outras, exageradas; quase todas são invejosas e racistas. Quero crer que sou diferente. Preciso crer, para continuar a ter o mínimo de amor-próprio.

Às nove e meia, a diretora da escola, Patrícia, entra na sala trazendo uma prancheta sob o braço. De pé, no centro da roda, ela faz um gesto vago com a mão e o burburinho logo silencia. Patrícia é uma mulher alta e antipática, na faixa dos cinquenta anos, com olheiras incômodas que deixam seu rosto pesado. Nunca tivemos qualquer desentendimento. Mesmo assim, não consigo gostar dela.

Num tom professoral, ela começa explicando que marcou a reunião para comentar o desempenho dos alunos, mas que antes gostaria de tratar de um assunto muito sério. Então, vai até a porta e volta de braços dados com Márcia, com a cabeleira ruiva bagunçada e o rosto inchado de tanto chorar. A aparência dela nos emudece.

"Não é fácil pra mim contar o que aconteceu, mas... preciso. Porque não dá pra continuar assim. Eu fiquei horrorizada, sem chão..." Márcia se debulha em lágrimas diante de nós. "Outro dia, na segunda-feira, pedi ao Caio para fazer o dever de casa. Ele não queria, estava lá grudado naquele maldito video game. E aí... Eu coloquei o Caio de castigo. E ele... Ele me chamou de filha da puta. Filha da puta! É isso que ele aprende nessa escola?"

A sala volta a mergulhar em um silêncio profundo. Por um instante, tenho vontade de rir. Não consigo acreditar que ela está fazendo esse estardalhaço por causa de uma besteira dessas. Então, um suspiro de Lucas desvia minha atenção. Ele está começando a acordar. Ajeito o pano sobre o carrinho e faço um *shhh, shhh* bem baixo para que volte a dormir. Patrícia me dirige um olhar de repreensão, mas não posso fazer nada. *Vai por mim, diretora, vai ser muito pior se ele abrir o berreiro*, penso. O choro de Lucas pode ser muito mais violento do que qualquer palavrão. Meu bebê esfrega as mãozinhas na testa, passa a língua pelos lábios e ameaça abrir os olhos, mas logo os fecha outra vez. Aliviada, volto à reunião.

"A gente tem que entender como isso começou", Fernanda está dizendo.

"Outro dia, o Thiago também me mandou à merda", Laura diz. "Dez anos e me mandando à merda?!"

"Se meu filho fala assim comigo, dou uma surra!", Adriana comenta.

"Bater só piora", a diretora intervém. "A violência nunca é o caminho."

Troco um breve olhar com Solange, que gira os olhos e

abre um sorrisinho discreto. Ela também está achando tudo aquilo exagerado e insuportável.

"A culpa é dessas músicas que as crianças escutam! Sem falar nessas séries promíscuas de TV... E a culpa também é da escola, que não controla. A indecência está em todos os lugares", Andreia opina. "Semana passada, peguei meu mais velho lendo um livro cheio de palavrão e violência. E sem aviso de gatilho! Tinha que ser de escritor brasileiro. Onde já se viu publicar essas porcarias e deixar que nossos jovens leiam?"

A diretora pede a palavra.

"Gente, por favor... É impossível controlar tudo o que acontece na escola. Fazemos o que dá, mas... As crianças menores convivem com as maiores durante o recreio. Além disso, às vezes o problema começa em casa. Eles são como esponjas: absorvem tudo ao redor. Uma briga de casal, coisas que a gente fala sem pensar e às vezes eles escutam e repetem..."

"Eu não engulo!", Márcia grita, batendo com a mão fechada no tampo da carteira, como uma criança mimada. "Dá pra imaginar o que é seu filho te chamar desse palavrão horroroso? Filha da puta, meu Deus! Não adianta! Filha da puta? EU-NÃO-ENGULO!"

De repente, todas estão falando ao mesmo tempo, ninguém escuta ninguém. Tento fechar os olhos e respirar fundo, mas a algazarra desperta Lucas de vez. Levanto-me depressa e sinto os olhares me seguindo conforme caminho atrapalhada até a porta e saio com o carrinho para o pátio agora vazio, onde tento acalmar meu bebê. Pego a mamadeira, que trouxe já pronta, mas ele recusa. Entramos na batalha de sempre. Sob o sol escaldante da manhã, me sinto desnorteada, toda essa cacofonia me machuca, como se fosse algo físico.

Quando Lucas finalmente sossega, vejo algumas mães

saindo da sala e a diretora consolando Márcia em um canto. A reunião acabou.

"E aí? A Márcia propôs uma lavagem cerebral nas crianças?", pergunto a Solange enquanto caminhamos juntas pelo corredor.

"Quase isso..." Ela ri da minha piadinha. "E você? Já está de volta?"

"Luquinhas demorou pra dormir..."

"Não é disso que estou falando. Antes, na reunião, você estava com a cabeça na lua."

"Ah... É que... A saída repentina da Isabela mexeu comigo."

Apesar de ter pedido que minha amiga me indicasse uma diarista, não contei a ela sobre a briga. Inventei que Isabela tinha pedido demissão porque arranjara um emprego fixo. Estou virando uma mentirosa compulsiva.

"Você arruma outra logo, logo. Tá todo mundo precisando de emprego."

Suspiro e dou de ombros.

"Sei lá... Às vezes sinto que estou desaparecendo."

"Ei, não fica assim." Ela para de caminhar e segura minhas mãos. O calor de seu gesto me acalma. "Por que a gente não passa a tarde juntas? Se quiser, podemos ir ao cinema."

"Não consigo... Preciso ir pro Cachambi hoje. Vou tirar umas fotos da casa onde nasci. E combinei de encontrar um pintor."

"A casa onde você nasceu? Que legal!" Solange força entusiasmo, como se a ida ao subúrbio fosse uma viagem para a Disney. "Está decidido. Vou com você."

10.

Assim que dobramos a esquina e entramos na rua, sinto o peito apertar. Baixo a velocidade, observando a fileira de carros estacionados diante das casas. O Cachambi é um subúrbio antigo, tranquilo, com casas de vila e pouco comércio. Há anos não volto aqui. Mesmo assim, conheço todas as fachadas de cor. Desde que minha mãe morreu e fui morar com Vicente no Blue Paradise, o bairro desvalorizou muito por causa da violência: assaltos à mão armada, roubo de carros, tráfico de drogas. Algumas propriedades viraram oficinas mecânicas, supermercados e farmácias. Apesar disso, a rua continua tranquila, com árvores secas e canteiros malcuidados.

No banco do carona, Solange fala sem parar. Logo que entramos no carro, ela bateu palminhas e disse que estava muito animada com aquela tarde só nós duas. Sorri, tentando disfarçar o quanto era difícil voltar à minha casa de infância. No caminho, entendi por que ela fez questão de me acompanhar: queria me atualizar de sua vida sexual. Eu já sabia que Solange e o marido não transavam havia meses. Segundo ela, Carlos tinha várias amantes, além de um fetiche por garotas de programa. Eu ficava espantada com a naturalidade com que ela me contava essas coisas. Na primeira vez, cheguei a sugerir que pedisse divórcio.

"Me separar? Tô fora", ela respondeu. "Ele quer me trair? Que traia. Eu também vou me divertir por aí." E Solange se divertia.

Eu era sua confidente, a primeira a saber de suas aventuras sexuais com outros homens. Hoje, ela queria me contar que tinha um novo affair e que a relação estava ficando perigosamente séria. Ao que parece, além de inteligente, bom de papo e flexível nos horários, o novo amante era insaciável na cama. Entre risadas e suspiros apaixonados, Solange descreveu trepadas e escapadas furtivas com uma riqueza de detalhes constrangedora. Agora, enquanto ela me conta sobre o último encontro com o sujeito, na tarde de ontem em um motel da avenida das Américas, eu checo o retrovisor central. Lucas continua quieto na cadeirinha, distraído com o mundo lá fora.

Passo diante da casa sem olhar para ela e encontro uma vaga poucos metros adiante, do outro lado da rua. Solange silencia e observa ao redor, buscando captar cada detalhe do lugar onde passei a maior parte da minha vida. Há certa decepção em seu rosto.

"É aqui?"

Faço que sim, enquanto termino de girar o volante e estaciono. Desligo o carro e destravo as portas. Antes que eu saia, ela segura a minha mão e murmura baixinho:

"E sobre o boy, amiga? O que eu faço?"

Hesito, sem saber o que aconselhar.

"É alguém que eu conheço?"

Ela demora alguns segundos para responder.

"Não... Acho que não..."

"Você já fez isso antes... Não entendi o problema."

"Desta vez, é diferente. Estou mexida… E não posso me separar do Carlos. A Clarinha não vai aguentar mais esse trauma."

No mesmo instante, escuto Isabela dizendo: "*Eu e aquela menina adotada que sua amiga insuportável fica exibindo por aí com o cabelo alisado*". Na hora, defendi Solange. Tinha que fazer isso. Agora, no entanto, percebo como é irritante que Solange conte a história edificante de sua maternidade para todo mundo: Clarinha estava em um abrigo após ser abandonada pela mãe drogada e alcoólatra. Um dia, Solange a conheceu, se apaixonou e resolveu brindá-la com todo o amor que ela nunca recebeu. Uma história em que, claro, ela é a heroína. Clarinha é a desculpa perfeita de Solange, a muleta emocional que justifica a manutenção de um casamento com um marido que ela não ama mais (e talvez nunca tenha amado). De todo modo, sei que dizer isso em voz alta seria forte demais. Possivelmente, o fim da nossa amizade.

"Você não deve ficar presa a ninguém por causa da Clarinha. Se entrega a esse cara, se é o que você quer."

"Não é tão fácil…" Ela suspira. "Ele também é casado."

Tento disfarçar a surpresa. Arrependida por ter contado, Solange abre a porta e sai. Faço o mesmo e, com movimentos ágeis e cuidadosos, retiro Lucas da cadeirinha. Caminhamos pela calçada em silêncio, até chegar ao número vinte e dois. Diante do portão, um senhorzinho nos espera, com uma lata de tinta e um pincel molhado aos seus pés.

"Dona Eva?", ele pergunta, estendendo a mão. "Não mudou nada. Lembro de você pequenina, correndo na rua pra lá e pra cá… E sua mãe gritando aqui da entrada."

Tento sorrir, como se a menção à minha mãe evocasse uma boa memória. É impressionante como o simples fato de pensar nela me faz mal.

"É seu filho?", ele pergunta, já que não digo nada, então se inclina um pouco para enxergar o bebê adormecido. “Que belezura!”

“Obrigada… E obrigada também por aceitar o serviço”, digo. “Vou colocar a casa à venda. Quero pintar o muro da frente, dar uma repaginada.”

“Deixa comigo. A senhora pediu tinta azul, né? Veja se essa está boa.”

Ele aponta um pequeno retângulo que já pintou no muro. É azul-escuro, um pouco fúnebre, mas sem dúvida melhor do que o branco imundo e descascado que evidencia o abandono da casa.

“Está perfeito. Obrigada.”

De cabeça baixa, seguro a grade de ferro e, tomando coragem, empurro. Sinto o metal enferrujado esfarelar na minha mão. O portão range, um som familiar. Na verdade, tudo aqui é familiar: o caminho de caquinhos coloridos ladeado por flores abandonadas, os degraus de cimento que levam à entrada em arco, com a porta principal, de madeira maciça, com uma janelinha de vidro opaco. Sou capaz de caminhar com os olhos semicerrados, e é o que faço. Como uma criança assistindo a uma cena assustadora no cinema, tenho a impressão de que os próximos minutos serão mais fáceis se eu não enxergar tudo tão claramente.

Giro a chave na fechadura e entro na sala, já sentindo o cheiro que revolve meu estômago: um misto de mofo, papel velho, cera queimada e incenso. Não importa quanto tempo passe, os cheiros dos lugares não mudam. Solange vem logo atrás. Eu a escuto fazer comentários, mas não presto atenção. Estou sufocada, enjoada. Busco o interruptor ao lado da porta, mas é claro que as luzes não funcionam. Estou há muito tempo sem pagar as contas da casa. Pisco e sigo até as janelas. Afasto as cortinas pesadas, abro os trincos e deslizo as abas de madeira emperradas para deixar os raios de sol entrarem por entre as grades. O lugar se ilumina parcamente. Continua a parecer uma prisão.

Passo os olhos pela sala. Há caixas de papelão rasgadas, louça antiga, flores de plástico e pilhas de roupas espalhadas por todos os cantos. Encontro objetos que, no passado, significaram muito para minha mãe — uma estátua de galinha, um abajur estilo francês que ela achava chique, o cinzeiro escrito Campari que ela usava para fumar seus três maços de cigarro ao dia. Uma grossa camada de pó cobre tudo: a mesa de centro redonda, ainda com toalhinha, o sofá florido de dois lugares, a TV de tubo, o santuário onde minha mãe colocava em prática seu sincretismo religioso, a cômoda de madeira e, claro, a cristaleira com dezenas de bonecas. São todas de porcelana, com cabelos volumosos e encaracolados, presos com laços clássicos, lábios, nariz e olhos ciliados desenhados com pincel fino. Algumas usam chapéu, outras têm vestidos com renda, repletos de babados. Há duas camponesas, três loiras com roupas de festas típicas do Sul e mais três com roupas de gala e joias peroladas.

"Uau, sua mãe colecionava?"

Solange acendeu a lanterna do celular e está parada diante do vidro imundo que protege as bonecas. Ela se aproxima para enxergá-las melhor.

"Não... Ela detestava tudo isso. Quem fez essas bonecas foi meu pai. Aprendi com ele."

Minha mãe odiava que eu tivesse seguido a profissão do meu pai. Achava que era só para provocá-la.

"Uau, jura? Que fofo..."

Pelo tom de voz forçado, ela não vê nada de fofo ali. Nunca entendi por que minha mãe nunca se livrou dessas bonecas, mesmo depois que meu pai foi embora. Por que manteve a cristaleira aqui, relembrando a cada momento seu abandono? No fundo, acredito que sei a resposta: minha mãe gostava de se torturar, tinha uma vocação natural para a infelicidade. Chafurdava na tristeza, alimentava-se dela.

"É sua mãe?", Solange pergunta, alcançando um porta-retratos na cômoda, ao lado do abajur estilo francês. Mesmo sem ver, sei do que ela está falando. Na foto em preto e branco, minha mãe aparece jovem e sorridente em sua formatura. Está linda em um vestido preto, discretamente maquiada, com os cabelos loiros presos em um coque e os olhos profundos. "Como ela se chamava?"

Finjo que não escuto a pergunta e sigo para o primeiro quarto, com a cama de casal onde encontrei minha mãe morta. Viro o rosto e evito olhar. Sigo até a janela mais próxima, respiro fundo e me sento diante da penteadeira com três folhas de espelho. Solange surge na porta, ainda segurando o porta-retratos.

"Sua mãe era linda. Parecida com você."

Encaro meu reflexo: três Evas, todas esgotadas. Ao fundo, a cama com lençol cor de goiaba. É impossível apagar a última lembrança de minha mãe nesse quarto, morta havia dias, já começando a entrar em estado de putrefação.

"Me fala o nome dela", Solange insiste.

Não falo o nome da minha mãe em voz alta há muito tempo.

"Alma", digo, num fio de voz. Um nome pesado, que sempre me pareceu mau agouro. "O nome dela era Alma."

"É bem diferente", Solange diz, com certo constrangimento. E logo muda de tom: "Ei, amiga, vai ficar sentada aí? Que desânimo é esse?"

"É só que... eu não fui feliz aqui."

"Entendo total. Se você soubesse de onde *eu* venho", Solange diz. Ela tem o péssimo costume de querer ser a melhor em tudo, inclusive nas tragédias.

Fico de pé e volto ao corredor. Encaro mais uma vez a cristaleira com as bonecas do meu pai.

"Odeio essa casa", digo.

É o mais próximo de *Odeio minha mãe* que consigo verbalizar. Se eu falasse isso, talvez Solange ficasse tão chocada que não tentaria disputar comigo. Sigo para os outros cômodos. Na cozinha, mais louça velha, caixas de eletrodomésticos antigos, além de pilhas de papéis e contas amarradas com barbante. Encaro a coleção de tapeçaria com motivos campestres que minha mãe sempre fez questão de manter nas paredes do corredor e chego ao menor banheiro da casa, com pia, vaso sanitário e um box com uma cortina de plástico.

"E aqui?", Solange pergunta, diante do que era meu quarto. Quando saí de casa, minha mãe logo o transformou no quarto da bagunça.

"Aí não tem nada", digo, tentando disfarçar meu incômodo.

Solange gira a maçaneta, mas a porta está trancada. Sei que a chave está guardada na primeira gaveta da cozinha, mas não tenho a menor vontade de dizer isso a ela. Não quero ver meu quarto depois de tantos anos. Tenho medo do que posso encontrar lá dentro, tenho medo das lembranças que meu passado pode trazer. Estou tão inebriada que até me esqueço de Lucas, que dorme no carrinho. Espero que meu filho guarde boas memórias de mim. Que pense com amor em tudo de bom que eu fizer para ele. Espero que nossa relação evolua, que não seja como é hoje, baseada em choro, apreensão e no medo de que ele acorde a qualquer momento. Para mim, cada canto dessa casa traz uma memória que eu preferia esquecer. É um lugar de dor e violência.

Sem que eu perceba, Solange começa a arrumar as coisas à nossa volta. Empilha algumas caixas no canto, alinha os móveis. Entendo o que ela quer fazer: levantar meu humor, espantar o clima ruim e soturno que de repente dominou nosso passeio ao subúrbio.

"Anda, Eva, me ajuda. Não dá pra tirar fotos da casa nesse estado. Ninguém vai querer comprar..."

"Vai levar uma eternidade arrumar tudo isso. Melhor chamar uma faxineira."

"Tá", Solange diz. "Mas vamos ajeitar um pouquinho... Não custa nada."

Decido entrar no jogo, encarar o momento de um jeito prático: vou tirar algumas fotos, colocar a placa de VENDE-SE na fachada e ganhar dinheiro com a única herança que meus pais me deixaram. Canto algumas músicas junto com Solange, damos risadas e vamos recolhendo a quinquilharia dos cômodos. Suada, prendo os cabelos e tiro a blusa, ficando apenas de sutiã. Solange acha graça do meu gesto e faz o mesmo. Enquanto Lucas cochila, damos um tapa na casa. Sou obrigada a parar quando ele desperta, chorando, querendo mamar. Vez ou outra, confiro o relógio.

Depois de algum tempo, a casa está longe de parecer limpa e convidativa, mas estou cansada demais para continuar. Então, pego o celular e vou tirando fotos da sala, da cozinha, do banheiro. Quando chego ao quarto da minha mãe e deparo com a cama, imagens vívidas me invadem. Não consigo ficar muito tempo aqui, e decido nem entrar no meu quarto. Com uma boa edição, acredito que conseguirei encontrar um comprador. Penso em pedir menos do que a casa vale. Quero me livrar logo dela.

Visto a blusa, saio para fotografar a fachada e depois contorno a casa. Solange pega um cigarro na bolsa, alcança com a outra mão o cinzeiro Campari de minha mãe e caminha para os fundos. Recostada ao batente da porta, ela observa a área externa, enquanto dá as primeiras tragadas. Seu olhar se fixa no casebre de madeira que servia de oficina para meu pai. Não entro ali desde os quinze anos, quando minha mãe me flagrou tentando mexer nas ferramentas dele e trancou o lugar com cadeado. Mais ao fundo, o jardim abandonado com pneus velhos, flores mortas e o balanço de madeira onde eu costumava brincar com meu pai. Essa é uma das únicas lembranças que tenho dele. Por isso, o jardim dos fundos é a minha parte favorita da casa. Uma espécie de refúgio.

"Eva...", Solange diz. "Esperei você me contar, e nada. Não confia em mim?"

A pergunta me pega de surpresa. Estou afastada, remexendo no bolsão com fraldas e brinquedos de Lucas. Deixei o carrinho no corredor, estrategicamente distante da fumaça do cigarro.

"O quê... Do que você está falando?"

Percebo que ela parece ofendida. Ou pior, traída.

"A Isabela não pediu demissão porque arranjou emprego", ela diz, com um orgulho de detetive incontido. "A Nete, minha empregada, mora perto dela e ficou sabendo ontem mesmo... Vocês brigaram. Brigaram feio."

Baixo os olhos e esfrego as mãos, tensa. Por um instante, me sinto como uma criança pega em flagrante enquanto colava na prova.

"Eu só não queria que essa história ganhasse mais importância do que merece..."

"A Nete me contou tudo. É verdade que ela te acusou de racismo?"

"Não... Não foi bem assim..."

Só consigo balbuciar palavras soltas, como uma idiota.

A senhora é uma péssima mãe e uma racista filha da puta.

"Toda história tem dois lados, Eva. Quero ouvir o seu."

Meu coração bate acelerado, estou suando frio. Nunca imaginei que teria essa conversa com Solange, muito menos aqui, nessa casa, que parece ter o poder de revelar o pior das pessoas, de gerar brigas, rancores, traições e ódios. Uma casa amaldiçoada. Respiro fundo e tento organizar os pensamentos.

"Eu só... Eu só confrontei a Isabela. E ela reagiu mal. Foi isso."

"Confrontou por quê?"

Se Isabela contou para Nete sobre nossa discussão, será que não contou também sobre o machucado em Lucas? Por um instante, tenho a impressão de que Solange está me testando. Estou contra a parede. Sou uma condenada tentando se agarrar às últimas alegações. Faço sinal para que Solange se aproxime do carrinho e, com cuidado, levanto a barra da camiseta de Lucas. O hematoma já está melhorando, mas continua forte e chocante. Ela leva a mão à boca e pergunta, horrorizada:

"Foi Isabela que fez isso? Meu Deus!"

"Não sei. Só sei que o Luquinhas apareceu assim do nada... E a babá eletrônica pifou no mesmo dia. Eu fui perguntar se Isabela sabia de alguma coisa e ela achou que era uma acusação", explico. "Talvez eu tenha perdido um pouco a mão. Eu estava preocupada, Sô. Mas não sou racista, você sabe."

Solange apaga o cigarro com o sapato e volta ao interior da casa escura.

"Que perigo, Eva. Podia ser muito pior. Ainda bem que você mandou a Isabela embora. Será que não é o caso de denunciar para a polícia?"

"Não, acho que não... Não tenho como provar, e é muita exposição. Não precisamos disso, Vicente não precisa disso."

Solange pensa por um instante e concorda.

"Quer saber o que eu acho?" Ela mesma responde em seguida: "Que você está se cobrando demais, amiga. Vai por mim... Não se pressiona. Você já faz tanta coisa. Trabalha, cuida de três crianças, do marido, da casa... Você é uma mulher fodona, viu? Não deixa nunca ninguém te dizer o contrário. Você é incrível."

Fico emocionada. Solange me abraça. Um sinal de que fizemos as pazes.

"O chato é que eu nem pude te defender", ela diz. "Porque não sabia de nada."

"Desculpa..."

"Não precisa se desculpar. Somos amigas. Só me promete uma coisa. A partir de agora, sem segredo entre a gente... Promete?"

Faço que sim com a cabeça.

"Você tá cansada, irritada, talvez até com uma depressãozinha. É normal", ela continua. "Por que não faz terapia? Pode ser bom pra você."

"Vou atrás disso. Pode deixar."

Já estou mentindo de novo.

"E você pode sempre conversar comigo, claro... Eu te conto tudo! Te contei até do meu boy. Quero que me conte tudo também..."

Por um instante, meu olhar encontra o porta-retratos com a foto de minha mãe sobre a cômoda, e eu fico pensando se não deveria contar tudo mesmo. Colocar para fora os anos de abuso nas mãos de uma mulher instável e alcoólatra, que mergulhava em depressões profundas e culpava a própria filha pelo abandono do marido. Uma mulher que era formada em psicologia, e que submetia a filha a sessões diárias de análise. Se eu não revelava o que estava pensando, não comia. Se a criticava, não podia sair para a rua com minhas colegas. Penso em tudo isso enquanto Solange me encara.

"Obrigada, amiga", digo.

Então Lucas acorda berrando de novo, e, talvez pela primeira vez, dou graças a Deus por isso. Fecho a porta da casa com a chave, desço os degraus, e me afasto do muro recém-pintado de azul, com a tinta fresca, sem olhar para trás. Espero nunca mais ter que pisar nessa casa maldita.

11.

Retiro a mesa do café da manhã, recolho brinquedos, almofadas e controles remotos, passo a vassoura nos tapetes e um pano úmido no piso da sala. Subo no sofá e, com cuidado, limpo as janelas também (choveu muito ontem à noite). Na cozinha, abro a geladeira e confiro a lista de compras para ter certeza de que não me esqueci de nada. Desde cedo, estou evitando encarar a pia, com a louça acumulada. O cheiro ocre de fruta velha e café preenche todo o ambiente. Detesto lavar louça, mas é inevitável. Não posso adiar mais. Dois dias sem diarista transformaram o apartamento em um cenário de guerra civil. Preciso enfrentar a batalha.

Com Lucas na cadeirinha de descanso, vou ensaboando os talheres, enquanto rememoro as pendências. Para não entrar em desespero, organizei as tarefas do dia: arrumar a casa pela manhã, depois cuidar das roupas e da comida. Se tudo der certo, durante a soneca, antes que Vicente chegue com as gêmeas, consigo trabalhar mais um pouco no reborn Bruno. No fim de semana, enquanto Vicente estiver lá embaixo com Lucas e as meninas, vou finalmente terminar o trabalho e entregar a encomenda de Sílvia. É só nisso que consigo pensar.

Acabo de lavar pratos, panelas e talheres, coloco tudo no escorredor, enxugo as mãos enrugadas no pano de prato. De vez em quando, faço alguma gracinha para Lucas, que está mais ou menos tranquilo, o que me dá tempo para retirar as roupas que coloquei na máquina de lavar. No relógio, vejo que já são duas da tarde. Nem pensei no meu almoço. Não importa: não estou com fome. Empilho as roupas limpas no cesto para passar mais tarde, dou um jeito rápido no quarto das gêmeas, arrumo minha cama. A sexta-feira corre depressa, e sou como uma atleta cansada tentando alcançá-la.

Meu filho começa a chorar, mas aceita rapidamente quando lhe ofereço a mamadeira. Aproveito para dar banho nele e trocar a fralda. Como o dia está rendendo, visto uma roupa e saio com ele para o mercado. Consigo fazer as compras em poucos minutos e pego o caixa preferencial. No caminho de volta, não encontro ninguém para puxar conversa e atrapalhar minha programação. Tomada pelo bom humor, deixo Lucas brincando com um chocalho, coloco uma música animada para tocar baixinho e cantarolo enquanto preparo o lanche especial de sexta à noite — sanduíche de almôndega, o favorito das meninas.

Olho o relógio: quase cinco da tarde. Parece um milagre, mas consegui dar conta de tudo! Desligo o fogo, pego Lucas adormecido no colo e o deixo no berço. Entro no ateliê e mexo um pouco no celular, curtindo e comentando elogios nas fotos do meu trabalho e respondendo e-mails de potenciais clientes. Aproveito para subir o anúncio da casa da minha mãe em um site de venda de imóveis. As fotos carregam depressa, escrevo uma descrição objetiva do imóvel, evitando pensar em informações que deveriam constar em um anúncio honesto: a casa possui três quartos, uma sala, cozinha, quintal e muitas mágoas bem guardadas; os dois banheiros são bem equipados, um deles possui até banheira, perfeita para castigar uma criança teimosa e afogá-la quase até o limite do sufocamento.

Espanto as lembranças ruins e finalizo o anúncio com o preço do imóvel — um valor irrisório. Prefiro ganhar menos e vender o mais rápido possível, para não ter mais que pensar naquela casa. Vou deixar uma cópia da chave com Vicente, e ele que acompanhe os corretores se achar que tem necessidade.

Satisfeita, envio o link para Vicente, com uma série de emojis sorridentes. Então, arrumo todo o material de trabalho sobre a bancada, pego a cabecinha do reborn e confiro os fios de cabelo. A pintura está quase perfeita, precisa apenas de um retoque. Porém há algo de vazio no olhar de Bruno. Consigo dar mais vida ao alongar as sobrancelhas e corar um pouco mais as bochechas dele. Começo a trabalhar na última camada de pele. Estou enérgica quando meu celular toca.

"Oi, boneca", Vicente diz. Detesto quando ele me chama assim, mas mal tenho tempo de ficar incomodada. "Vi aqui o link da casa. Finalmente, hein?"

"É... Finalmente!"

Eu esperava que ele me agradecesse.

"Como você está?", ele pergunta. Pelo seu tom, já percebo que tem algo de errado. Vicente nunca me liga nesse horário.

"Estou bem, e aí? Aconteceu alguma coisa?"

Ele demora alguns segundos para responder:

"Tive um imprevisto. Vou ficar até mais tarde no escritório... Será que você pode buscar as meninas na escola? Não consigo sair agora. Vou entrar em reunião com um cliente importante."

Penso em dizer que estou trabalhando, que também tenho um compromisso com minha cliente, que não posso deixar tudo para trás, mas não tenho forças para entrar nessa discussão de novo.

"Tá... Dou um jeito. Você chega para o jantar, né?"

"Claro, claro..."

Desligo sem dar tchau, caminho até a cozinha e interfono para Solange, que atende depressa. Quero ver se ela pode buscar as meninas para mim.

"Hoje não rola, amiga", ela diz, com um suspiro. "Minha sogra vai pegar a Clarinha e levar pra casa dela, na Tijuca."

Sem perguntar nada, Solange começa a contar que está atrasada, se arrumando para ir a um coquetel de advogados com Carlos no Copacabana Palace. Não tem jeito. Vou precisar buscar as meninas. Indignada e sutilmente chateada, pego Lucas e, sem mudar de roupa, tomo o elevador até o subsolo. Estou cansada demais para caminhar quinze minutos até a escola e correr o risco de encontrar mães sorridentes pelo caminho.

De carro, o trajeto dura metade do tempo. Encontro uma vaga sob uma árvore, estaciono e espero. Ainda faltam dez minutos para a aula terminar. Baixo um pouco as costas do banco, deito a cabeça no encosto e tento relaxar, sem pensar em nada. Não quero deixar que esse pequeno imprevisto acabe com meu humor. Fecho os olhos e busco controlar a respiração.

O som de uma buzina me acorda no susto. Cochilei sem perceber. Ajeito-me no banco e confiro Lucas pelo retrovisor central. A cadeirinha está vazia. Um arrepio percorre minha espinha. No mesmo instante, me viro depressa, procurando sofregamente pelo meu bebê, que não está mais aqui. Desapareceu.

Sou tomada por um vazio imenso, fico até cega por um instante. Sem ar. É uma sensação horrorosa. Olho para o lado de fora, procurando por Lucas na pequena multidão de crianças e pais. Nada, nada. Na rua, ladeando a grade da escola, vejo um homem de terno. Ele atravessa a rua depressa, afastando-se. Noto sua cabeleira farta e as costas largas. Então, nos braços dele, encontro meu filho adormecido. Sendo levado. Sem pensar, eu grito. Grito o mais alto que consigo, mas as pessoas não me escutam. Tento abrir a porta do carro: está travada. Meu grito me sufoca, me faz engasgar.

Acordo. O celular no banco do carona apita agudo. Demoro a recuperar o fôlego e procuro o retrovisor central: Lucas está aqui comigo, dormindo no bebê conforto. Foi só um pesadelo. Um pesadelo tão real... Meu coração ainda bate acelerado e não consigo respirar direito. Estou em estado de suspensão, num limiar difuso entre o real e o imaginário. Tenho vontade de chorar.

Pego o celular e vejo que chegou uma mensagem de Sílvia confirmando a data de entrega do reborn para a semana que vem. Eu deveria estar trabalhando no Bruno nesse exato instante, em vez de estar na porta da escola, esperando as gêmeas saírem. Era esse o combinado.

O longo sinal da escola toca. Os pais que moram no Blue Paradise e vieram a pé se aproximam da entrada para buscar seus filhos. A fileira de carros começa a andar, enquanto inspetores uniformizados controlam o fluxo. Observo tudo à distância, estacionada debaixo da árvore. Pouco depois, as meninas cruzam o portão e localizam o carro com facilidade. Angela vem correndo, com a mochila volumosa nas costas, e se debruça na janela. Percebo a confusão em seu rosto ao me ver no volante.

"Cadê o papai?"

"Atrasou no trabalho. Mas eu vim."

"Mamããããe", Sara vem chegando e me dá um beijo caloroso na bochecha.

Angela dá a volta e entra no banco do carona. Tira uma folha amassada da mochila e me mostra, cheia de entusiasmo.

"Olha o que eu fiz!"

"Uau, que legal! Deixa eu ver!"

O desenho colorido é de um homem, com cabelos fartos e sorriso largo, que veste um terno cinza e acena com uma mão, enquanto segura uma maleta com a outra.

"É o papai!", Angela explica. Mas nem precisava: os traços bem-feitos lembram mesmo Vicente — o rosto quadrado, com um nariz sutilmente pontudo, a boca carnuda, os olhos grandes. Angela tem talento.

"Está muito bom, princesa! Lindo igual seu pai! Mas você se esqueceu da barba…"

"É que ele fica mais bonito assim."

"E o seu, meu amor?"

Já sentada no banco traseiro, ao lado de Lucas, Sara me estende outra folha A4. O desenho dela é mais simples e mostra um dia perfeito, com um sol amarelo e sorridente no topo da página, num céu azul sobrevoado por gaivotas. Na base da página, uma família feliz, toda feita de palitinhos, está de mãos dadas — um homem, uma mulher e duas meninas idênticas, com vestidos floridos.

"Ué, e o Luquita?"

Antes que ela responda, observo a mulher com mais atenção: os cabelos loiros são curtos, cortados na altura dos ombros. E os olhos são castanhos, não verdes como os meus. Só então percebo que aquela não sou eu. É Alice, a mãe biológica delas.

"Gostou?", Angela pergunta.

Seguro o papel nas mãos trêmulas, sem reação. Um misto de tristeza e frustração me invade, e a vontade de chorar volta. Não posso fazer isso. Não posso culpá-las. É natural que as gêmeas sintam a falta de Alice. Ofereço todo o amor do mundo para as duas, mas nunca vou conseguir substituir a mãe delas.

Respiro fundo e engulo o choro. A verdade é que não sei como elas se sentem sobre a tragédia, nem como vivenciaram o luto. Nós nunca conversamos sobre isso. Cheguei na família pouco depois e, rapidamente, fomos atropelados pela doença de Sara.

Nas poucas vezes em que tentei entender um pouco mais, Vicente me impediu: "Por favor, não vamos falar desse assunto. É muito doloroso... Vamos seguir em frente". No início, estranhei o silêncio. Por que ele recolheu todas as fotos de Alice? Por que os pais dela, avós biológicos das gêmeas, nunca apareciam ou entravam em contato, nem mesmo nos aniversários? Por que Vicente parecia até irritado toda vez que eu arriscava fazer alguma pergunta?

Com o tempo, desisti de entender e preferi ser feliz. Talvez Vicente tivesse razão: era melhor assim. Não adiantava saber como Alice era, do que ela gostava ou como era sua relação com a família que hoje eu chamo de minha. Eu não deveria me comparar a ela. Era impossível disputar com um fantasma. Bastava que eu fosse a melhor mãe e esposa que podia ser. Foi o que tentei fazer nesses anos. Por vezes, cheguei a me esquecer da existência de Alice. Por isso, o desenho me perturbou tanto. Eu não estava esperando.

Os grunhidos baixinhos de Lucas me chamam de volta à realidade. Pelo retrovisor central, vejo que ele está começando a acordar e logo, logo vai exigir sua mamada. Angela e Sara ainda me observam, atentas, esperando uma resposta.

"Gostei muito", digo, devolvendo o desenho. "Vocês duas são muito talentosas."

Esfrego os olhos marejados, ligo o carro e dirijo de volta para casa.

Corro para esquentar a mamadeira de Lucas, que chora sem parar na cadeirinha. Atordoada, passo os olhos pela cozinha, tentando me lembrar do que falta. Talheres! Pego garfos e facas na gaveta, enquanto confiro o celular. Nenhuma mensagem de Vicente ainda. Guardo o aparelho no bolso, retiro a mamadeira morna e volto para a sala. Ao redor da mesa, as meninas tapam os ouvidos para evitar os gritos insuportáveis do bebê.

"Pronto, pronto", digo, ofegante.

Deixo tudo na mesa, pego meu filho no colo e tento enfiar o bico da mamadeira na boquinha dele. Lucas não aceita. Sigo até a varanda, mudando-o de posição e sacudindo de leve. A brisa fresca da noite passa pela rede de proteção e me ajuda a acalmá-lo. Quando finalmente parece que Lucas vai ceder, ele me surpreende e agarra meus cabelos com a mãozinha esquerda, puxando-os com força até machucar. Giro a cabeça para que ele solte a mecha e suspiro exasperada. De volta à sala, percebo que Angela ligou uma música agitada no celular para vencer o som do choro.

"Desliga essa porcaria", digo. Estou chegando ao meu limite. "Não vão comer?"

A travessa de almôndegas continua intocada no centro da mesa, esfriando. As duas me encaram em silêncio, ainda vestidas com o uniforme da escola.

"A gente vai esperar o papai", Sara diz.

"Cadê ele?", Angela pergunta.

"Eu também gostaria de saber..."

São sete e meia. É estranho que Vicente fique tanto tempo sem dar satisfação, especialmente numa sexta-feira. Lucas ainda chora no meu colo, e as gêmeas passam a conversar baixinho, em uma língua só delas, enquanto a música barulhenta continua no celular. Minha vontade é jogar o aparelho pela janela. Na verdade, quero jogar tudo pela janela. Mas, antes que eu faça qualquer coisa, a música silencia e o telefone de Angela começa a tocar.

"É o papai!"

Eu a encaro, sem acreditar. Por que Vicente ligou no celular dela e não no meu? Angela atende animada. Deixo Lucas esperneando na cadeirinha e me aproximo. Num gesto brusco, tomo o telefone das mãos dela.

"Onde você está?"

Vicente demora meio segundo para assimilar que sou eu, e não Angela, do outro lado.

"Eva? Ah, é que... Desculpa... Mais uma mudança de planos. Me convidaram para uma festa de advogados no Copa Palace. Acho que vou direto daqui do escritório mesmo, com os sócios... Tudo bem pra você?"

Aperto o celular na mão. Não acredito no que estou escutando.

"Por que não me ligou?", pergunto.

"Eu... Eu só queria dar uma satisfação para as meninas."

Suspiro, de olhos fechados. Sinto que estou perdendo os sentidos.

"Ei, Eva, meu amor... Sei que você está chateada. Mas, olha, não vamos brigar... É importante pra mim... pra gente", ele logo se corrige. "Foi tudo em cima da hora."

Fico atenta aos sons ao fundo. Escuto vozes indistintas, algumas risadas. Será que ele está mesmo no escritório? Não consigo acreditar que Vicente só ficou sabendo dessa festa agora há pouco. Tenho certeza de que foi convidado antes, mas não sabia como me contar. Preferiu adiar até o último instante.

"Não posso perder a festa, boneca. Segura aí pra mim, vai... Só essa noite."

"Vicente, eu me organizei pra terminar um trabalho."

"Você termina amanhã. Tem o fim de semana. Fico com as meninas e..."

"Elas não querem comer. Também não querem tomar banho. Eu já cansei de pedir."

"Coloca no viva-voz."

Sem paciência, deixo o celular na mesa e me afasto, de braços cruzados. Meu corpo todo está tremendo, sou como uma panela de pressão prestes a explodir.

"Oi, meus amores", Vicente diz, com a voz sutilmente robótica que sai do celular. "Papai vai demorar a voltar pra casa hoje... Sei que vocês querem que eu termine de ler o livro do mágico com vocês. Também estou curioso pra saber como acaba. Mas, se vocês se comportarem, papai promete que a gente termina a história amanhã de noite..."

"Eu queria hoje", Angela diz num muxoxo.

"Amanhã é sábado! A gente passa o dia na piscina, que tal? E depois a gente termina de ler o livro juntos!" A animação forçada dele é patética. "Vocês vão se comportar? Vão obedecer a mamãe?"

As duas dizem que sim, sem muita firmeza. Lucas continua a se debater na cadeirinha, urrando cada vez mais alto. Não é possível que Vicente vá simplesmente ignorar isso. Eu me aproximo para pegar o celular, tiro do viva-voz e coloco no ouvido, mas, para minha surpresa, ele já desligou.

Jogo o celular na mesa com violência. As gêmeas me encaram assustadas. Estou puta, com raiva de Vicente, com raiva das meninas, com raiva de Lucas, que só demanda o tempo inteiro e não oferece nada em troca. Quando foi que eu me anulei desse jeito?

Sem dizer nada, Angela pega o celular dela e segue para o quarto. Sara vai atrás da irmã. Penso em conferir se as duas vão mesmo tomar banho, mas estou esgotada demais para fazer qualquer coisa. Indiferente à minha situação, Lucas não oferece trégua e sacode os bracinhos no ar, contorcendo todo o rosto e babando sem parar enquanto chora. Mais uma vez, estendo a mamadeira para ele, que balança a cabeça e espreme os lábios. É uma batalha sem fim.

No impulso, pego Lucas no colo e vou até o quarto dele. Deixo meu filho no berço e, sem olhar para trás, saio, encostando a porta para sufocar seus gritos. Caminho até o ateliê, tentando não mergulhar no caldo de sentimentos conflitantes que me invadem. Vicente só está pensando nele. Também preciso aprender a pensar em mim. Foda-se todo o resto.

Sirvo-me de uma taça generosa de vinho e coloco os fones. Música clássica preenche meus ouvidos, no volume máximo. No mesmo instante, meu corpo começa a relaxar. Lucas, Angela, Sara e Vicente... Todos ficaram lá fora. Aqui estamos só eu e meus bebês perfeitos e silenciosos.

Tento me concentrar no reborn Bruno. Meus olhos pesam. Estou morta de cansaço, preciso muito de uma noite decente de sono. Mas também preciso terminar esse trabalho. Esfrego o rosto, dou tapinhas de leve nas bochechas para despertar. Consulto a fotografia do bebê morto de Sílvia e, de repente, todo o sofrimento daquela mãe me atinge em cheio. Me sinto um monstro por demorar tanto tempo para dar um pouco de alegria para ela. Me sinto um monstro por ter brigado com Isabela e mentido para Solange. Me sinto um monstro por tentar trabalhar enquanto Lucas esperneia no quarto ao lado.

Antes que eu perceba, já estou chorando. Seguro a taça e cogito beber um gole do vinho. Desisto. Devolvo a taça cheia à bancada e desabo em soluços. Nunca me senti tão indignada, vulnerável e traída ao mesmo tempo. Por um instante, tenho certeza de que Vicente tem uma amante e está se divertindo com ela nesse exato momento. Pego meu celular e ligo para ele, disposta a dizer o que sinto. Quero colocar tudo para fora: a visita à casa da minha mãe, a frustração de não conseguir terminar meu trabalho, as pressões que sufocam meu dia, me esgotam e me fazem catar migalhas de sono ruim. Chama, chama e ninguém atende. Começo a gravar um áudio para ele no WhatsApp, mas me arrependo no meio e cancelo o envio. Lavo o rosto na pia da cozinha, sem tirar os fones de ouvido. Tenho medo de escutar o choro de Lucas e me render à sua chantagem emocional.

Volto ao ateliê e, embalada pelos acordes da música, retomo o trabalho. Bruno está quase pronto. Alcanço a pinça metálica e, virando sua cabeça, faço um rasgo superficial no molde, deixando minha assinatura na nuca: um coraçãozinho de linhas finas. Meus olhos voltam a pesar, mas me esforço para não ceder ao sono. Preciso fazer isso. Só mais um pouco. Só mais um pou...

Desperto no susto. Com esforço, tento me localizar na escuridão. Estou deitada na nossa cama de casal, de camisola. Observo o relógio na mesa de cabeceira: são quase quatro da manhã. Não é possível que Lucas tenha dormido direto até agora. Não devo tê-lo escutado chorando.

A luz que chega do corredor emoldura Vicente recostado ao batente da porta, tirando os sapatos e as meias desajeitadamente. Ele mal consegue se sustentar de pé. Cansado de tentar se despir na escuridão, acende todas as luzes do quarto. O clarão invade meus olhos. Protejo-me debaixo do lençol e digo, fingindo estar mais sonolenta do que realmente estou:

"Apaga a luz..."

Ele ignora meu pedido. Leva mais alguns minutos para terminar de se despir: joga a camisa em um canto, deixa o cinto e a calça amarrotada na cadeira perto da janela. Então apaga as luzes e se joga no colchão ao meu lado como quem pula em uma cama elástica. Antes que eu consiga protestar, ele já está em cima de mim, me agarrando por trás e cheirando meus cabelos.

"Calma, Vicente... Espera."

Ele se recusa a esperar, está cheio de tesão: abraça meu corpo e me prende com uma chave de pernas. Começa a lamber meu pescoço enquanto murmura palavras que não consigo entender. Sinto seu pau duro na cueca, roçando na altura das minhas coxas. As mãos tateiam meus seios e vão descendo pela camisola até a calcinha.

"Eu não quero", digo. "Tô com sono."

Tento me desvencilhar, mas Vicente é mais forte. Estou imobilizada. Sinto o forte bafo de álcool enquanto ele monta sobre mim e tenta beijar minha boca.

"Vem cá, vem..."

Sufocada, penso em gritar, mas não quero acordar a casa inteira. Aperto os lábios e sacudo a cabeça, enquanto Vicente insiste em tentar transar comigo. Giro meu corpo e finalmente consigo soltar meus braços. Coloco as mãos no peito dele e o empurro com força. Vicente tomba ao meu lado, sem protestar. Aproveito para me enrolar sob o lençol, abraço os travesseiros e dobro meu corpo em uma concha, apavorada com a ideia de que ele vai tentar de novo. Mas Vicente já está no décimo sono, com os braços esticados acima da cabeça. Escuto seu ronco alto, profundo, enquanto me recupero do susto.

Lucas começa a chorar. Vou atendê-lo e decido dormir em seu quarto, porque me sinto culpada e porque quero evitar Vicente. Tento lembrar como fui parar na minha cama. A que horas saí do ateliê e segui para o quarto? Como troquei de roupa? Não faço a menor ideia. Depois de algum tempo, na poltrona de amamentação, finalmente volto a dormir.

TRÊS SEMANAS ANTES DO FIM

12.

A água escorre pelo meu corpo ensaboado e relaxa meus músculos. O vapor quente já tomou todo o banheiro e embaçou o box. Sob o chuveiro, de olhos fechados, passo os dedos pelos cabelos e esfrego o couro cabeludo. Estou transbordando em pensamentos, preciso decidir o que fazer. Não é fácil.

É sábado. Vicente continua roncando no quarto. Estou trancada no banheiro. A noite anterior ainda se mistura em imagens difusas. Eu estava no ateliê, diante de Bruno, quando comecei a me sentir cansada. Mais tarde, despertei na cama. Essa dissociação me perturba. É um lapso de memória que não posso ignorar, tragicamente parecida com os que minha mãe tinha. Não quero ser como ela.

Já estou me culpando outra vez, penso. A culpa não é minha. É de Vicente. Foi ele quem mudou tudo de última hora. Foi ele quem não me atendeu quando estava na tal festa. Foi ele quem chegou de madrugada, sem dar satisfação, e tentou transar comigo à força. A sensação de ter meu marido se esfregando em mim, forçando um sexo bêbado na madrugada, mexeu mais comigo do que eu poderia imaginar.

Precisamos ter uma conversa séria. Não vou aguentar mais nem um dia sem conseguir voltar à minha vida normal. Preciso ter o meu tempo, o meu espaço, preciso de uma empregada para me ajudar com a casa e de uma babá para me ajudar com as crianças. É isso ou eu vou... *Vai o quê? Embora?*, uma voz interior provoca, sacana. *Embora pra onde?*

Voltar para a casa da minha mãe está fora de cogitação. E o dinheiro que eu tenho na conta bancária mal dá para pagar um apartamento razoável por alguns meses. A verdade é que não tenho para onde ir nem a quem recorrer. Nenhum parente, nenhuma tia ou prima distante. Todas as minhas amigas são também amigas do Vicente. Estou sem saída.

De repente, percebo que estou exagerando. Por mais que tenha sido grave o que Vicente fez, não quero me separar dele. É meu marido, e eu o amo. Amo minha família. Só quero consertar as coisas, colocar os pingos nos is. Tenho certeza de que ele vai me escutar, entender meu lado, se desculpar e dar um jeito de conseguir tudo o que estou pedindo.

Saio do box já mais bem-humorada e começo a me enxugar. Escovo os dentes enquanto confiro a câmera pelo celular: Lucas ainda está dormindo, acordou várias vezes durante a noite, mesmo comigo em seu quarto. A imagem calma e reconfortante do meu filho no berço agora aquece meu coração. Volto para o quarto e me surpreendo ao encontrar a cama vazia. Possivelmente Vicente acordou com o barulho do chuveiro e encontrou a porta do banheiro fechada.

Sigo pelo corredor, tentando identificar sons pela casa. Está tudo silencioso. Chego ao quarto das gêmeas. Pela porta entreaberta, vejo Vicente agachado entre as camas das duas, vestindo apenas a bermuda do pijama, sem camisa. Para minha surpresa,

Sara e Angela ainda estão deitadas, com o uniforme de escola da noite anterior.

"Não acredito que vocês não tomaram banho ontem", Vicente finge indignação. Seu tom não é de briga, mas cúmplice. "Vai, vai... Vamos levantar. Vestir o biquíni! Hoje é dia de piscina!"

As meninas trocam olhares nervosos e continuam deitadas. Sem dizer nada, Angela se vira de costas para o pai, aconchegando-se sob o lençol, com um travesseiro entre as pernas. Ele busca o olhar de Sara, que também se recusa a encará-lo e abraça Pedrinho, seu companheiro inseparável. Vicente percebe minha presença e meneia a cabeça como quem pergunta: *O que é que deu nelas? Estão bravas comigo?*

"Por que é que vocês estão quietas assim, hein?", ele pergunta. "Será que conseguem resistir até a um ataque de cócegas?"

Vicente se aproxima de Angela, mas ela se encolhe, sem dar margem para a brincadeira. Ele tenta o mesmo em Sara.

"Sai, papai", Sara resmunga. "Não quero."

"Gente, o que é que está acontecendo?"

As duas continuam na cama. Parecem tristes e assustadas. De repente, Vicente repara em algo que não consigo enxergar. Noto a expressão em seu rosto mudar drasticamente. Agitado, ele se senta na cama ao lado de Sara e, sem pedir licença, ergue a barra da camiseta do uniforme dela. Então, olha para mim, mudo de espanto. Sem entender, chego mais perto e vejo: ali, nas costas de Sara, tem um hematoma roxo.

"O que é isso?"

Sara começa a chorar muito, trêmula.

"Tira a roupa, filha!", Vicente manda. "Tira agora!"

Sara não obedece. Ele se vira para Angela, agachada atrás da cama, abraçada às pernas.

"Você também tá machucada? Tira o uniforme."

Angela tenta esconder o rosto com as mãozinhas, mas noto que também está chorando. Vicente insiste, segura seus braços, e ela cede. Tira a camiseta e desce a bermuda, de cabeça baixa. No mesmo instante, perco o fôlego. Há ferimentos por todo o corpo de Angela: arranhões, inchaços e hematomas, especialmente no peito, na altura do umbigo e na virilha.

Sem reação, assisto a Vicente se aproximar de Sara e arrancar a camiseta dela à força. A menina esperneia, tenta se esconder com o travesseiro, mas é impossível. A imagem diante dos meus olhos é assustadora. Tenho vontade de vomitar.

As marcas nela são muito piores do que pareciam: na frente, um horrendo colar de hematomas, com enormes vergões roxos e vermelhos, se estende desde o pescoço até a altura das pernas. Vicente tenta encostar nela, mas Sara urra de dor. Está muito machucada e esconde a cabeça para chorar.

Chego mais perto. Quero abraçá-la, mas não sei se devo. Suas costas estão pontuadas de cortes superficiais e marcas vermelhas em diversos formatos e tamanhos, como enormes queimaduras nas costelas e no bumbum. Ela parece um passarinho ferido. Então, vejo: na nuca de Sara, feito com a ponta de uma faca, o desenho de um coração pequeno e rústico, ainda com alguns pontos de sangue coagulado. O mesmo coração que eu faço nos meus reborns.

"Quem fez isso com vocês?"

Angela e Sara estão sentadas lado a lado na cama, apenas de calcinha, com a cabeça baixa. Eu e Vicente estamos agachados diante delas, ainda tentando nos acostumar com a visão aterrorizante de seus corpinhos machucados. Um silêncio pesado se impõe entre nós.

"Vocês bateram uma na outra?", arrisco perguntar.

"Pode dizer… A gente não vai brigar. Só quer entender… Não é, Eva?"

Faço que sim com a cabeça, preocupada. Esperamos mais alguns segundos. Tento ler alguma resposta nos rostos das duas, mas não encontro nada, apenas medo e vergonha. Uma luz vibrante entra pelas janelas do quarto, iluminando os pôsteres de bandas, com jovens coreanos sorridentes de cabelos esquisitos, SARA e ANGELA escrito com pedrinhas douradas nas cabeceiras, o cabideiro cheio de roupas, os brinquedos espalhados pelo chão e pelas cômodas. A alegria infantil do quarto em um sábado bonito de sol parece até inapropriada.

"Foi alguém da escola? Durante o recreio?", Vicente pergunta.

Sara tenta segurar as lágrimas, enxugar o rosto, mas não consegue. Seu corpinho magro treme involuntariamente; ela parece sentir frio e calor ao mesmo tempo. Mais uma vez, penso em abraçá-la, mas só consigo colocar as mãos em sua coxa num consolo patético. Noto que Sara está quente, fervendo. Talvez tenha febre. Ela se retrai ao meu toque.

Angela também está em frangalhos. Mesmo sendo mais forte, não consegue esconder o sofrimento. Seu rosto todo se contorce para engolir o choro. Os olhos estão vermelhos, as bochechas inchadas, a boca se espreme para impedir os soluços, mas ela irrompe em uma dor visceral.

"Isso… Chora, meu amor. É importante botar pra fora", digo.

Logo me arrependo. As meninas estão severamente machucadas, chorando sem parar, e tudo o que tenho a oferecer é psicologia barata? Eu me sinto uma inútil, de mãos atadas.

"A gente precisa saber quem fez isso", Vicente insiste. "Vocês vão contar pra gente, não vão?"

Percebo a tensão na voz dele. Por mais que tente disfarçar,

sei que está cheio de ódio, indignação e desejo de justiça. Ou pior: desejo de vingança.

"Algum amiguinho brigou com vocês?", Vicente pergunta.

Muda de terror, Angela troca outro olhar breve com a irmã. Sara leva a mão à boca e morde a pele ao redor da unha do polegar até ficar em carne viva.

"Foi o Caio?", arrisco. "Ele sempre foi muito violento."

Nunca gostei do filho de Márcia. O menino é uma peste, um pivete hiperativo. Não me surpreenderia que ele as machucasse.

"Foi ele? O Caio brigou com vocês?"

Sara faz que não com a cabeça, um movimento leve, quase imperceptível. Não sei se dá para acreditar nela. As duas estão confusas, em choque, e as perguntas só parecem piorar tudo. A angústia delas é contagiosa.

Mais uma vez, percebo que estamos em uma espécie de interrogatório. Penso em sugerir a Vicente dar um tempo, deixar as meninas se acalmarem, mas as escoriações e os hematomas na pele exigem urgência. Não dá para adiar.

"Meus amores, isso é muito sério... A gente precisa saber", Vicente força um tom calmo e apaziguador. "É o papai aqui... Podem confiar."

As duas choram ainda mais.

"Vocês bateram uma na outra?", tento de novo.

Desta vez, Angela balança a cabeça, em negativa.

"Isso aconteceu ontem? Na escola?", Vicente pergunta. E olha para mim, cobrando uma resposta. "Elas chegaram em casa desse jeito?"

"Não sei. Elas não quiseram tomar banho, não cheguei a ver. Depois me tranquei no ateliê, focada em terminar o reborn."

Vicente se volta para as filhas:

"Desde quando vocês estão assim?"

As duas dão de ombros.

"Foi alguém aqui do condomínio?"

Angela me encara. Hesita, mordendo os lábios. Faz que não.

"Algum adulto que a gente conhece?"

"Eu não lembro", ela diz, num fio de voz.

"E você, Sara? Você lembra? Me conta."

Sara esfrega as mãos agitadamente, balança as pernas para a frente e para trás. Um pensamento me invade e sinto náuseas. Não sei se tenho coragem de fazer a pergunta em voz alta. Mas preciso tentar.

"Foi a Isabela? Foi ela que fez isso com vocês?"

Vicente me encara, surpreso.

"A Isabela?! Por que ela faria isso?"

Para punir a gente, penso. Ainda guardo comigo toda a raiva cega que ela despejou em mim naquele dia, me acusando de racista.

"Foi ela?", insisto.

Sara nega, sem muita firmeza. Pisca muito, morde os lábios. Vicente coloca as mãos na filha e a encara.

"Você confia em mim?", ele pergunta.

Depois de alguns segundos, ela faz que sim.

"Então me conta... Me conta, meu amor. Quero saber quem fez isso."

Sara volta a cair num choro convulsivo. Abaixa a cabeça, envergonhada, e tateia o colchão, estendendo a mãozinha até Angela. A imagem das duas devastadas, de mãos dadas, me atinge em cheio. Tento, mas não consigo olhar diretamente para elas. É muito violento.

De repente, Sara começa a tossir, o ar parece faltar.

"Calma, filha... Respira! Respira!"

Angela segura a mão da irmã, preocupada. Sara estica o corpinho e escancara a boca, sugando todo o ar de que é capaz. Seus olhinhos desesperados buscam os nossos. Eu faço carinho em seus cabelos, enquanto Vicente pede que ela respire com ele, no ritmo certo. Sara se esforça, sofre, mas aos poucos vai se acalmando. Quando finalmente está melhor, abre um sorriso de gratidão. Um sorriso triste.

Sem resistir, Vicente a enlaça com os braços. Sara deita a cabeça no ombro dele. Angela também se junta ao pai e à irmã. Imóvel, observo o abraço dos três. Penso em me aproximar, mas será que devo? Por um momento, recordo o desenho de Sara e me sinto inconveniente. Não sei até onde faço parte dessa família.

Sustentando as duas filhas no colo, Vicente me encara. Agora, ele também está chorando. Não parece em nada o pai forte e invencível que costuma ser. Vejo ali apenas uma criança, um menino bobo, vulnerável, que não sabe o que fazer. Ele estende a mão e finalmente me permito colocar as emoções para fora. Chego perto e, juntando-me ao abraço deles, choro. Assim nós ficamos por muito tempo, unidos no desespero e na dor.

No quarto do casal, Vicente me enche de perguntas. Seu tom não é acusador, mas curioso. Deixei as gêmeas sozinhas em algum momento entre a escola e a chegada em casa na noite anterior? Como é possível que eu não tenha reparado em nada? Havia algo de incomum nelas? Por que perguntei se foi Isabela? Respondo a tudo da maneira mais precisa que consigo. Envergonhada, conto sobre minha desconfiança da diarista e a briga que levou à demissão dela.

"Por que não me contou antes?"

"Você já estava com tanta coisa na cabeça. Eu não queria te deixar mais preocupado..."

"Porra, Eva! Isso é sério! Sabe lá com quem a diarista está

metida! Ela pode ser namorada de um traficante ou coisa assim. A gente nem sabe direito onde ela mora, quem ela conhece..."

Estamos em um beco sem saída. Depois de tentar conversar com as gêmeas por quase uma hora, ficou claro que não conseguiríamos nada. Vicente fez questão de fotografar as duas, de todos os ângulos possíveis, com closes dos ferimentos. Depois, nós levamos as gêmeas para o chuveiro e demos banho nelas — um banho cuidadoso, porque o simples toque do sabão na pele ardia muito. Agora, elas estão na sala assistindo a episódios de uma série da Disney, enroladas em cobertas. E nós precisamos decidir o que fazer.

"Acho que a gente devia postar no grupo da escola", Vicente propõe.

A ideia me parece absurda. Além de expor as meninas, não entendo o que ele espera descobrir perguntando em um grupo com noventa adultos: *Oi, alguém sabe quem bateu nas minhas filhas?* Faço que não com a cabeça, enquanto caminho de um lado para o outro.

"Melhor levar as meninas pro hospital", digo. "Ver se não tem nada mais grave..."

"Se levar no hospital, vão chamar a polícia", Vicente diz. "Isso é caso de polícia."

"E o que você acha que a polícia vai fazer?"

"Vai interrogar todo mundo, fazer um corpo de delito..." Ele dá de ombros. "Talvez tentem nos responsabilizar, mesmo que a gente não tenha culpa. No mínimo vão acusar a gente de negligência. Vai ser um inferno."

"Será que não é melhor ir com calma? Tentar entender o que aconteceu antes de criar uma confusão que saia do nosso controle? Não adianta agir de cabeça quente..."

"Cabeça quente? Alguém espancou nossas filhas, Eva!"

Não sei qual é a resposta certa, só não quero fazer nada de

que eu me arrependa depois. Adoraria ter para quem ligar e pedir conselhos em um momento como esse, mas não tenho ninguém.

"Não quero perder tempo, Eva. Quero entender o que aconteceu." Vicente me encara com os olhos injetados. "E o coração na nuca da Sara? Quem pode ter feito aquilo?"

Eu sabia que, cedo ou tarde, essa pergunta chegaria. Claro que ele também havia notado. Logo que vi a marca, fiquei desesperada e insegura. Quase todos no condomínio conhecem meu trabalho com reborns. A própria Sara anda com o Pedrinho para todos os cantos. Um coleguinha pode ter feito o coração na nuca de Sara sabendo que é minha assinatura. Fico indignada só de imaginar uma criança fazendo algo tão violento e vulgar.

"Não sei", respondo. "Mas sem dúvida fizeram o coração pra me provocar."

"Tem certeza de que elas não ficaram sozinhas nem por um minuto ontem depois da aula? Pra você, sei lá, ir ao mercado, conversar com alguém?"

"Já falei... Busquei as duas de carro e voltamos direto para casa."

A insistência dele me exaspera. Por um instante, também tenho vontade de perguntar sobre a noite de ontem. Como foi a festa? Você lembra que chegou bêbado e tentou trepar comigo à força?

"Então aconteceu na escola... Só pode ser", Vicente diz. "Você tem o contato da diretora?"

Busco o contato Diretora Patrícia na minha lista e encaminho para Vicente. Aproveito para abrir o aplicativo BarraSafe. É como se Lucas percebesse o clima no ar e não demandasse nada em respeito à situação. Ele acordou, mamou e aceitou ver TV com as meninas, na cadeirinha. Logo voltou a dormir e nem acordou quando o deitei no berço. Adoraria que fosse assim todos os dias.

Sem demora, Vicente liga para Patrícia, que atende rápido, logo após o segundo toque. Em poucas palavras, como se estivesse em um tribunal apresentando alegações a um juiz, ele se apresenta, avisa que a ligação está no viva-voz e que estou ao seu lado, escutando, e descreve de modo objetivo tudo o que aconteceu hoje de manhã: a recusa das gêmeas em levantar, a gravidade dos ferimentos, o choro e o silêncio. Patrícia escuta tudo sem interromper. Não pede detalhes, não se alarma nem fica na defensiva. Ao final, apenas suspira pesadamente e diz:

"Eu lamento muito... Sem dúvida, vamos averiguar. Vocês podem levar as duas na escola mais cedo na segunda?"

A calma na voz dela me surpreende. Então penso que uma diretora de escola já deve ter enfrentado diversas situações inesperadas. Talvez essa seja só mais uma delas. Vicente não parece nada satisfeito. Quer resolver a situação hoje, agora.

"Vamos manter a calma, por favor... Não adianta ter pressa", Patrícia diz. "Quer um conselho? Não pressione as meninas. Deixe elas se distraírem... Na segunda, a gente conversa."

Quando a ligação se encerra, Vicente joga o celular com raiva na cama.

"Merda, merda, merda!"

Tento fazer uma massagem em seus ombros, mas ele se desvencilha. Está uma pilha de nervos, descabelado, com remelas nos olhos. Meu celular apita. É uma mensagem de Solange, perguntando por que ainda não descemos para a piscina. Respondo dizendo apenas que tivemos um imprevisto. Então levanto os olhos e vejo Vicente se afastar na direção da porta do quarto.

"Aonde você vai?", pergunto. Não terminamos a conversa.

"Estou faminto. Preciso comer alguma coisa."

Ele some no corredor e me deixa sozinha. Pela janela, observo as pessoas lá embaixo, na área de convivência do condomínio, pequenas como formiguinhas. Ajeito os travesseiros e me recosto na cama, encarando o teto.

Depois de algum tempo, pego o celular e acesso o Instagram: os stories de Ruth e Márcia mostram que todos já estão na piscina. Em uma foto, minhas amigas posam deitadas nas espreguiçadeiras, erguendo taças de plástico com champagne. Lá fora, a vida corre normalmente.

De repente, o aplicativo da câmera apita, registrando movimento no quarto de Lucas. Ele deve ter acordado. Já são quase três da tarde. Acesso o app no celular e me surpreendo ao ver Vicente na imagem em preto e branco. Ele entra no quarto sem acender a luz. A passos lentos, aproxima-se do berço e vai despindo Lucas, ainda adormecido. Seus dedos longos passeiam pela barriguinha do nosso filho, examinando a região do hematoma, que já começa a ficar desbotado.

Tenso, Vicente lança um olhar por sobre o ombro, na direção da porta, antes de se voltar para o berço. Possivelmente, não se lembra da câmera que instalei essa semana. Não sabe que está sendo observado. Pela tela, vejo quando ergue nosso filho e o vira de bruços. Lucas protesta, grunhe baixinho, sonolento, mas Vicente não se detém.

Com a lanterna do celular ligada, ele levanta a camisa do bebê, confere os bracinhos, as axilas, o pescoço e as costas. Logo depois, desce a bermuda para examinar as coxas, o bumbum e os pezinhos. Ele está buscando novos machucados. Quer ter certeza de que nosso filho não está mais ferido do que antes. E o significado desse gesto me atinge como um soco no estômago: Vicente suspeita de mim.

13.

É segunda-feira. Estamos sentados na sala da direção, um ambiente austero, com paredes de cor bege, repletas de quadros antigos e diplomas com o logo da Escola Santa Joana d'Arc. Tudo aqui é de madeira: a mesa, as cadeiras, os armários com fichário e até o piso, com tábuas antigas e arranhadas pelo tempo, que fazem barulho ao caminhar. Um ventilador de chão se move de um lado para o outro, na velocidade mínima, fazendo um leve zumbido. A luz branca do teto cai dura sobre o ambiente, deixando tudo mais feio e sombrio.

"Elas não tiveram contato com nenhum estranho fora de casa?", Patrícia pergunta. "Na praça... ou no clube do condomínio?"

"Elas estão sempre com a gente", Vicente responde, seco. "Na sexta, depois da aula, foram direto para casa. Não é, Eva?"

Ainda sonolenta, faço que sim. Chegamos ao colégio quando o dia começava a raiar. O condomínio estava deserto, os seguranças e porteiros trocavam de turno, os passarinhos da área verde começavam a cantoria e as ruas ainda estavam vazias. Fizemos o trajeto de carro do nosso prédio até a escola em menos de cinco minutos. Sara e Angela vieram em silêncio no banco de trás, assim como Lucas, na cadeirinha.

Patrícia já nos aguardava na porta, ao lado de uma moça baixinha com rosto juvenil, que não devia ter mais de vinte e cinco anos. A diretora a apresentou como Mariana, coordenadora educacional e psicóloga da escola. Mariana era simpática e sorridente. Abriu um sorriso acalentador para nós e cumprimentou as meninas com certa intimidade, como se já se conhecessem há tempos. Eu nunca a tinha visto, nem mesmo nas reuniões semestrais.

Mariana avisou que ficaria com as meninas, enquanto "os papais" conversavam com a "tia Patrícia". Angela protestou, de mãos dadas com Sara. Elas não queriam se separar de nós, mas Vicente insistiu, prometeu que não ia demorar.

No hall, as duas se afastaram pelo corredor lateral. Sara chegou a olhar para trás, assustada, antes de dobrar à esquerda e desaparecer. Seguimos por outro caminho, subindo as escadarias e passando por diversas salas de aula, todas vazias e apagadas àquela hora, até chegar à sala da direção. Era estranho passar por aqueles lugares tão familiares em um horário diferente: tudo parecia abandonado.

"Temos certeza de que aconteceu aqui", Vicente diz, e a firmeza dele me deixa aliviada.

"Nossos alunos são acompanhados em tempo integral, não só pelos professores, mas também por inspetores, coordenadores e até funcionários da limpeza", Patrícia responde, protocolar. "Nada acontece aqui sem que a gente saiba."

"Talvez no vestiário? Depois da aula de educação física?"

A diretora suspira, incomodada. Pega um grampeador e começa a apertá-lo de leve, sem grampear, fazendo um barulhinho irritante.

"Não é possível que elas tenham se machucado brincando ou..."

"Sara tem diversos arranhões nas costas... Angela está machucada principalmente na barriga", Vicente continua. Ao meu lado, Lucas se remexe, provavelmente com fome. "Os alunos usam compasso em sala, não usam? Sem falar no estilete na aula de desenho..."

"Estilete? Por favor, não vamos exagerar..."

"Um *psicopata* machucou nossas filhas. É um perigo pra todas as crianças."

Pela primeira vez, a diretora deixa de soar defensiva e parece levar a sério o que Vicente está dizendo. Ela o encara e diz baixinho, num tom quase envergonhado:

"Posso ver?"

Tenso, Vicente estica o braço com o celular, aberto na galeria de fotos. Sem pressa, vai passando uma a uma com o indicador. A cada registro, a expressão de Patrícia se transforma. Ela pisca, se ajeita na cadeira e aperta o grampeador com mais força. Sem dúvida, estava esperando machucados leves, coisa de criança. Não *aquilo*. É muito pior do que imaginava.

"Foi alguém aqui de dentro", ele insiste. "Tenho certeza."

"Você pode me mandar as fotos? Pro processo interno?"

Vicente parece hesitar, mas faz que sim com a cabeça.

"Não dá pra sair apontando o dedo por aí", Patrícia prossegue. "Uma coisa dessas pode prejudicar o nome da escola. E o de vocês." Ela respira fundo pela boca, e solta um pigarro. "Acho que é preciso respeitar o tempo delas. A Mariana tem muita intimidade com as meninas... Vai tentar conversar com elas, dar o apoio necessário. Uma abordagem sutil. É possível que demore... Vamos fazer tudo sem alarde. Por que vocês não voltam mais tarde, no final do dia?"

"Não saio daqui sem minhas filhas."

Patrícia desvia o olhar para mim, demonstrando certo desconforto com Lucas, que não para de chorar.

"Como preferirem", ela diz. "Querem uma água? Um café?"

Aceitamos os dois. Parecendo aliviada, a diretora se levanta e sai. Minutos depois, uma funcionária uniformizada chega trazendo duas xícaras e garrafas plásticas. Lá fora, a escola desperta: os sons de crianças chegando, a agitação pelos corredores e na sala de aula, até que o sinal toca e o ambiente silencia, com o início das aulas.

Vicente estende os braços para pegar Lucas no colo e lhe dá a mamadeira. Quando já está bem alimentado, deito nosso filho na mesa da diretora e troco sua fralda. Enquanto faço isso, eu e meu marido nos encaramos em silêncio. Nunca imaginamos viver o que estamos vivendo. Parece um pesadelo. Estamos aqui, nessa sala quente e velha, há mais de duas horas. É insuportável ficar nesse estado de suspensão.

Vicente começa a ficar agitado, caminha de um lado para o outro, teclando no celular e consultando o relógio. Murmura frases ininteligíveis, reclamando baixinho para si mesmo que a diretora não voltou até agora. Lucas chora e Vicente o pega no colo, ninando-o com cuidado. O bebê chega mesmo a dar risada das caretas que o pai faz. De repente, enquanto estamos distraídos, percebo que a diretora nos observa da porta, esfregando as mãos.

"Desculpa a demora", ela diz. "Precisamos conversar."

Há algo de alarmante em seu tom. A diretora caminha até a mesa, mas não se senta. Seus dedos nervosos tamborilam o encosto da cadeira, enquanto ela empertiga o corpo e me olha atentamente.

"Antes de tudo, eu... eu tenho que confessar que nunca vi nada parecido." Os olhos dela estão marejados. "É bizarro, horrendo..."

Lucas continua a soltar grunhidos felizes.

"De início, nenhuma delas quis falar nada... Estão muito mexidas, claro. E com medo. Mas a Mariana propôs jogos lúdicos... Pra tentar estabelecer diálogo. Aos poucos, elas foram se abrindo... Brincaram de desenhar. E a Angela acabou contando..." A diretora parece buscar fôlego para prosseguir. "Ela disse que foi você, Eva."

"Quê?"

Por um segundo, tenho certeza de que escutei errado. Só pode ser uma piada de mau gosto.

"A Sara confirmou depois..."

A diretora coloca um papel sobre a mesa. O desenho de uma mulher feita de palitinhos preenche quase toda a página, como se fosse uma gigante. Ela está de pé, com a expressão furiosa — os olhos espremidos, a boca numa curva para baixo e os braços musculosos erguidos. Na mão dela, uma faca tão desproporcional que mais parece um serrote.

"Vamos tentar entender o que aconteceu. A gente não deve se precipitar...", Patrícia diz, num tom condescendente.

É tarde demais. Vicente fica de pé e se afasta assustado, protegendo Lucas enquanto me encara como se eu fosse um bicho perigoso. Tento me levantar, dizer alguma coisa, mas começo a enxergar pontos pretos diante dos olhos. Nada disso parece real. Nada disso combina com a vida perfeita que tínhamos até outro dia.

"Por enquanto, é importante que você fique longe das meninas, Eva", Patrícia está dizendo. "Vou ser obrigada a reportar o caso e..."

Não sei como reagir. Tenho a sensação de que estou morta. No colo de Vicente, Lucas começa a espernear e não consigo escutar mais nada. Trêmula, fixo os olhos no papel sobre a mesa. Diferente do desenho anterior, esta mulher tem os cabelos compridos e os olhos verdes. Não restam dúvidas: a mulher no desenho sou eu. *Sou eu.*

14.

Abro os olhos devagar e percebo que a cama está molhada de suor. Giro o corpo, tentando me ajeitar entre os lençóis. Minha cabeça martela, todo o meu corpo dói, sinto uma pressão extrema na testa que deixa meu rosto imóvel. Tento chamar por Vicente, mas a língua áspera parece grudada ao céu da boca. Quando tento falar, ela bate nos lábios secos e um gosto amargo desce pela garganta irritada. Faço um esforço tremendo para conseguir engolir. Meu nariz arde, as bochechas formigam, os olhos parecem inchados. Estou na completa escuridão — todas as luzes estão apagadas e já é noite lá fora. Que horas são? Cadê meu celular?

Apoiada nos cotovelos, tento me erguer na cama. Meus ombros protestam, pareço pesar toneladas. Tombo no colchão, o teto gira em espiral, como se eu estivesse completamente bêbada. Esfrego o rosto, resisto. Não posso ficar deitada para sempre. Após algumas tentativas, meus pés descalços encontram o chão. Tento sustentar o tronco e ficar de pé, mas não é tão fácil. Sou como uma boneca de pano.

Tateio os móveis e finalmente consigo chegar ao banheiro. Quando encontro o interruptor, a luz me fere como um tapa. Estou zonza, completamente nauseada. Antes que alcance a bancada, sinto o mundo girar outra vez. Desabo no chão, o rosto cola ao piso frio. Abro e fecho os olhos, tentando focar a toalha pendurada, a privada e minha caixa de joias, meus esmaltes, minhas maquiagens no móvel — os objetos se misturam em uma tela abstrata, como se estivessem derretendo.

Quando consigo ficar de pé, deparo com o espelho. Estou com olheiras profundas, arroxeadas, o rosto todo vincado. Uma faixa de suor brilha na minha testa. Meus braços parecem pesos mortos. Ao lado da pia, encontro a caixinha com comprimidos cor-de-rosa que parecem inofensivos, mas me deixaram desacordada pelas últimas horas. Não faço a menor ideia de como Vicente conseguiu comprar um remédio tarja preta sem receita.

Estendo a mão para alcançar a caixa, quero tomar mais um comprimido, mas resisto. Não posso ficar dopada para sempre. Preciso fazer alguma coisa, preciso reagir. Penso no que aconteceu mais cedo, na diretora me acusando de machucar as meninas, e meu estômago se contorce em um nó cego de raiva. Corro para a privada e dobro o corpo, inclinando a cabeça. Suo frio, cuspo saliva, mas nada sai de dentro de mim.

A situação toda é absurda. Quando fecho os olhos, a única coisa que vejo é o rosto da diretora, seus lábios trêmulos, seu horror genuíno ao me mostrar o desenho. Logo após a acusação, pedi para conversar com as gêmeas, mas Patrícia me impediu, exigiu que eu me acalmasse e fosse embora sem chamar a atenção de ninguém. Obedeci, contrariada. Vicente me colocou dentro de um táxi e prometeu que logo estaria em casa.

Ao entrar no apartamento, me joguei no sofá e chorei sem parar. Estava um dia lindo lá fora, um dia normal. O tempo em que fiquei sozinha pareceu uma eternidade: eu queria falar com as meninas, queria esclarecer essa história de uma vez por todas. Vicente chegou minutos depois com Lucas no colo e, ainda na porta, avisou que elas estavam muito assustadas. Era melhor eu descansar. Protestei, insisti, mas acabei aceitando o comprimido que ele me ofereceu.

Agora, ainda semiconsciente, tento lembrar exatamente como a noite de sexta-feira terminou. Será que eu fiz mesmo isso com elas? Não é possível! Mesmo que os dias estejam difíceis e que eu esteja irritada, sei que sou incapaz de machucar uma criança, ainda mais com tanta violência. Se tivesse sido eu, sem dúvida lembraria.

Mas você não lembra como foi parar na cama aquela noite, uma voz interior me provoca. Fecho os olhos e tento rememorar com precisão tudo o que aconteceu. Eu me lembro de servir a taça de vinho, mas não de bebê-la — na manhã seguinte, a taça continuava lá, inteira. Eu me lembro de trabalhar mais um pouco no reborn, me lembro dos meus olhos pesados, do corpo doído, da chateação com Vicente e depois... depois... Nada.

Minha mente não colabora. As sensações daquela noite estão muito vivas, concretas, mas, quando tento alcançá-las, elas evaporam. É como se eu houvesse esquecido um sonho que acabei de ter. Volto à pergunta: será que fiz tudo isso e não me lembro de nada? Sacudo a cabeça, rechaçando definitivamente a hipótese. Não posso ter encostado um dedo nelas. É inadmissível.

As meninas têm que estar mentindo. Mas por que mentiriam? *Por medo*, é a resposta que me ocorre. Mas medo do quê? Ou de quem? Do agressor, sem dúvida. Além de bater nelas, é bem provável que a pessoa também as tenha ameaçado. *Se abrirem o bico, mato as duas*, ele deve ter dito. Ou pior: *Mato o papai e a mamãe de vocês*. Nessa idade, as crianças acreditam em qualquer coisa. Ele as forçou a mentir, a colocar a culpa em mim. Quem poderia ter tamanha influência psicológica sobre as meninas? Um professor? Um aluno mais velho? A única certeza que tenho é de que preciso conversar com elas.

Determinada, saio do banheiro e cambaleio até a porta. Sustento meu corpo na maçaneta, abro e caminho a passos lentos, recostada à parede. Conforme avanço, escuto a voz de Vicente distante, bem baixinha, vinda da sala. Chego ao final do corredor e, sem me revelar, observo Angela e Sara sentadas no sofá, com os rostos inchados de tanto chorar. As duas usam vestidos idênticos cor de laranja. Sara está abraçada a Pedrinho e faz carinho nos cabelos dele. Vicente está agachado diante das duas, com as mãos nas pernas delas. A TV está ligada em um desenho animado, com o som no mudo. Apenas a luz do abajur está acesa.

"Lembra o que a gente combinou?", Vicente está dizendo. "Isso é muito importante..."

As duas continuam de cabeça baixa. Sara dá uma leve tossida.

"Olha pro papai. É sério. Vocês não podem fraquejar agora. Preciso de vocês... Estão escutando?"

Angela e Sara fazem que sim, num movimento quase imperceptível.

"É o papai que está mandando... Vocês têm que me obedecer, entenderam? Olhem pra mim."

Angela levanta a cabeça e esfrega o rosto, manhosa. Então, seu olhar se desvia e me flagra nas sombras. Ela chega a prender a respiração. O pavor em sua expressão me perturba. Angela está com medo de mim. Um medo genuíno, quase palpável. Vicente gira a cabeça e me encara. De modo instintivo, ele fica de pé, protegendo as filhas com o próprio corpo.

"Volta pro quarto, Eva", Vicente diz, mas não obedeço.

Em vez disso, avanço. Minhas pernas bambeiam. Estico os braços, com as mãos voltadas para cima. Quero deixar claro que não vou fazer nada contra elas, não vou machucar ninguém.

"Só quero conversar", digo tão baixo que mal me escuto.

"Vai pro quarto!" Agora, ele fala mais alto. "Eva! Estou mandando!"

Ignoro Vicente e mantenho os olhos fixos nas gêmeas. Estou a alguns metros. Falta pouco.

"Por quê? Por que vocês estão mentindo? Angela, Sara... Vocês sabem... Fala pro seu pai que não fui eu!"

"Não é hora disso... Eva, por favor!"

"Angela, por que você falou que fui eu? Quem forçou vocês a inventar essa história?" Minha voz sai rouca e pastosa. "Quem fez isso com vocês? Me fala, eu quero saber..."

Vicente se vira, com o peito aberto, os braços rígidos, em posição defensiva. Quando seus olhos encontram os meus, percebo que suas pupilas estão dilatadas. De repente, ele se agiganta para cima de mim, segura meus braços com força.

"Chega! Para!"

Tento empurrá-lo, mas não consigo e tropeço, caindo no chão. Tento ir na direção das meninas, rastejo pelo tapete, resfolegando, mas Vicente tenta me impedir com as pernas. Entramos em uma espécie de luta corporal em que ele tenta me deter sem me machucar. Eu me debato e urro enquanto imploro para que minhas filhas digam a verdade. Minha visão está nublada pelas lágrimas, mas consigo enxergá-las encolhidas no sofá. Angela espreme as almofadas com as mãozinhas, enquanto mexe as pernas freneticamente. Sara busca o olhar da irmã, agarrada a Pedrinho.

"Fala pro seu pai que não fui eu... Fala!"

Percebo que estou gritando, histérica, fora de mim. Vicente agarra meu braço por trás e me puxa, para impedir que eu me aproxime das meninas. Angela e Sara estão tremendo de cima a baixo. Elas desviam, contornam a mesa de centro e saem correndo pelo corredor. Escuto a porta do quarto bater com força. Caída no chão, recostada às almofadas, respiro ofegante, enquanto uma dor lancinante se espalha por todo o meu corpo. Desse ângulo, Vicente parece ainda maior e mais ameaçador.

Meu braço lateja no ponto em que ele me segurou, começa a inchar. Meu pescoço arde, rígido, e percebo que meus joelhos estão sangrando.

"Te machuquei?" Há certo embaraço na voz dele. "Desculpa, eu fiquei nervoso."

Vicente me ajuda a ficar de pé e me coloca no sofá, no mesmo lugar em que as meninas estavam. O tecido continua quente, ainda sinto o cheiro delas. Sem dizer nada, ele desaparece pelo corredor e volta logo depois com um copo d'água e uma maletinha de primeiros-socorros. Aceito a água e observo enquanto ele limpa meus machucados com uma gaze e passa mertiolate. Por um instante, lembro da minha infância, quando eu me machucava ao brincar na rua e minha mãe sentia um prazer sádico em me ver urrar com o ardor do mertiolate.

Em silêncio, Vicente termina de fazer os curativos e guarda tudo de volta na maleta. Ele me observa com hesitação, não sabe o que esperar de mim. Com cuidado, como quem aproxima a mão da cabeça de um leão faminto, se senta ao meu lado e faz carinho em meus cabelos. O contato me reconforta, mas ainda sinto repulsa pelo jeito como me machucou.

"Você não podia ter feito isso", ele diz. "Você assustou as meninas..."

"Eu só queria conversar com elas."

"Não tem o que conversar. Não agora..."

Ficamos em silêncio mais alguns instantes.

"Cadê o Lucas?"

"No berço."

"E meu celular?"

"Quê?"

"Meu celular. Não está no quarto."

Vicente suspira, então retira o celular do bolso traseiro da calça jeans e me entrega.

"Peguei pra ninguém atrapalhar seu sono…"

No automático, coloco a digital na tela, que abre direto no Instagram. Vejo fotos das minhas amigas no fim de semana. No WhatsApp, o grupo de mães do condomínio tem centenas de mensagens não lidas. No início da tarde, Solange me enviou dois áudios longos e uma mensagem de texto me chamando para dar uma volta com ela no shopping.

São dez e meia da noite. Não comi nada o dia inteiro, mas não estou com fome. Fico de pé, sentindo a pulsação em todo o corpo. Se estou assim com dois ou três ferimentos simples, nem consigo imaginar como as meninas estão.

Vicente fica de pé ao meu lado. Parece cuidadoso, preocupado comigo, mas sei que quer evitar que eu saia correndo e entre no quarto das gêmeas. Não tenho condições de fazer isso. Ele me alcançaria antes mesmo que eu chegasse ao corredor.

"Vamos pro quarto?"

Aceito sem protestar. Vicente passa o braço pelas minhas costas e sustenta meu corpo conforme caminho mancando. O quarto está muito frio, o ar-condicionado ligado no máximo. Peço que ele desligue, enquanto me sento na cama. Vicente volta do banheiro com dois comprimidos cor-de-rosa na mão, que ele estende diante dos meus olhos.

"Não, eu… não quero… por favor… fiquei muito grogue."

Sem reclamar, ele deixa os comprimidos na mesa de cabeceira, ao lado do copo d'água pela metade.

"Você confia em mim, Eva?"

Ergo a cabeça e o encaro. Que pergunta é essa?

"Enquanto você dormia, eu liguei pra diretora… Em nome da relação que eu tenho com a escola, porque a Patrícia me conhece há anos e viu as meninas crescerem, eu pedi pra ela não chamar a polícia nem o Conselho Tutelar... Ela sabe que nós já passamos por muita coisa."

"E ela?"

"Aceitou. Não vai prestar queixa. Desde que você não fique perto das meninas nem tente pressionar mais..."

"Como vou ficar longe das meninas?"

"Porra, Eva, acorda! As duas disseram que você bateu nelas!" Ele aproxima o rosto do meu, tentando desvendar meu olhar. "Eu tô perdido... Preciso que você me ajude. Preciso que se comporte. E que se trate."

Vicente abre a gaveta da mesa de cabeceira e puxa um papel pequeno, com um telefone anotado.

"Conversei com a Magali hoje cedo..."

Pelo visto, ele conversou com todo mundo enquanto eu estava dopada. E conversou o quê? Contou que as meninas apareceram machucadas? E que elas me acusaram? Tenho vontade de fazer todas essas perguntas, mas permaneço quieta.

"Ela recomendou que você procure ajuda. E me passou esse contato. José Scheiffer." Seguro o papelzinho. "Eu já marquei a primeira consulta pra você, Eva. Na sexta-feira. Tudo bem?"

Concordo com a cabeça, sem muita veemência.

"Estou do seu lado, meu amor. Quero que tudo fique bem. Você confia em mim ou não?"

Mais uma vez, faço que sim, num gesto quase imperceptível. Já me sinto exausta. Vicente leva os comprimidos até minha boca. Hesito, mas ele insiste.

"Vai, engole", ele me diz, oferecendo o copo d'água.

Acabo entreabrindo os lábios. As pílulas deixam um retrogosto ácido e enjoativo. Vicente apaga o abajur, enquanto me deito abraçada aos travesseiros, protegida pelas cobertas. Mesmo com o ar-condicionado desligado, sinto frio. O sedativo demora a fazer efeito e fico observando as janelas acesas no prédio vizinho, enquanto escuto o barulho do chuveiro.

Um tempo depois, Vicente sai do banheiro com os cabelos molhados, sem camisa, vestindo o short do pijama. Já estou quase adormecida, mas enxergo seu borrão quando ele atravessa o quarto e vai até a porta.

"Vem", chamo baixinho. "Deita aqui."

"Descansa, meu amor... Hoje vou dormir com as meninas."

Vicente sai e fecha a porta. Penso em insistir que ele fique comigo, mas não tenho forças. Em poucos minutos, já dormi outra vez.

15.

Estou parada no batente da porta do quarto das meninas. A luz está apagada, mas o sol forte da manhã atravessa a cortina, lançando um filtro sobre os objetos. As camas estão bagunçadas, há brinquedos, bonecas, papéis e lápis de cor espalhados pelos cantos, e uma pilha disforme de roupas em uma cadeira. Hesito em entrar.

Nos últimos dias, esse quarto se tornou um terreno perigoso. Mesmo vivendo no mesmo apartamento, não falo com Angela e Sara desde o início da semana. Quando cruzo sem querer com elas no corredor, na sala ou na cozinha, baixo os olhos, sinto o peito apertar e fecho as mãos, desesperada para me afastar logo. Devo causar a mesma sensação nelas, que também silenciam ao me ver. Vicente faz questão de vigiar de perto e garantir que nunca fiquemos muito tempo juntas no mesmo ambiente, como duas facções inimigas que não podem se encontrar no pátio de um presídio.

Agora, elas estão no banho com o pai. Escuto as vozes altas e algumas risadas que vencem o som do jato d'água. Sei que tenho menos de dez minutos para dar uma arrumada geral. Não posso demorar. Ainda assim, algo me detém na porta, tenho medo de invadir o espaço. Respiro fundo, controlando a respiração, e entro. Em gestos rápidos, troco as fronhas, recolho os lençóis usados e crio uma espécie de sacola de pano para acumular as roupas usadas. Entre as peças, encontro o uniforme que as meninas usavam na sexta-feira, quando tudo desabou. Há um pouco de sangue no colarinho da blusa e outra mancha discreta na bermuda bege amassada. Deixo os uniformes de lado. Examiná-los está me fazendo mal.

Sigo na arrumação, recolhendo pijamas malcheirosos e peças íntimas. Para minha surpresa, encontro duas calcinhas usadas com manchas de xixi. Acredito que sejam de Sara, ainda que não possa afirmar com certeza — as gêmeas costumam compartilhar as roupas. Eu me pergunto se Magali sabe que isso está acontecendo. Ao lado da poltrona, encontro mais peças de roupa, algumas de Vicente, como bermuda, pijama, meias e cuecas. Desde segunda, ele dorme com as meninas e me deixa sozinha no nosso quarto.

Subitamente, me lembro do momento em que acordei nessa madrugada. Eram por volta das quatro da manhã, eu estava zonza pelo sedativo, quando o choro de Lucas me despertou. Fui até o berço para niná-lo, mas Vicente já estava ali e mandou que eu voltasse a dormir. Pensei em protestar, brigar com ele, mas estava esgotada. Na verdade, era um alívio não ter que cuidar do bebê naquele momento.

Voltei para o quarto, mas não consegui dormir. Atenta, escutei Vicente voltar para o quarto das gêmeas algum tempo depois. Fiquei de pé e fui para o quarto de Lucas: o berço estava vazio. Segui pelo corredor e passei pelo quarto das meninas. Encarei a porta antes de tomar coragem de levar a mão à maçaneta.

Quando tentei entrar, descobri que estava trancada. Fui deitar me sentindo indesejada e perigosa.

No chuveiro, Vicente começa a cantar uma musiquinha com Angela e Sara, e o coro de vozes me traz de volta ao trabalho. Pego os tênis e sandálias, reúno os lápis coloridos, devolvo os brinquedos aos armários e recolho os papéis e cadernos para guardar na cômoda. Estou concentrada em terminar tudo depressa quando uma foto escapa da papelada e desce flutuando até cair no chão, voltada para baixo. Eu me agacho para pegar e, ao virá-la, me surpreendo.

A fotografia está emoldurada naqueles porta-retratos de papel grosso, típico de lembranças de viagem. Na imagem, um Vicente mais jovem, sem barba e sem óculos, sorri ao lado das gêmeas com cinco ou seis anos, de mãos dadas com Alice, serena e feliz. Esta não é a primeira vez que eu vejo uma foto dela; claro que fiz uma pesquisa na internet quando comecei a sair com Vicente, mas faz tempo que não deparo com uma foto da família. Como nunca vi esse retrato antes? E como ele veio parar aqui agora? Pensei que Vicente havia guardado todos os álbuns antigos no alto do armário, onde raramente mexemos.

Encaro a fotografia por alguns segundos — foi tirada em um dos parques temáticos da Disney, com o castelo da Cinderela ao fundo. Me impressiona como as gêmeas eram ainda mais parecidas antes de Sara ficar doente. Na foto, é impossível diferenciar quem é quem. Alice é mais bonita do que eu me lembrava: seus cabelos loiros descem ondulados até a altura dos ombros, seus olhos são profundos e a boca é delicada, com bochechas salientes e um queixo perfeito. *Mesmo ela sendo deslumbrante, eu sou mais*, penso. Sei que não é uma disputa, mas certa antipatia pela falecida é natural. Mesmo que eu nunca a tenha conhecido, há algo de ameaçador em seu olhar vazio. É como se Alice não fosse uma pessoa de verdade, mas uma assombração.

Escuto o chuveiro ser fechado. As meninas continuam a cantar e rir enquanto Vicente as enxuga. Corro para guardar a foto na gaveta. Fecho a trouxa de roupas, coloco sobre o ombro direito e carrego até a área de serviço. Hoje, ao acordar, me esforcei para preparar uma mesa de café da manhã completa. Bati o suco de maracujá de que as meninas gostam, separei frios e abri um pote de Nutella.

Após colocar as roupas na máquina de lavar, volto à cozinha para esquentar os pães de forma e a mamadeira de Lucas, passar o café e preparar os ovos mexidos, que sirvo em uma travessa. Levo tudo para a mesa e confiro o resultado, satisfeita. Está perfeito, impecável. Dá até vontade de tirar uma foto.

Minutos depois, Vicente chega à sala com Lucas soltando grunhidos em seu colo. Estendo a mamadeira e percebo o olhar do meu marido passar por cada um dos itens sobre a mesa, sem conseguir esconder a surpresa.

"Gostou?"

"Muito", ele diz. "E você? Dormiu bem?"

"Sim, acordei me sentindo ótima!"

Ele abre um sorriso curto, que interpreto como um bom sinal.

"E as meninas?", pergunto. "Elas não vêm pra mesa?"

"Estão no quarto. Querem ficar lá." Tento não demonstrar como me abala a naturalidade com que ele lida com toda a situação. "Eu levo a comida delas... Você prepara os pratinhos?"

"Poxa, eu arrumei tudo... Fiz até o suco de maracujá que elas amam."

Eu me sento diante da mesa posta, tamborilando na toalha colorida que estendi especialmente para a manhã de hoje. Sirvo café para mim e para Vicente, mesmo que ele não tenha pedido. Na travessa, os ovos já começam a ficar secos e esturricados. Ensaio uma olhada no relógio de pulso e finjo surpresa.

"Caramba, amor... Você não está atrasado para o escritório?"

"Vou trabalhar de casa hoje. Só tenho algumas reuniões. Prefiro fazer on-line."

Ontem ele me disse que ficaria em casa na segunda e na terça, mas que precisaria voltar a trabalhar presencialmente hoje, quarta-feira, por causa de uma sessão de julgamento importante ou algo assim. O que mudou?

"Você não ia no Fórum?"

"Um colega vai no meu lugar."

Fico mais perturbada do que esperava. Minha cabeça tonteia, as pernas tremem. Levo as mãos ao rosto e encaro Vicente, tentando me acalmar. Uso o tom mais amigável que consigo:

"Amor, você está focado em ser promovido... Será que não vai se prejudicar no escritório por ficar tanto tempo fora?"

"Eles me liberaram a semana toda, Eva. Só volto segunda que vem."

Bebo um gole de café e pesco uma fatia de queijo com um garfo. Que desculpa ele usou para justificar sua ausência no escritório? Fico indignada só de imaginar Vicente ao telefone conversando sobre nossa vida pessoal, assuntos tão íntimos e delicados, com os sócios do escritório, com Magali, com a diretora da escola e com não-sei-mais-quem... Ele se senta ao meu lado, ajeitando Lucas nos braços, e ergue a xícara. Depois de assoprar um pouco, sem tomar nem um gole, devolve a xícara ao pires e diz, de cabeça baixa:

"Eva, eu sei que você está preocupada... Mas juro que estou tentando resolver tudo. Conversei com meus pais ontem à noite. Pedi que eles me transferissem algum dinheiro..."

Pronto, agora ele também conversou com os pais. Será que contou sobre os hematomas nas filhas? Colocou a culpa em mim? Explicou que não pode sair para trabalhar enquanto eu representar um perigo? É como um vírus que se espalha sem parar.

Tenho vontade de perguntar por que ele não vai logo para a janela e berra sobre tudo o que estamos passando para o condomínio inteiro escutar.

Vicente mal percebe meu incômodo.

"Meu pai ofereceu uma ajuda mensal. Vai dar pra contratar uma faxineira. E acho que até uma babá... Pra ajudar a gente com a casa e com as crianças."

Eu deveria ficar aliviada. Mas, sem querer, sou invadida por uma sensação de estar sendo substituída. Alguns milhares de reais são suficientes para me tornar dispensável.

"E a escola? Quando é que as meninas vão voltar pra escola?", pergunto. "Elas já faltaram três dias. Vão se prejudicar. E outras mães estão começando a achar estranho... Só ontem eu recebi três mensagens perguntando por que elas estão faltando tanto..."

Vicente se preocupa mais com as aparências do que eu. Para ele, é muito importante como as pessoas o enxergam e como enxergam sua esposa, suas filhas e sua vida. A simples possibilidade de que as coisas estejam saindo do controle o perturba terrivelmente.

"E o que você respondeu?"

"Que as meninas estão gripadas, como a gente combinou. Mas até quando isso vai durar?"

"Elas ainda não estão em condições, Eva", ele diz, dando de ombros. Vira o café em um só gole. "Prepara os sanduíches?"

Sem dizer mais nada, coloco o pão nos pratinhos e passo a manteiga. Sirvo fatias generosas de queijo e presunto, e coloco um pouco do ovo mexido ao lado. Eu me sinto como uma funcionária de cantina exercendo suas atividades rotineiras, de modo impessoal e distante. Meus olhos ardem, cheios de lágrimas, e tento engolir em seco para que ele não me veja chorando. Passo as mãos sujas de manteiga no rosto e me atrapalho com os talheres. É patético; algumas lágrimas espessas começam a cair em cima dos sanduíches.

"Você acha...", começo, mas um soluço me interrompe. Recupero o fôlego. "Você acha *mesmo* que sou violenta? Acredita que fiz isso com elas?"

Vicente suspira, movimentando Lucas devagarzinho. Percebo que meu filho está bem desperto, com os olhos atentos a tudo. Mesmo alimentado, ele não vai dormir tão fácil. Vicente o reposiciona no colo, trocando de braço, mas continua de cabeça baixa, constrangido. Não tem coragem de me encarar. Será que ainda sente amor por mim? Ou pelo menos tesão?

Ele fica de pé e coloca Lucas com delicadeza no carrinho, prendendo-o com o cinto. O bebê começa a resmungar na mesma hora. Vicente volta à mesa para pegar os dois pratinhos. Aproveito sua aproximação para colocar minha mão sobre a dele.

"É minha vez de perguntar... Você confia em mim?"

Ergo o rosto inchado. Devo estar horrenda, com os cabelos desgrenhados, a pele pálida, inchaços e vermelhidões nas bochechas e na testa. Mas minha aparência é o que menos importa agora. Preciso saber se Vicente está do meu lado.

"Confio...", ele diz, num fio de voz. "Claro que confio."

"Então você fica em casa e chama as meninas para o café da manhã na mesa que eu arrumei com tanto carinho... E eu saio. Saio com o Luquinhas para dar uma volta no condomínio."

"Eva, por favor, eu..."

"Não vou demorar. Um pouco de sol vai fazer bem a ele. E a mim também."

Ele coloca as mãos na cintura e solta o ar, tenso. Seu olhar se desvia para Lucas, que agora chora mais e mais alto. Sigo até o carrinho e o empurro até a porta. Lucas começa a sossegar. Chamo o elevador. Vicente não vem atrás. Fico aliviada por esse gesto de confiança, mas ele aparece no último instante e tenta me impedir:

"Eva, tem certeza? Não é melhor você...?"

Tarde demais. Estou decidida. Entro no elevador com o carrinho e aperto o térreo. Acaricio o rosto do meu filho e, enquanto a porta se fecha, me volto para encarar Vicente, desafiadora.

"Ainda sou mãe dele."

No parquinho, começo a procurar um banco de madeira vago e protegido pelas copas das árvores. Não deve ser muito difícil. A essa hora, a maioria das crianças mais velhas está na escola, e o lugar é basicamente ocupado por babás uniformizadas conversando na área dos balanços, cada uma com seu carrinho de bebê ou observando de perto sua respectiva criança de três ou quatro anos. Na gangorra, um pai brinca com a filha de uns oito anos, arrancando gargalhadas dela. Ao me ver chegar, ele acena e sorri sutilmente. Retribuo o cumprimento, mas logo baixo a cabeça e passo direto. Não quero que ele me veja nesse estado.

Nós nos conhecemos de vista, mas nunca trocamos uma palavra. Mesmo assim, sei muita coisa sobre ele — Guilherme não passa despercebido no condomínio. Um sujeito bonito, musculoso e baixo, com um topete exagerado e a barba sempre desenhada, que tem uma clínica de dermatologia com o marido, Maurício. Eles são o único casal gay com filho no Blue Paradise. Ainda me lembro da comoção geral que dominou os grupos de WhatsApp quando se mudaram para cá, há dois anos. Todos queriam saber quem eles eram, de onde vinham e se a menina era adotiva ou não.

Na época, chegaram a especular que se tratava da filha biológica de um deles, que tinha sido casado com uma mulher antes de se assumir. Fofocas da vida alheia nunca me interessaram muito, mas era impossível escapar delas. No fim das contas, não sei como, descobriram que a menina era fruto do esperma de um deles com o óvulo da irmã do outro.

Com o tempo, Guilherme e Maurício acabaram aceitos na vizinhança, mesmo pelos mais religiosos e veladamente homofóbicos. Apesar de gays, eles são brancos, ricos, bem-sucedidos. Tudo certo.

Por um instante, fico imaginando o que perguntaram e especularam sobre mim nos grupos de WhatsApp quando cheguei no condomínio. A esposa de Vicente tinha morrido havia apenas alguns meses, era um prato cheio para vizinhos maldosos. Alice era amiga de muita gente ali, mas ninguém nunca tocou no assunto comigo. Será que me comparam a ela? Acham natural que eu trate as gêmeas como filhas e que elas me tratem como mãe? E aos moradores que vieram depois, o que será que contam sobre mim? Não sei as respostas.

Escuto uma gritaria. Nas quadras, adolescentes com roupas largas e bonés para trás brigam por uma bola de basquete. No carrinho, Lucas adormeceu com as mãozinhas fechadas na frente dos olhos. Ajeito a cobertura para confirmar que ele está bem protegido e me sento em um dos bancos de madeira. Fecho os olhos e sinto o sol tímido esquentar meu rosto.

Deixo que o som dos passarinhos, do chafariz e das conversas distantes preencha meus ouvidos. É uma sensação gostosa. Tento mergulhar nela, mas é impossível. Na escuridão, enxergo o rosto de Alice, o brilho em seus olhos, o sorriso de quem tem a vida inteira pela frente. Sua felicidade inocente na fotografia me atormenta. Quanto tempo depois daquela viagem de férias ela morreu? Um ano? Dois? Alice tinha a vida perfeita, um marido dos sonhos, duas filhas adoráveis, e, de repente, perdeu tudo. E eu cheguei para tomar seu lugar, ocupar o que ela deixara pronto. Sou uma invasora.

Abro os olhos. A roupa gruda em meu corpo, sinto um calor insuportável, resquícios de corretivo escorrem com o suor. Nauseada, vejo outra mãe se aproximar do parquinho com a filha. Essa mulher sempre chama minha atenção porque usa cadeira de rodas e está sempre acompanhada pela filha ou pelo marido. O nome dela é Clara ou algo assim. Não faço a menor ideia de como perdeu o movimento das pernas. É séria, de pouca conversa. Na única vez em que fomos apresentadas, ela não disse quase nada, parecia perdida em pensamentos, como se eles fossem mais interessantes do que eu.

Seu marido também é discreto, mas sei que ele é médico e está prestes a abrir uma clínica aqui perto do condomínio. Não me lembro direito a especialidade — psiquiatria, oftalmologia, talvez cardiologia. A filha é um pouco mais simpática: deve ter por volta de nove anos e já brincou algumas vezes com as gêmeas na piscina. Na época em que soube o nome dela, achei uma escolha esquisitíssima e nunca mais esqueci: Gertrudes.

Observo Gertrudes avançar pelo caminho ao lado da mãe, na cadeira de rodas motorizada. Elas param do outro lado do parque e parecem não reparar em mim. *Ainda bem.* Não estou em condições de conversar com ninguém. No carrinho, Lucas começa a grunhir, está despertando. Eu me inclino para pegá-lo e o aconchego. Faço carinho em seus cabelos ralos, acaricio suas bochechas fartas e o sento, sustentando suas costas em meu corpo. O hematoma dele já praticamente desapareceu — é apenas uma mancha amarelada. Sinto o peso de Lucas no colo e o calor de sua pele. Se Vicente tentar tirar meu bebê de mim, eu morro. Apesar de tudo, eu amo Lucas. Amo mais do que a mim mesma.

Eu o abraço com força e começo a chorar feito uma boba. Rio e choro em pleno parquinho. Não consigo parar. De repente, tudo volta: a acusação da diretora, a desconfiança de Vicente, o isolamento das meninas, como se eu fosse uma criminosa. Vi nos olhos do meu marido o pavor em me deixar sair com meu filho para dar uma volta no condomínio. Ele realmente acredita que fui eu? Volto à noite de sexta-feira, chafurdo os cantos obscuros, tento resgatar sensações, colar os cacos da minha memória, mas tudo parece um borrão. Só consigo pensar como estou cansada, muito cansada. A ansiedade me devora. Se nem eu mesma me lembro do que fiz, como posso me defender?

Meu celular apita com uma mensagem de Márcia. *Eva!!!! Kd vc?*, ela escreve. *Certeza q tá td bem? Onde eu t acho?* Há cinco mensagens de texto suas sem resposta, e ela também tentou me ligar. Entra mais uma mensagem agora: *Perguntei de vc na escola*. E depois: *Posso ir na sua casa?*. Antes que eu responda, o telefone começa a vibrar — é Márcia ligando. Sem dúvida, me viu on-line e resolveu tentar a sorte. Deixo que toque. Nesse condomínio, as pessoas se amam, se respeitam... e se vigiam. A insistência de Márcia me sufoca. Sei que vai ser impossível escapar por muito tempo. Em breve, não vão mais aceitar minhas desculpas, vão querer saber por que as gêmeas estão faltando às aulas e começarão a especular. Não posso dar margem para fofocas. Preciso assumir o controle.

Indiferente às minhas preocupações, Lucas agarra meu dedo com suas mãozinhas, baba um pouco e sorri. Está se divertindo. Percebo que é o momento perfeito para algo que venho adiando há tempos. Não preciso estar feliz de verdade para dizer que estou feliz. Quantas pessoas não postam fotos alegres quando estão no fundo do poço?

Pego o celular sobre o banco, limpo os olhos com as costas das mãos, tento esconder as sombras do rosto colocando os cabelos para a frente e tiro uma selfie. Lucas não olha para a câmera, vira a cabeça. Tento outra vez. E mais uma. Finalmente, consigo uma foto em que estamos olhando para a lente, sorridentes, sentados no banco de madeira, com folhagens ao fundo. Os raios de sol disfarçam meu péssimo estado. Entro no Instagram, escrevo a legenda que esperam que eu escreva — *Eu e o amor da minha vida* — e posto. Nossa primeira foto.

Acompanho as reações iniciais das minhas seguidoras. Muitos emojis de corações e carinhas felizes, muitos comentários dizendo como somos lindos e fofos. Sem dúvida, isso vai aquietar a curiosidade dos vizinhos por algum tempo. Olho o relógio: quase nove e meia. Nem percebi o tempo passar. Fico de pé, devolvo Lucas ao carrinho e tomo o caminho de volta ao prédio.

Na portaria, Solange sai do elevador usando blusa de lycra, calça legging e tênis de academia — tudo laranja —, além de uma tiara ridiculamente juvenil, que repuxa seus cabelos e a deixa com uma testa enorme.

"Amiga! Não acredito que te encontrei!", ela diz. "Você sumiu!"

Faz quase uma semana que não nos falamos, e esse deve ser o máximo de tempo que ficamos sem nos encontrar desde que nos conhecemos. Forço um sorriso.

"Eu sei... Desculpa."

"Sério! Te liguei esses dias todos... Já estava ficando preocupada! Quase chamei a polícia!"

"Não exagera..." Dou de ombros, tentando disfarçar. "Está tudo bem."

"Bem?! E essa cara?"

"Ah, o de sempre... O Luquita continua dormindo muito pouco. Nem sei mais quando é dia, quando é noite. Só isso."

Solange suspira, desconfiada.

"Você está escondendo alguma coisa. O que é?", ela insiste, apontando o squeeze para mim, como uma arma. Seu jeito, sempre enérgico e exagerado, agora me soa violento. Será que ela não percebe como está sendo desagradável? "Vai, me conta. Quero saber!"

"Tô esgotada, mal-humorada, com vontade de matar alguém."

Ela se diverte com meu comentário. Não entende que falo sério.

"O trabalho anda me sugando muito", continuo. "Estou focada em terminar um reborn. Uma entrega que já adiei mais do que deveria. Além disso, as meninas ficaram doentes..."

"Eu soube. Gripe, né?"

"Uma virose pesada." Quero deixar de ser o foco para encerrar o interrogatório. Então, me lembro de que, na sexta, ela e Carlos foram à mesma festa no Copacabana Palace que Vicente. "E você? O que me conta? Como foi a tal festa dos advogados?"

"Um saco. Sabe aqueles eventos em que todo mundo faz contato e ninguém se diverte? Você não perdeu nada. Além disso, eu e Carlos... A gente tá meio mal."

Solange baixa a cabeça, pesarosa. Sinto seu perfume doce e enjoativo. Não entendo por que ela se enche de perfume para ir à academia.

"Por causa do outro cara?"

Sem responder, ela se inclina para brincar um pouco com Lucas. Comenta como meu filho cresceu e está com cara de homem. Agradeço e insisto:

"Como estão as coisas com o outro cara?"

"Ele sumiu nos últimos dias. Por causa da família..."

"Ele tem filhos?"

Solange olha para os lados e morde os lábios. Seus ombros tensionam e as sobrancelhas pesam sobre os olhos. Sem dúvida, preferia que eu não tivesse feito a pergunta.

"Ele está pensando em pedir divórcio", ela diz.

Fico surpresa, mas tento parecer compreensiva. Solange ensaia uma olhada para o celular, finge se surpreender com o horário, diz que está atrasada e me dá dois beijinhos de despedida. Sua urgência confirma que não gostou que eu mencionasse o tal amante. Quando ela já está chegando à saída, eu a chamo.

"Sô, rapidinho... Posso te pedir uma coisa?"

Ela para e me observa. Eu me aproximo, sem coragem de falar em voz alta. Coloco a mão no braço dela, tentando resgatar a intimidade que perdemos nos últimos dias.

"Me conta mais da Alice?"

"A Alice... do Vicente?"

"É... Quero entender direito o que aconteceu, como ela morreu. Toda vez que eu tento saber um pouco mais, ele desconversa."

"Não sei muito também. Ninguém sabe..." Ela suspira, com as mãos na cintura. Não esperava esse assunto. "Eles estavam numa lancha em Angra. Parece que deram uma cochilada. Quando Vicente acordou, Alice não estava mais lá. E ela não sabia nadar..."

"Entendi."

Solange aperta os olhos, tentando desvendar meus pensamentos.

"Por que esse interesse agora?"

"Nada... Encontrei uma foto e fiquei pensando nela. Só isso."

"Sabe que, vez ou outra, tenho pesadelos com essa história? Fico imaginando a Alice no fundo do mar, coitada, sendo devorada pelos peixinhos! É horrível!"

Um arrepio me paralisa.

"No fundo do mar?"

"Ué, você não sabia? O corpo dela nunca foi encontrado."

16.

Na sexta-feira, estaciono o carro nas vagas descobertas do shopping Downtown. O tempo virou, está um dia feio, nublado e frio. Visto um casaquinho, pego minha bolsa e peço ajuda ao segurança para encontrar o prédio certo, no bloco F. Detesto esse lugar; a ideia de um shopping a céu aberto, com salas comerciais, nunca fez sentido para mim. Só venho aqui para ir ao cinema com as meninas. E agora para minha primeira consulta com o psicólogo.

Entorpecida, chego ao terceiro andar e busco a sala 303. O corredor é estreito, todo branco. Conforme avanço, minha vontade é dar meia-volta e descer as escadas depressa, fugir para a praia ou voltar para casa. Mas não posso. Sei que preciso de ajuda. Tenho que aceitar isso. Com certo esforço, amasso o papelzinho na mão trêmula e toco a campainha. Em poucos segundos, escuto o som de passos do outro lado e a porta se abre. Um senhor magro e alto, com cabeleira e barba brancas, sorri para mim.

"Eu sou o Scheiffer. Você deve ser a Eva..."

Faço que sim, enquanto vou entrando. Eu me sentiria mais

confortável em me consultar com uma mulher. Por outro lado, penso, pelo menos esse sujeito não lembra em nada minha mãe.

Ele se veste de modo discreto — calça social e camisa branca — e tem a voz baixa e calma. O consultório combina com ele: tem uma cômoda de madeira no canto, duas poltronas antigas ao centro, uma mesinha baixa onde há apenas uma caixa com lenços de papel, uma chaise junto à parede. Nenhum quadro, nenhuma decoração. A única janela tem vista para outro prédio comercial do shopping, mas as cortinas estão baixadas, deixando a sala na penumbra.

Scheiffer se senta em sua poltrona, cruza as pernas e faz um gesto para que eu decida onde quero ficar. O divã está fora de cogitação, lembra demais o sofá onde minha mãe me obrigava a ficar deitada para lhe contar meus pensamentos. Escolho a poltrona diante dele e começo a cutucar os cantos dos dedos com a unha. Não sei por onde começar. Então, ficamos assim por algum tempo, dois desconhecidos separados por uma barreira de silêncio.

"Você já fez terapia antes?", ele pergunta de repente.

No mesmo instante, lembro-me de minha mãe dizendo como, na terapia, é importante colocar os sentimentos para fora, confessar os segredos, dar forma aos desejos e às atitudes. *Você não precisa guardar nada*, ela me dizia. E depois usava tudo contra mim — jogava na minha cara como eu era egoísta e mesquinha, como meu jeito pessimista me levaria a uma vida infeliz e solitária. Sacudo a cabeça, espantando as lembranças. Aquilo que minha mãe fazia não era terapia, era tortura.

"Não, nunca fiz."

"Achei curioso que foi seu marido que ligou para marcar a consulta… Vicente, não é?"

"É… Isso mesmo. Vicente é maravilhoso, mas ele se preocupa demais às vezes."

"Se preocupa demais? Com o quê?"

A pergunta é feita em um tom natural, nada condenatório, que me convida a falar mais. Levanto o rosto e encaro o psicólogo.

"Acho que às vezes ele se cobra muito. E me cobra também."

Não sei exatamente o que Vicente contou quando ligou para marcar a consulta. Será que ele mencionou o hematoma em Lucas? Os machucados das gêmeas? Scheiffer já sabe que as meninas me acusaram de bater nelas e que não me lembro de nada? Não consigo sair falando sobre todos esses assuntos na primeira sessão. Tenho medo (e vergonha). Ao mesmo tempo, não quero parecer defensiva ou mentirosa.

Scheiffer tenta outra abordagem:

"Eva, por que seu marido me ligou? Você tem alguma ideia?"

Suspiro, dando de ombros.

"Eu acabei de ter um bebê... Meu primeiro filho. O nome dele é Lucas", digo, com um sorriso. "Ele chora demais, dorme pouco. Às vezes, fico morta de cansaço."

O terapeuta se mantém impassível, com os olhos fixos em mim. Espera que eu continue.

"Vicente tem o trabalho dele. É advogado, está num momento importante no escritório. E é isso que paga as contas lá de casa... Mas também tenho meu trabalho. Faço bonecos reborn. Estou retomando aos poucos. O Luquinhas exige muito. E as gêmeas também."

"Gêmeas?", ele pergunta, curioso. "Você não disse que Lucas é seu primeiro filho?"

Faço que sim, satisfeita. Ele mordeu a isca. Eu queria descobrir se Vicente tinha mencionado as gêmeas, mas parece que não. Se tivesse contado dos machucados, precisaria mencionar as meninas, certo? Me sinto mais confortável agora.

"Nós temos duas meninas, de dez anos", explico. "A mãe

biológica delas faleceu. Mas eu amo as duas como se fossem minhas filhas…"

"Não deve ser fácil lidar com três crianças… E o Vicente? Ele divide o trabalho com você?"

"Ele ajuda quando pode. Passa o dia no escritório. Sou eu que levo as meninas na escola e que cuido do Luquinhas. E da casa, claro."

"Como é equilibrar todos esses pratinhos ao mesmo tempo?"

"Me sinto um zumbi. E às vezes me esqueço das coisas."

"Esquece? Como assim?"

Esqueço que surrei minhas filhas.

"Ah, coisas bobas", digo. "Vou buscar uma roupa, aí descubro que já coloquei na máquina. Um tempo atrás, esqueci o fogo ligado e Vicente me deu uma bronca."

"Só coisas bobas?"

Eu me inclino para pegar um lenço de papel na mesa baixa e assoo o nariz, como se não tivesse escutado a pergunta dele.

"Vocês têm alguma de rede de apoio? Alguém que trabalha na casa? Ou que fica um pouco com as crianças ou faz a comida pra você descansar?"

"A gente tinha uma faxineira. Mas ela saiu. Ainda não achamos outra."

"Alguma avó ou avô?"

"Meus pais já morreram. E os do Vicente viajam muito. Estão num cruzeiro pela Ásia."

Ele pensa por um instante e suspira.

"Vocês têm a possibilidade de chamar alguém pra ajudar?"

Eu estava determinada a exigir isso, penso. *Mas aí fui acusada de machucar minhas filhas e minhas prioridades mudaram.*

"Vou falar com Vicente sobre isso", respondo.

Scheiffer descruza as pernas e se inclina sutilmente para frente.

"Eva, talvez você esteja precisando contar para seu marido de uma forma mais clara o quanto tudo está pesado pra você, o quanto está sendo difícil. Pode ser que ele ainda não tenha entendido bem e precise que você seja franca. Não acha?"

Dou de ombros. Tenho medo de me abrir assim, de falar dos meus limites e incapacidades. Não quero que Vicente se decepcione comigo. Diante de tudo o que aconteceu, sinto que estou em dívida com ele e não tenho condições de exigir nada.

"Pode ser", digo apenas.

"Você não é a única responsável pelas crianças. Não precisa se sacrificar sozinha."

Por um instante, tenho vontade de despejar tudo nele: a frustração por não conseguir fazer nada direito, a irritação com os choros de Lucas e as birras das gêmeas mimadas, a raiva e a tristeza, o ressentimento com minha mãe, a ansiedade desesperada para voltar a ser quem eu era, a culpa pelo atraso no reborn Bruno, a pressão do meu marido, a sensação de que meu filho me odeia, mesmo sendo um bebê.

Então, me dou conta de que já falei demais. Com seu ar pacífico e desinteressado, Scheiffer conseguiu arrancar de mim muito mais do que eu estava disposta a entregar.

"Você está passando por muita coisa, Eva." Ele retira um bloquinho do bolso da camisa e começa a anotar algo. "Acho que vai ser bom a gente se encontrar mais vezes. Tudo bem por você?"

Faço que sim, enquanto consulto o relógio de pulso. Uma hora se passou.

"Acredito que você também pode se beneficiar da ajuda de um psiquiatra. Ele vai te passar uma medicação que pode ajudar a regular seu humor, diminuir essa ansiedade que você está sentindo... Enfim, pra fazer você se sentir melhor", Scheiffer comenta.

"Tem alguém que você conheça? Posso recomendar uma pessoa. Nada do que você está sentindo é errado nem culpa sua."

Fico grata pelo que ele diz. As palavras são maleáveis, cabem em qualquer compartimento, aceitam substantivos consoladores e adjetivos de enfeite, mas a realidade se impõe. E no mundo real é difícil que eu não me sinta responsável pelo inferno em que minha vida se transformou.

"Eu vou te passar uma tarefa, tudo bem? Quero que você escreva, escreva tudo ao longo dessa semana, como um diário. Desde listas até seus sentimentos mais banais. É sempre bom encarar a folha em branco, investir um tempo em se colocar em palavras, refletir..."

"Vou fazer isso", prometo.

"E pode ajudar com a memória também", ele conclui, enquanto me acompanha até a porta.

Sigo pelo corredor e desço as escadas pensando que a consulta correu melhor do que eu imaginava. Pretendo voltar na semana que vem. Apesar disso, escrever um diário está fora de cogitação. No início da adolescência, eu mantinha um caderno com minhas confissões mais íntimas. Um dia, minha mãe o encontrou e leu tudo o que estava escrito: minha primeira paixonite por um menino da escola, as saudades que eu sentia do meu pai, o pavor que sentia dela. Foi por causa desse diário que nossa relação ficou ainda pior. Melhor guardar meus pensamentos só para mim. É mais seguro.

Dirijo pela avenida das Américas, sentindo-me incrivelmente leve. Foram revigorantes essas poucas horas em que fiquei longe de tudo — de Vicente, das crianças e da casa — e pude investir em mim mesma, cuidar de mim. Seguro o volante com força e coloco uma música alta no rádio. Canto a plenos pulmões, conforme costuro no trânsito.

Quando chego ao Blue Paradise estou ofegante e bem-disposta. Tenho uma sensação potente de estar viva, de enxergar uma saída, um caminho para colocar minha vida de volta nos trilhos. *Nada do que você está sentindo é errado nem culpa sua*, o psicólogo disse. As palavras dele reverberam. Agora, vejo como é bom que Vicente tenha pedido uma ajuda financeira ao pai. Uma diarista e uma babá vão, sim, ser muito bem-vindas; vão melhorar minha vida. Não preciso ter medo.

Tomo o elevador, animada para contar tudo a ele. Quando giro a chave e abro a porta, paraliso. As meninas estão no sofá, enroscada em cobertas, assistindo a um filme na TV. Vicente está no tapete, brincando com Lucas, com muitos brinquedos e pelúcias espalhados pelo chão. Eles também ficam imóveis ao me ver. É tão estranho: faz muito tempo que não vejo as gêmeas.

Sou invadida por uma súbita vontade de deixar a bolsa de lado e avançar até elas, abraçá-las com força, sentir seu perfume e dizer que estou morrendo de saudades. Mas não posso fazer isso — a tensão no olhar delas me faz ficar na entrada, em uma espécie de estado em suspenso, até que Vicente se levanta com urgência, de um jeito atabalhoado.

"Caramba, eu não sabia que você estava chegando..."

Devia ter enviado uma mensagem, penso. Agora é tarde. Estamos todos aqui. Sara dá uma tossida, abraçada ao reborn Pedrinho. Angela segura a mão da irmã e olha para o pai. Sem saber o que fazer, Vicente pega o controle remoto, desliga a televisão e sinaliza para que as meninas saiam da sala.

"É melhor vocês irem pro quarto, meus amores..."

Elas afastam a coberta e começam a se mover. Fecho a porta atrás de mim e dou um passo à frente, estendendo as mãos.

"Não, não precisa... Vocês podem ficar. Tenho que terminar um trabalho. Vou pro ateliê."

As gêmeas olham para o pai, esperando o próximo comando. Lucas está deitado de barriga para cima no tapete, fazendo esforço para agarrar os próprios pés.

"Eu só queria dizer que... Que amo vocês", continuo. "E que vai ficar tudo bem."

Sorrio para elas. Percebo que Lucas parou ao escutar minha voz e agora gira a cabeça, me procurando, como se me reconhecesse. A singeleza desse momento me enche de esperança. Chego perto de Vicente e seguro as mãos dele.

"A consulta foi ótima. Obrigada por cuidar de mim..."

Vicente me abraça com força. Seu perfume e o calor de seu corpo me fazem sentir novamente ligada a ele, a essa casa, a essa família. Nossa conexão se rompe de repente, quando a campainha toca.

"Quem é?", pergunto, baixinho.

Sem responder, ele pigarreia e abre a porta, forjando uma postura casual. Márcia está ali, em um vestido florido inapropriado para um dia frio como hoje. Sem pedir licença, ela vai entrando em nosso apartamento, falando sem parar.

"Se Maomé não vai à montanha, a montanha vai a Maomé. Não é assim o ditado? Desculpa vir sem avisar, mas mandei mil mensagens, Eva, e você não respondeu... Está de mal comigo, é?"

"Não, eu só... Estou um pouco distante do celular."

"Às vezes é importante desintoxicar, não é, amiga?" Márcia me dá um beijinho e se agacha para brincar com Lucas. "Eu bem vi a foto que você postou ontem com ele... Amei demais. Está um príncipe!" Ela se volta para as gêmeas, ainda no sofá, em silêncio. "Elas continuam gripadas? Tem certeza de que não é covid?"

Sara e Angela se encaram, mudas. Por sorte, ainda estão de

pijama. É impossível Márcia perceber os machucados no corpo delas.

"Não é covid, a gente fez teste", me apresso em dizer. "Elas já estão melhorando. Acho que semana que vem voltam pra aula..."

"Que bom! Perguntei de vocês na escola e ninguém sabia me dizer direito. Achei esquisito", ela comenta. "Domingo é aniversário do Caio. Vou fazer uma festona daquelas. Já chamei todo mundo, só faltava vocês. Vim aqui pessoalmente porque faço questão de entregar o convite em mãos."

Angela e Sara pegam o envelope dourado que Márcia lhes estende e tiram de dentro o convite em papel-cartão.

"Obaaaa!", Angela comemora. "A gente vai, não é, pai?"

"Eu quero ir", Sara confirma.

"Depois de amanhã! Não vai ser lá em casa, não. Vai ser no salão de festas aqui do bloco, no início da tarde. Gastamos um bom dinheiro! Vai ter mágico, malabarista e várias barraquinhas! Contratei um buffet ótimo, só salgadinho de primeira. Quero todos vocês lá! Vocês vão, né?"

Vicente me encara, tenso. Então se aproxima de Márcia, com um sorriso forçado.

"Claro que vamos."

Angela comemora dando gritinhos e pulando de alegria no sofá. Sara tenta acompanhar a irmã, mas percebo que diminui o ritmo, tentando recuperar o ar. Márcia se diverte ao ver a animação das meninas.

"Acho que elas já estão ótimas, nem parecem gripadas..."

"Elas acordaram melhor hoje", Vicente diz. "Foram dias tomando remédio, fazendo exame... Finalmente tá fazendo efeito, não é, meus amores?"

Eu pensava que conhecia meu marido em todos os aspectos, mas fico impressionada com a facilidade dele para mentir.

No tapete, Lucas segura um chocalho, movendo-o de uma mão para a outra. Então, quando o brinquedo escapa de seus dedos, ele franze o cenho e começa a espernear. Seu choro preenche rapidamente toda a sala, como uma caixa de som potente. Márcia se apressa até a porta.

"Desculpa, eu não queria atrapalhar. Então até domingo, hein? Cheguem cedo."

Ela dá tchauzinho e vai embora. Semana passada, Márcia estava aos prantos porque o filho a tinha chamado de filha da puta, e agora ela vai fazer uma festa enorme para ele? *É uma filha da puta mesmo*, penso, então sorrio sozinha.

"A gente vai mesmo na festa, né?", Angela pergunta, quase gritando para ser escutada.

Vicente se agacha para pegar Lucas, que chora sem parar, e sente o volume na fralda.

"Acho que o Luquita fez cocô. Vou trocar a fralda dele e dar banho."

Quem diria. Até parece que Vicente ouviu minha conversa com Scheiffer, penso. *Eu não sou a única responsável pelas crianças.*

"Ótimo", digo. Vicente fica claramente surpreso com a calma da minha resposta. "Aproveita que está animado e tenta conseguir uma empregada para amanhã ou segunda. Vou terminar meu trabalho."

Antes que ele tenha tempo de protestar, deixo a bolsa na mesa e sigo para o ateliê. Estou tão determinada que nem paro na cozinha para pegar um copo d'água ou um café. Sento-me diante da bancada e comparo o reborn Bruno com a foto do filho de Sílvia. Então um pensamento me invade: eu estava trabalhando nesse reborn na noite em que Lucas apareceu machucado. Também estava trabalhando nele na última sexta, quando caí no sono e as gêmeas apareceram machucadas. É como se o boneco do bebê morto fosse amaldiçoado. E extraísse o pior de mim.

Sacudo a cabeça, tentando mandar o assunto embora. Essas coisas não existem, são fruto da minha imaginação. O reborn é só um boneco. E a morte do filho de Sílvia, mesmo chocante, é só uma tragédia, como tantas que acontecem todos os dias. Justo quando ela cochilou, o bebê alcançou a janela e... *Mas como o bebê despencou?*, penso. A janela não tinha grade de proteção ou rede? Fico pensando como Bernardo devia ser. Chorava muito à noite? Era barulhento? Consigo enxergar Sílvia chegando ao seu limite, esgotada, tendo que cuidar sozinha de um bebê insuportável e, então, num gesto irracional, arremessando o próprio filho pela janela. Será possível? Eu mesma já tive vontade de fazer isso algumas vezes.

Duas batidas na porta me interrompem. Vicente entra vestindo uma estranha combinação de camisa social e short de pijama. Empurra o carrinho de bebê até o lado da bancada e avisa que vai precisar entrar em uma reunião de última hora por Zoom, que deve durar no máximo uns quarenta e cinco minutos.

"Será que você fica de olho enquanto isso? Ele não quer dormir de jeito nenhum", ele diz. "Desculpa atrapalhar seu trabalho."

Faço que sim, gostando que ele se desculpe. Vicente sai depressa e fecha a porta, enquanto confiro o carrinho. Lucas está com os olhos bem abertos observando os reborns na estante diante dele. Estica o corpo e sacode os bracinhos, enquanto sorri, banguela.

"Está feliz, meu amor?", pergunto, enxugando a baba em seu queixo e seu pescoço.

Ele não interage comigo, continua a se divertir sozinho. Por isso, me permito voltar ao trabalho. Visto um macacãozinho azul no reborn, com botões nas costas, penteio seus cabelos, calço sapatinhos de lã e confiro o resultado: está pronto, impecável! Orgulhosa, pego o celular e fotografo Bruno de diversos ângulos. Coloco um gorro nele, reparando em sua boquinha entreaberta, com as bochechas coradas. Parece mesmo ter vida. Tanta vida quanto Lucas, que se agita e solta grunhidos ininteligíveis. Envio uma mensagem para Sílvia, avisando que finalmente terminei.

Deixo o celular de lado e fico de pé, girando os braços doloridos no ar. Pego a caixa para envio, já com enxoval, gorros, sapatos e a certidão de nascimento, que preencho com a data de hoje. Borrifo um perfume adocicado no tecido e escrevo a cartinha que sempre envio para minhas clientes.

Abro o texto pedindo desculpas a Sílvia pela demora e agradecendo sua paciência e confiança. Então, conto como foi importante para mim realizar esse trabalho tão especial e termino dizendo que espero que o reborn Bruno ajude a aplacar a dor dela, mesmo que minimamente. Releio a carta, observo Lucas com as mãos na boca e logo me arrependo do trecho final — um reborn nunca vai diminuir o luto de uma mãe. Soa presunçoso e inadequado. Decido reescrever tudo. Amasso o papel e pego outra folha em branco.

Ergo a caneta e então meu celular vibra. É Solange ligando. Não estou com vontade de atender. Quero terminar tudo e colocar o kit no correio amanhã cedo, no primeiro horário. Procuro me concentrar na carta, mas meu celular volta a vibrar. Suspiro irritada e atendo. Solange desliga bem na hora. Antes que eu tenha tempo de retornar, ela liga de novo.

"Oi, Sô..."

"O que você fez, porra?!", Solange grita do outro lado. "Que merda você tem na cabeça? Fala!"

"Oi? O quê..."

"Maldita a hora que eu te trouxe pra minha vida", ela me interrompe.

"Solange, o que aconteceu? Por que você está falando assim comigo?"

Encaro o celular e percebo que ela desligou na minha cara. Confusa, retorno a ligação, mas Solange não me atende. Abro o WhatsApp para enviar um áudio, mas vejo centenas de mensagens pipocarem no grupo de responsáveis da escola. Acesso o grupo, tomada de adrenalina. Minha cabeça pesa ao perceber que o assunto sou eu.

Com as mãos trêmulas, rolo as mensagens para baixo e vejo as fotos de Angela e Sara nuas e machucadas compartilhadas ali. Andreia, Viviane e Márcia foram as primeiras a postar as fotos no grupo. Como isso vazou? Como foi parar nas mãos delas?

MEU DEUS, QUE ABSURDO!!! ISSO É HORRÍVEL!!!

As mensagens não param de chegar.

DESGRAÇADA!!! BANDIDA!!

Alguns condôminos enviam emojis de vômito, de raiva ou de espanto.

TIRA ELA DO GRUPO!!! CHAMA A POLÍCIA!!!

Fernanda manda um áudio, horrorizada.

A EVA FEZ ISSO? ESSA ASSASSINA TEM QUE SOFRER!!!!

Meus olhos se enchem de lágrimas, enquanto mais pessoas comentam sem parar. Começo a digitar uma resposta.

QUEM FAZ ISSO COM AS PRÓPRIAS FILHAS TEM QUE SER PRESA!!!

Procuro palavras, mas não encontro.

ELA NÃO TEM QUE SER PRESA. TEM QUE APANHAR!!!! VOU BATER NESSA INFELIZ ATÉ SANGRAR!!!!

O que eu devo dizer?

TEM QUE MORRER, ISSO SIM! MATA ESSA VADIA!

Antes que eu consiga pensar em alguma coisa, sou removida do grupo. Não consigo mais enviar nem receber mensagens. Arrisco escrever para Solange, mas descubro que ela também me bloqueou. Andreia, Viviane e Márcia fizeram o mesmo; não consigo falar com nenhuma delas. Sem pensar, seleciono todas as mensagens anteriores do grupo e apago, como se deletá-las do aparelho fosse adiantar alguma coisa.

Entorpecida, jogo o celular na bancada e inspiro fundo. Percebo que estava prendendo a respiração. Todo o meu corpo treme, estou à beira de um colapso. Pontos pretos nublam minha visão, acho que vou desmaiar.

Faço um esforço enorme para continuar desperta, observando meu filho que continua a sorrir e babar no carrinho. Tenho a impressão de ver um movimento rápido no canto da sala, já um pouco fora do meu campo de visão, e me assusto. É como se o reborn tivesse se mexido, girado a cabeça, como se tivesse vida própria. Estou enganada. Dentro da caixa, Bruno me encara com seus olhos vítreos.

17.

Entro no elevador e aperto o último andar. Enquanto subo, me recosto ao espelho e respiro fundo, tentando controlar as batidas do coração. Faço esforço para me lembrar de algum mantra que aprendi nas aulas de ioga do condomínio, mas não consigo. Abro e fecho as mãos, inspiro, expiro, me sentindo terrivelmente sufocada nessa caixa metálica. Observo o visor, implorando para chegar logo.

Quando a porta do elevador se abre, caminho depressa até o 2202, o apartamento de Solange, e toco a campainha. Uma pressionada breve, não mais do que um segundo, porque não quero parecer desesperada. Aguardo em cima do capacho dizendo AQUI TEM GENTE FELIZ, enquanto esfrego as mãos, que suam sem parar. Ainda estou com a roupa que usei para ir ao psicólogo — uma calça de algodão confortável e uma blusa amarela, agora com manchas de tinta e resina. Mal tive tempo de me ajeitar.

É sexta-feira à noite. Será que Solange saiu com Carlos e a filha? Ou será que estava com o amante quando viu as fotos no grupo? Não quero ser insistente, mas pressiono a campainha outra vez — um toque longo, depois um curto — e presto atenção ao outro lado. Não escuto nada. A porta do apartamento deles é bonita e imponente, toda preta, com uma maçaneta eletrônica. Por diversas vezes, Solange digitou a senha de entrada ao meu lado, mas nunca me preocupei em memorizá-la. Nunca achei que precisaria.

"Sô, você está aí? Abre... Por favor... Só quero conversar."

Percebo que minha voz está chorosa, trêmula, mas não é algo que eu consiga controlar. Com o rosto colado à porta, tenho a impressão de escutar passos discretos no piso de madeira e vozes baixas. Ou será minha imaginação? Não tenho certeza.

Fico imóvel, sem sequer respirar. Alguém chama o elevador, que se fecha com um estrondo seco e desce para outro andar. Pouco depois, as luzes do corredor se apagam e me deixam na penumbra, de olhos e ouvidos bem abertos, atenta a qualquer sinal. Agora, sem dúvidas, escuto vozes murmuradas do outro lado, como pessoas conversando no cinema, e até um choro sufocado. É Clarinha?

O sensor captura meu movimento quando estico a mão para tocar a campainha de novo; desta vez, mais forte, por um longo tempo. O hall todo se acende, uma luz branca e forte machuca meus olhos.

"Eu sei que você está aí, Solange... Sou eu... Vamos conversar, vai. Me escuta!"

Ela é minha amiga. Não é possível que acredite em fotos postadas em um grupo de WhatsApp sem procurar ouvir minha versão. Cansada de tentar a campainha, dou soquinhos na porta. Nada muito bruto, apenas o suficiente para que eles entendam que não vou desistir tão fácil. Parece que funciona: escuto mais movimentos na sala, uma luz discreta é acesa — um abajur ou uma lanterna de celular — e uma sombra surge na fresta da porta. Percebo um movimento no olho mágico e encaro a pessoa do outro lado, com lágrimas escorrendo pelo meu rosto.

"Vai embora, Eva." É Solange. "Sai daqui."

A resposta, mesmo seca e raivosa, me enche de esperanças. Ela está me escutando. E eu sei que sou capaz de convencê-la.

"Conversa comigo. Por favor, Sô! Tô sendo apedrejada. Olha o que você tá fazendo..."

Outra vez, silêncio. Espero por muito tempo — ou pelo menos é a impressão que tenho. Ela não diz mais nada, e eu volto a implorar por uma chance. Não posso aceitar isso. Preciso descobrir o que está acontecendo. É uma corrida contra o tempo, para que as coisas não saiam ainda mais do controle. Quando percebo, estou batendo na porta de novo, com as mãos fechadas. A madeira estala, a porta treme no batente, mas não paro. Soco com força. E mais força.

Nos filmes, é impressionante a facilidade com que as pessoas arrombam lugares. Para mim parece impossível. Paro apenas para recuperar o fôlego e encaro minhas mãos doloridas e vermelhas, com alguns arranhões. Essa imagem me aterroriza, mas também me enche de indignação. Se eu não conseguir falar com Solange, vou ficar muito mais machucada, tenho certeza. Jogo o corpo contra a porta, enquanto grito, dou socos e chutes.

"Como elas conseguiram as fotos?! Me fala. Eu preciso saber! Quem me acusou?"

De repente, escuto o som metálico do trinco e a porta se abre. Solange me encara de perto.

"Se você não for embora, vou chamar a polícia."

Ergo as mãos em sinal de paz e encosto nela, que se desvencilha, como se eu fosse de fato uma ameaça. Solange faz menção de fechar a porta de novo, mas eu me aproximo.

"Espera, Sô... Você me conhece."

"Não, eu não te conheço."

"Não fui eu."
"A diretora confirmou que foi você."
"Foi ela que enviou as fotos?"
"Não interessa, Eva! Você espancou as meninas!"
Nego com a cabeça, tentando encontrar as palavras certas. Estou me sentindo exposta nesse corredor com luz pálida. Passo direto e avanço para a sala. Protegida atrás do sofá, Clarinha parece assustada.
"Por que você fez isso?", Solange pergunta. "Só porque elas não são suas filhas?"
"Não, eu... Me escuta."
"Tô te escutando... Vai, explica. Explica aqueles hematomas! Explica o coração na nuca delas. Qual é sua versão, hein?"
Engulo em seco. Qual é minha versão? Que eu não me lembro de nada? Que tento recuperar os fatos daquela noite, mas meu cérebro parece dar voltas ao redor de si mesmo sem alcançar nenhuma resposta?
"O que ela está fazendo aqui?", Carlos interrompe, vindo de dentro. "Falei que era pra não abrir a porta."
"Eu só quero conversar", digo. "Por favor!"
Carlos se aproxima de Solange e segura sua mão.
"Mas ela não quer conversar com você. Não é, amor?"
Solange encara o marido. Respira fundo e faz que sim, tensa.
"Não quero você incomodando minha família", ele continua, calmo. "Agora, sai da minha casa. Ou vou ligar pra segurança do condomínio."
"Você não pode me proibir de falar com a minha amiga!"
"Ela não é mais sua amiga. E eu posso fazer o que eu quiser." Carlos se aproxima, me intimidando com seu corpo opulento. "Anda, sai daqui! É o último aviso."
Caio de joelhos e começo a chorar. Levo as mãos à cabeça, soluçando sem parar. Imploro que Solange me escute. Ela se

mantém impassível, abraçada à Clarinha, enquanto Carlos tenta me empurrar para o elevador, sem encostar em mim. Quando noto, Vicente chegou e já está me levantando pelas axilas e puxando até a porta.

Inconformada, me desvencilho. Não quero ir embora. Não sem conversar com Solange. Começo a dizer algo, mas não dá tempo. Vicente me abraça por trás e me puxa até o elevador. Sei que estou perdendo a razão, mas já não tenho mais nada. É questão de vida ou morte. Grito com Vicente, que responde algo que não escuto direito. Tudo parece muito etéreo e distorcido, como se todos os sons estivessem abafados.

De repente, estou no nosso quarto, sentada na cama. Nem sei direito como vim parar aqui. Não me lembro de sair do elevador nem de entrar em casa. Todo o meu corpo treme e sua. A sensação de revolta é maior do que tudo. Choro sem parar, tento engolir os soluços, mas é impossível. Massageio as têmporas e enfio os dedos doloridos entre os cabelos para me acalmar. Vicente sai do banheiro falando alguma coisa e me estende um copo d'água. Na outra mão, mostra dois comprimidos cor-de-rosa. Aperto os lábios com força. Não quero apagar de novo. Sacudo a cabeça, como uma criança mimada.

"Você precisa se acalmar..."

"Me desculpa. Eu só queria... O grupo..." Minhas palavras se atropelam. "Até a Solange... Eu preciso falar com ela..."

"Você deixou o Lucas sozinho no ateliê, Eva. Ouvi os gritos dele no meio da reunião."

É só quando Vicente fala que me lembro do meu filho. Por alguns minutos, esqueci que ele existia. Será que ele está bem?

"O Carlos me ligou puto... Ameaçou chamar a polícia. O que você pensa que está fazendo, porra?!"

"Eu precisava me explicar, Vicente. Precisava me defender! Você não sabe o que aconteceu... Elas têm as fotos! A Andreia, a Márcia...”

“Eu sei. Eu vi.”

Vicente nunca comenta no grupo de WhatsApp da escola, então eu nem me lembrava de que ele estava ali. Será que foi excluído também? Ou está acompanhando o desenrolar das mensagens? Tenho vontade de perguntar isso, quero saber o que estão dizendo sobre mim, mas Vicente dá um soco na parede e grita para si mesmo:

“Porra! Puta que pariu! Como é que essa cagada foi acontecer?!” O desespero dele me desestabiliza. “Quem vazou essa merda? Quem fez isso?”

Dou de ombros.

“*Você* tirou as fotos, Vicente. Elas estavam no *seu* celular.”

“Quê? Você está me acusando?”

“Não, claro que não! Mas como pode? Será que alguém hackeou seu celular?”

Ele caminha de um lado para o outro, com o corpo curvado, os ombros pesando, a cabeça baixa. Nunca vi Vicente nesse estado. Também nunca vivi nada parecido com isso. Ele sabe que o que está acontecendo é grave, muito grave. E irreversível.

“Eu só mandei as fotos pra diretora”, ele diz, finalmente. Sua voz soa indignada. “Ela me pediu, lembra?”

Claro que lembro. Mas, por algum motivo, tenho dificuldades em imaginar Patrícia encaminhando fotos de duas crianças machucadas para outros pais. Ela também se prejudica com o vazamento.

Vicente entra no banheiro. Escuto a torneira da pia sendo aberta, acho que ele está lavando o rosto. Continuo na cama, encaro o copo d’água e o remédio na mesa de cabeceira. Ele volta, enxugando os cabelos com uma toalha de rosto, e me observa fixamente, como se tentasse me desvendar.

"Foi você, Eva?"

"Quê? Eu estou sendo apedrejada! Pra que ia vazar as fotos?"

Ele cruza os braços e suspira, impaciente. Pergunta de novo, sem piscar:

"Foi você?"

Só então entendo a pergunta. Não acredito que ele tem coragem de me interrogar desse jeito. Mal consigo concatenar as palavras. É como se, de repente, eu desconhecesse qualquer vocabulário.

"Só tinha eu e você aqui em casa na sexta... Com as meninas... E eu sei que não fiz nada..." Ele tira os óculos e esfrega as lentes com raiva na barra da camisa, limpando uma sujeira inexistente. Então os coloca de novo e me encara, adotando uma postura mais calma, passivo-agressiva, que conheço tão bem. "Me fala a verdade. Você bateu nelas?"

Encaro minhas mãos. Será que fui capaz de machucar as meninas? Será que mereço tudo o que estou vivendo, mesmo que não lembre? Não! A resposta é não! Preciso insistir nisso para manter minha sanidade. Então por que elas disseram que fui eu? No mesmo instante, um pensamento me ocorre: em nenhum momento eu escutei as meninas me acusarem. Na minha frente, ou mesmo na frente de Vicente, elas nunca disseram meu nome. Será que a diretora ou a tal da Mariana estão mentindo de propósito? Ou elas entenderam errado? Talvez Angela tenha apenas dito que foi a *mamãe*.

"A Alice", eu digo, baixinho, sem coragem. "O que aconteceu com a Alice, Vicente?"

Ele me devolve um olhar confuso.

"A Alice?"

"Por que você nunca me contou direito o que aconteceu com ela? Por que se recusa a conversar sobre o assunto?"

"Do que você está falando?!"

Hesito. Agora que estou prestes a dizer em voz alta parece absurdo.

“A Sara… Ela fez um desenho outro dia. Um desenho como se a Alice estivesse viva.”

Ele volta a andar de um lado para o outro, sacudindo a cabeça. De repente, chuta com força a lixeira de metal, que voa até a parede e espalha lenços de papel, embrulhos de bala e outros restos pelo quarto.

“Então é isso? Você vai acusar uma morta agora?!”

No mesmo instante, o choro de Lucas reverbera por toda a casa. Sem dúvida, o estardalhaço de Vicente o despertou. Ignoro os gritos do bebê e tento continuar firme no meu raciocínio.

“Nunca acharam o corpo dela, não é?”, pergunto. “Quem garante que a Alice está mesmo morta?”

“Eu… Eu garanto!”, Vicente responde. Ele segura meus braços com força, me apertando sem perceber. “Você está louca, Eva! Louca! Toma esse remédio agora ou…”

“Ou o quê? Você vai me chutar também? Que nem fez com a lixeira?”

Ele me solta no mesmo instante. Caminha para a porta e segura a maçaneta, colocando todo o peso nela. Ficamos em silêncio, enquanto Lucas revela seu fôlego impressionante, urrando em um volume digno de caixas de som potentes. Vicente vira a cabeça para me encarar mais uma vez. Mesmo no breu, vejo o desprezo em seus olhos.

“Quer saber? Não me interessa o que você pensa. Tenho que cuidar do meu filho.”

Ele sai, bate a porta e me deixa aqui sozinha. Tento ficar de pé, mas sinto muita dor. A solidão me angustia. Mesmo sem querer, percebo que vou começar a chorar de novo, mais alto do que Lucas no quarto ao lado.

Acabo aceitando que o melhor é me dopar por algum tempo, silenciar o turbilhão. Engulo os comprimidos com uma golada, tiro a roupa e me deito de olhos fechados. Na escuridão, acompanho os sons da casa: Vicente passa pelo corredor com Lucas, já mais calmo, no colo. Angela pergunta se está tudo bem comigo, e Sara quer saber se eles podem pedir pizza. Volto a pensar no desenho dela: a família feliz, perfeita, sem mim, mas com Alice. Alice sorridente, Alice de olhos profundos e misteriosos, Alice sendo devorada por peixinhos no fundo do mar… Em algum momento, durmo.

DUAS SEMANAS ANTES DO FIM

18.

Desperto e, tateando no escuro, me surpreendo ao encontrar Vicente ao meu lado, enroscado sob as cobertas, agarrado a dois travesseiros (um sob os braços, outro entre as pernas). Nas últimas noites, a cama king size pareceu um oceano infinito e vazio, onde eu borbulhava angústias e temores. Como uma adolescente apaixonada, fico momentaneamente feliz que ele esteja aqui. Levanto com cuidado para não acordá-lo e sigo para o banheiro na ponta dos pés.

Por um instinto de preservação, evito encarar o espelho, mas acabo encontrando meu próprio olhar. O impacto dos últimos dias está desenhado em cada canto do meu rosto: nas olheiras fundas, no cabelo oleoso e na pele pálida. A minha aparência péssima não tem nenhuma importância agora. *Quem está sabendo?* A pergunta me surge de repente. Olho para o celular ao lado da pia, com medo de pegá-lo. É como se o aparelho fosse um animal selvagem, capaz de me dar uma mordida a qualquer momento. Quantas mensagens recebi ao longo da noite? Será que as mães continuam a falar mal de mim até agora? Decido não pensar nisso. Não posso controlar o que os outros fazem ou dizem de mim. Preciso retomar minha vida, recuperar minha família, agradar minhas clientes e voltar a ter uma rotina. E é o que vou fazer.

Sentada na privada, ainda sonolenta, uso o celular apenas para ver que Lucas continua dormindo e confirmar que a agência dos Correios que fica dentro do condomínio abre aos sábados, das oito ao meio-dia. Agora são sete e dez. Sem lavar o rosto ou tomar banho (não quero acordar Vicente, que deve ter dormido mal por conta do bebê), sigo para o closet e escolho um vestido preto, largo e confortável. Me visto depressa, calço sandálias e vou para a cozinha procurar algo para beber. O leite acabou. As poucas frutas que restam estão passadas. Me sirvo de três copos d'água e concluo que é melhor passar no mercado antes de ir aos Correios.

Quem está sabendo? A pergunta volta quando saio de casa e entro no elevador, carregando a caixa de papelão com Bruno dentro. Quando chego ao térreo, hesito em sair. Minha vontade é apertar meu andar e ficar protegida em casa. Fecho as mãos, respiro fundo, tomo coragem e saio do elevador. Em sua mesinha, o porteiro, seu Pedro, um senhor muito magro e enrugado, me cumprimenta:

"Bom dia, dona Eva."

Há algo de diferente no tom dele? Não tenho certeza. Respondo com um gesto de cabeça e saio do prédio. O tempo melhorou, um sol tímido desponta entre muitas nuvens. Parece que não vai chover. O Blue Paradise ainda não acordou. Sigo pelos caminhos internos e pelas ruas menos movimentadas, passando por alguns seguranças uniformizados e moradores que fazem jogging e nem reparam em mim. Mesmo assim, toda vez que cruzo com alguém, aperto o passo.

Quando já estou bem perto do mercado, atravesso a rua no

mesmo instante em que a vizinha cadeirante vem no sentido contrário, acompanhada pelo marido. Tenho a nítida sensação de que eles me encaram um pouco mais demoradamente do que o normal. *Já estão sabendo?* Não, claro que não. Mal nos conhecemos. A filha deles é mais nova, não temos nenhum grupo de WhatsApp em comum. Sorrio como uma idiota para eles. A vizinha continua séria e diz alguma coisa para o marido que não consigo escutar. Eles não voltam a olhar para mim.

No supermercado, sigo pelas gôndolas de cabeça baixa, pegando tudo depressa, sem olhar direito a qualidade das frutas ou a validade do leite. *Quem está sabendo?* As senhorinhas madrugadoras que enchem suas cestas de alimentos frescos? Os funcionários uniformizados organizando as prateleiras? Tento não pensar nisso e termino as compras em menos de dez minutos sem encontrar nenhum conhecido. A moça do caixa mal olha na minha cara enquanto passa os produtos no leitor e estende a máquina do cartão. Melhor assim.

Quando saio, no entanto, percebo que o condomínio já começa a despertar: as ruas internas estão cheias de carros e pessoas a pé, babás uniformizadas levam as crianças e os bebês ao parquinho, atletas e jogadores se alongam e disputam nas quadras de tênis e de futebol. Preciso voltar para casa o quanto antes.

Às oito em ponto, chego ao mall anexo ao condomínio, com a maioria das lojas ainda fechadas. Sou a primeira a entrar na agência dos Correios, e um funcionário mal-humorado me apresenta as possibilidades de envio. Escolho a entrega mais rápida. Estou terminando de preencher as informações de endereço quando a sineta acima da porta apita, registrando a chegada de mais alguém. Num gesto instintivo, olho por sobre o ombro e vejo Vera, minha médica e vizinha, junto com o filho, Arthur, que estuda na turma das gêmeas. Ela congela ao me ver, não consegue disfarçar a surpresa. Aperta com força a mão de Arthur, narigudo e feioso, que protesta.

"Tá me machucando, mamãe", ele diz, com a voz fina.

Vera solta o filho, mas continua imóvel, os lábios crispados, a respiração ofegante. Sustento o olhar, mesmo apavorada.

"Pode vir, senhora", outro funcionário diz para ela, sem perceber a tensão entre nós duas.

De repente, Vera dá meia-volta e sai da agência sem dizer nada. Penso em correr atrás dela, tentar me explicar, mas não quero mais confusão. No futuro, tenho certeza de que todas essas pessoas vão se arrepender por me tratar assim. Termino de escrever o endereço de entrega, pago em dinheiro e vou embora. Nas ruas internas, começo a ver alguns rostos conhecidos. Meu coração palpita, minha pele esquenta. *Quem está sabendo?*

No parquinho, duas mães cochicham baixinho ao me ver. Mais adiante, outra mulher atravessa a rua para não passar por mim. Nas guaritas, os seguranças falam nos rádios quando passo; as babás sacodem a cabeça ou fecham a cara. Tenho a impressão de que estou sendo observada por todos. E de que estou sendo seguida. Tento caminhar mais depressa, entro pelo trajeto de pedras, coberto por árvores, então noto que estou correndo, desajeitada, com as sacolas de compras balançando nas mãos.

O pai de uma menina da escola — estou nervosa, não lembro os nomes — me encara de um jeito que parece que vai vir para cima de mim. Corro ainda mais. Falta pouco. Estou chegando ao meu bloco quando as alças de uma das sacolas plásticas se rompem e as frutas rolam pelo chão. Me apresso em catar tudo e colocar na outra, onde estão as caixas de leite. Pego as maçãs, o cacho de bananas e me estico para pegar um mamão quando algo estoura ao meu lado e respinga no meu braço. Passo a mão, sem entender — é gosmento. Outro estouro acontece, desta vez a centímetros do meu rosto. Zonza, reparo nos ovos arrebentados no asfalto. Estão jogando em mim!

Instintivamente, olho para cima, para a fachada pálida e imunda de janelas e as condensadoras de ar-condicionado. Não consigo ver quem está fazendo isso. No mesmo instante, outro ovo se estatela ao meu lado. Desisto das frutas e corro para o prédio, me protegendo debaixo da marquise. Entro, ofegante, tremendo dos pés à cabeça. Seu Pedro não está na portaria. Estou sozinha, e isso me desespera ainda mais. E se encontrar alguém no elevador? E se algum vizinho chegar? No mesmo instante, meu celular vibra. Olho no visor. É Vicente. Sem dúvida, ele acordou e se preocupou ao ver que eu não estava em casa. Desisto de atender e entro no elevador. Ele já tinha me ligado antes, cinco vezes. Nem ouvi.

Quando abro a porta, Vicente está na sala, de pé, com o telefone grudado ao ouvido, já me ligando outra vez, enquanto segura Lucas e lhe dá mamadeira. Ele desliga e se aproxima, agitado.

"Porra, onde você se meteu?"

Mostro a sacola de compras inchada, com duas caixas de leite e as frutas que consegui catar. Tento adotar um tom natural enquanto penso no mamão amassado que abandonei apodrecendo ao sol.

"Só fui ao mercado e passei nos Correios. Nada demais."

Minha voz sai mais frágil do que eu gostaria.

"Você não devia ter feito isso", ele diz.

"Qual é o problema? Não posso mais sair sozinha agora?"

Ele suspira, com as mãos na cintura.

"Meus pais ligaram preocupados... Ficaram sabendo do que aconteceu."

"Quê?" Até onde sei meus sogros estão viajando; nesse momento, em um cruzeiro de três meses pela Ásia, com pouco acesso à internet. E nenhum dos dois está nos grupos de WhatsApp da escola das gêmeas. "Como?"

"Não sei. Parece que uma amiga da minha mãe mandou mensagem pra ela..."

"Amiga da sua mãe? Alguém aqui do condomínio?"

Sem dizer mais nada, Vicente ajeita Lucas no colo e me estende o celular. Na tela, um site chamado Barra Alerta, com uma reportagem postada há três horas:

MADRASTA É SUSPEITA DE AGREDIR GRAVEMENTE ENTEADAS
EM CONDOMÍNIO DE CLASSE MÉDIA ALTA NA BARRA DA TIJUCA

Desço a matéria para ler o texto e vejo que está tudo ali: meu nome, o de Vicente, o da escola, o do prédio. Tem uma foto minha sorridente — a que postei com Lucas no Instagram. As fotos, os detalhes e as palavras *madrasta* e *enteadas* me atingem em cheio, deixando meu corpo frouxo e a cabeça pesada. Um líquido ácido sobe pela minha garganta e eu o engulo, entorpecida pela indignação. A coisa fugiu totalmente do controle. É como um câncer em metástase.

Todos estão sabendo.

19.

O domingo amanhece ensolarado. Estou acordada há muito tempo, desde as quatro. Por causa dos sedativos, meus horários estão trocados, o dia virou noite, estou cansada, dolorida ou dopada na maior parte do tempo. Quem cuida de Lucas é Vicente. Sinto meu corpo como se ele não fosse meu. Após ver a notícia na internet, engoli três comprimidos e dormi o sábado inteiro. Acordei no susto no meio da noite e não consegui mais pregar os olhos. Ainda era madrugada quando fui para a varanda e fiquei observando o condomínio deserto: os apartamentos no escuro, as quadras vazias, o parque e a piscina iluminados por holofotes de luz pálida, os carros na avenida lá longe, bem pequenininhos, como formigas. Agora, são oito horas e não aguento mais não fazer nada. Fico vagando pelos cômodos, sem rumo, como um fantasma.

Aos poucos, tento me acalmar. Aqui é minha casa. Tudo tem um pedaço meu: os quadros que compramos em uma viagem para a Bahia, a régua vertical na parede da cozinha, onde marco com canetinha a altura das meninas a cada aniversário, as almofadas coloridas que encontrei numa promoção on-line e deram nova vida ao sofá verde-musgo. É bem verdade que muitos móveis já estavam aqui quando cheguei, escolhidos possivelmente por Alice, mas prefiro não pensar nisso. Essa casa é minha, sinto-me segura aqui.

Entro no ateliê, tranco a porta e aproveito para organizar a bancada: limpo os pincéis, etiqueto os moldes, enfileiro as tintas. Depois, abro o notebook. Diferente das redes sociais, minha caixa de e-mails não oferece nenhum perigo. Sem pressa, recupero os e-mails que recebi nos últimos meses de potenciais clientes interessadas no meu trabalho e que não tive tempo de responder. Não são tantas mensagens assim. Respondo tudo em menos de uma hora, e ver minha caixa de entrada vazia me dá uma breve sensação de satisfação e controle. Ao ficar de pé, percebo que estou cheirando mal, especialmente no pescoço, nas axilas e nos cabelos. Não faço a menor ideia de quando foi a última vez que tomei banho.

Por volta do meio-dia, vou para o quarto e entro no chuveiro. Passo sabão por todo o corpo, mas não consigo relaxar. Fecho a torneira pouco depois; tenho urgência para algo que nem sei o que é. Quando saio do banheiro, com uma toalha enrolada ao corpo e outra nos cabelos, encontro Lucas de barriga para cima na cama e Vicente diante do armário aberto escolhendo uma camisa. Está de bermuda de linho e mocassins de couro: sua roupa típica para eventos diurnos de fim de semana. Vê-lo desse jeito me pega de surpresa. Aonde vai?

Antes que eu pergunte, Angela e Sara entram de mãos dadas, saltitantes, cheias de energia, com vestidos idênticos de manga longa e tênis com cadarços coloridos — a cada passo, luzes vermelhas, azuis e verdes piscam na sola.

"Tô pronta, papai", Angela diz.

Reparo que o rosto delas está levemente maquiado com blush, batom e purpurina no contorno dos olhos. Antes, nós fazíamos isso juntas e nos divertíamos com o estojo de maquiagem delas, experimentando combinações diante do espelho. Era um momento de conexão só nosso, que agora parece soterrado em um passado distante.

"Aonde vocês vão?"

"Na festa do Caio", Sara diz, abraçada a Pedrinho. "É hoje!"

Vicente me encara, antes de desviar o olhar para as filhas.

"Meus amores... Acho melhor a gente não ir..."

No mesmo instante, os olhos das duas se enchem de lágrimas. Sara espreme os lábios em um muxoxo, e se esforça para engolir o choro. Ela baixa a cabeça e engasga, começa a tossir. Meu primeiro impulso é me aproximar e perguntar se ela está bem, mas me contenho. Sinto que qualquer movimento que eu fizer pode ser mal interpretado. Angela aperta a mão da irmã e se volta para o pai, arrasada:

"Poxa, papai, você prometeu..."

"Eu sei, mas..." Ele não sabe como continuar. "Que tal se a gente for no cinema? E tomamos um sorvete depois!"

Elas continuam cabisbaixas, mas Vicente finge não ver. Escolhe uma camisa preta básica e a veste depressa. Pega o celular conectado ao carregador, a carteira na gaveta da mesa de cabeceira, ergue Lucas no colo e sai do quarto conversando baixinho com as filhas, num tom de consolo. Por um segundo, tenho mesmo a impressão de que virei um fantasma. É como se eu não estivesse aqui. Escuto a conversa deles na sala enquanto Vicente coloca Lucas no carrinho. Sara quer ver uma animação, mas Angela prefere um filme de super-herói.

De súbito, tomo uma decisão. Termino de me enxugar depressa e coloco o primeiro vestido que encontro no cabideiro. Mal tenho tempo de borrifar perfume. Calço sandálias confortáveis e me apresso até a sala, onde encontro Vicente já na porta com o carrinho, enquanto as gêmeas ainda discutem. Eles ficam surpresos ao me ver.

"Também vou", digo. "Estou doida pra ir ao cinema."

Antes que eles digam qualquer coisa, bato a porta e tranco com a chave. O elevador chega logo depois. Vicente empurra o carrinho até o fundo, enquanto as gêmeas se aninham no canto esquerdo. Entro por último e aperto o G, de garagem. Fico diante do visor, observando os andares baixarem, fingindo não reparar no vácuo ao centro da caixa metálica, como se nos repelíssemos uns aos outros. As três faces espelhadas do elevador reproduzem infinitamente nossa imagem, num caleidoscópio triste.

Do nada, o elevador dá um solavanco e para no terceiro andar. Perco o fôlego quando a porta se abre. Laura, a do jejum intermitente, está ali com Pedro e Thiago, também gêmeos, vestidos com a mesma combinação de bermuda e camiseta. Cada um deles segura um embrulho de papel colorido, envolvido por um laço dourado. Laura me encara com legítimo horror e tenta impedir quando seus filhos entram no elevador e apertam o P.

"Vem", ela diz. "A gente pega o próximo."

Os meninos ignoram a mãe e cumprimentam as gêmeas.

"Tem espaço... Vem logo", Pedro (ou Thiago) diz. "A festa já começou."

Laura hesita, mas, quando a porta começa a se fechar, ela estende o braço e entra no elevador, vencida. Agarra as mãos dos filhos, mantendo a cabeça baixa. Seu perfume adocicado preenche todo o ambiente. A descida parece durar uma eternidade. Ficamos espremidos, em silêncio; um silêncio duro e tóxico, até que o elevador para no Play e um som abafado chega do salão de festas. Está tocando Anitta. É uma situação patética e embaraçosa.

"Vocês não vêm?", Thiago (ou Pedro) pergunta para as gêmeas.

Sem esperar a resposta, Laura puxa os dois com truculência

e se afasta. Enquanto o elevador desce até a garagem e caminhamos entre os pilotis até nossa vaga, evito olhar para as meninas. Posso imaginar como elas estão feridas e chateadas com tudo isso, e sua frustração me enche de pena. As duas também estão sendo punidas. Punidas pela selvageria de pessoas que só sabem brigar, criticar e julgar. Essa raiva coletiva, irracional e abstrata não atinge só a mim. Estou tão distraída com meus pensamentos que demoro a assimilar a imagem diante dos meus olhos.

O carro está completamente destruído e imundo, com vidros estourados, manchas de ovo, farinha e um líquido gosmento vermelho escorrendo pelas portas e pelo capô. Lixo foi jogado dentro, e escreveram com um spray de tinta preta, em letras grandes: PIRANHA, VACA, CRIMINOSA. Na porta do motorista, PSICOPATA foi riscado na lataria. Do outro lado: MORRE, PUTA!

Não consigo acreditar no que estou vendo. Sinto o pânico pressionar meu peito e busco o olhar de Vicente, mas ele está mais afastado, abraçado às meninas, tentando evitar que elas vejam o estrago. No carrinho de bebê, Lucas começou a choramingar, como se entendesse o que está acontecendo. Um ódio profundo me invade, uma sensação tão intensa que nunca imaginei existir dentro de mim. Não adianta ter medo. Não adianta me acovardar. Preciso reagir. Depressa, volto para o hall, enquanto Vicente grita meu nome. Desisto de esperar o elevador e subo a escada de emergência. São apenas dois andares até o salão de festas.

Ouço a música de longe. *Tá na hora, tá na hora. Tá na hora de brincar. Pula, pula, bole, bole. Se embolando sem parar.* Entro no salão sem dar tempo para a garota na porta, responsável por recolher os presentes e conferir a lista de convidados, me impedir. Com o coração na boca, passo os olhos pela festa suntuosa que Márcia preparou para seu pirralho: garçons uniformizados servem salgadinhos e refrigerante entre as mesas redondas para os convidados. Logo na entrada, uma barraquinha prepara cachorros-quentes e minipizzas. Outra barraca serve churros, algodão-doce e sorvete. Na lateral, uma animadora vestida de palhaço e um mágico interagem com as crianças, incentivando todo mundo a repetir os passos da dança. *Dá um pulo, vai pra frente. De peixinho vai pra trás. Quem quiser brincar com a gente... Pode vir, nunca é demais!*

A perua da Márcia, vestida com uma extravagante roupa de oncinha, conversa animada com outras mães, gesticulando muito e rindo, mas sua alegria desaparece ao me ver. Devolvo um sorriso de desprezo e caminho entre as mesas, percebendo os olhares se voltarem para mim. O burburinho cresce conforme avanço para o fundo, onde uma dezena de balões dourados circundam a mesa do bolo, enfeitada com doces coloridos, miniaturas de jogadores de futebol e um bolo com o escudo do Flamengo. Quando um garçom passa por mim, alcanço uma tulipa de cerveja e a bebo em goladas, fingindo naturalidade. De rabo de olho, vejo Solange ao canto, enchendo um prato de salgadinhos. Ela congela ao me ver. *Ilari, ilari, ilariê, oh-oh-oh.*

Márcia se aproxima e segura meu braço com força.

Ilari, ilariê, oh-oh-oh.

"O que você tá fazendo, Eva? Vai embora", ela diz, baixo. Não quer estragar a festa do filhote.

Ilari, ilari, ilariê, oh-oh-oh.

"As pessoas não estão confortáveis com você aqui", completa.

É a turma da Xuxa que vai dando o seu alô.

Puxo meu braço de maneira brusca e aproveito para pegar outra tulipa de cerveja.

"Ué... Você me convidou, Márcia. Eu só quero me distrair. Me deixa."

Vejo Vicente entrar no salão todo atrapalhado com o carrinho de bebê. Ao lado dele, Sara e Angela observam, assustadas. Ele faz um gesto para que eu saia, mas foda-se. Fui convidada.

"Vai embora. É o último aviso", Márcia diz. Sinto as unhas dela cravando mais fundo no meu braço. "Você não vai estragar a festa do meu filho."

"E você... Vocês! Vocês não vão estragar a minha vida!"

"Fala baixo! Fala baixo!"

"Falo como eu quiser! Vocês não vão me destruir! Não vão destruir minha família!"

Todos os convidados param de se empanturrar, as crianças não dançam mais. "Ilariê" terminou, e "Amigo, estou aqui" começou a tocar. Odeio essa música. *Amigo, estou aqui, amigo, estou aqui! Se a fase é ruim... E são tantos problemas que não têm fim... Não se esqueça que ouviu de mim. Amigo estou aqui!* Até outro dia, essas pessoas eram minhas amigas. Minhas melhores amigas. Agora ficam me encarando com cara de merda, com os celulares a postos, os flashes ligados, voltados para mim.

"Pode filmar... Não vou aceitar calada... Não vou!" Quando percebo, estou gritando. "Eu tenho o direito de me defender! Vocês são péssimos! Monstros!"

"Monstra é você!", alguém grita.

"Vagabunda!"

"Vai embora, sua louca!"

"Tenho pena de você", Solange diz. E ouvir isso dela me machuca demais.

"Vem comigo, Eva!", Vicente chama mais de perto. "Vem agora!"

Eles continuam a me xingar sem parar. Estou tão atordoada que levo um susto quando Márcia puxa meus cabelos. No reflexo, eu a empurro com força e, agarradas, tropeçamos numa mesa e caímos no chão. Márcia monta sobre mim e arranha meu rosto com as unhas de acrigel que deve ter feito só para essa porcaria de festa. Sacudo as pernas e os braços para tentar me desvencilhar. *Amigo, estou aqui, amigo, estou aqui! Os seus problemas são meus também! E isso eu faço por você e mais ninguém! O que eu quero é ver o seu bem.* Cadê Vicente? Em meio à confusão, busco por ele, mas não encontro — há uma barreira de curiosos que observam e filmam a briga, sem se intrometer. Apanho mais e mais, sinto um inchaço embaixo do olho. Finalmente, consigo dobrar a perna e dar uma joelhada em Márcia. Ela se encolhe. Aproveito para me soltar e ganhar vantagem, montando sobre ela. Estapeio Márcia e puxo seus cabelos, quando, de repente, um grito me paralisa.

"Papaaaaai! A Sara!"

De repente, todas as atenções se voltam para a porta. Tento ficar de pé, ofegante e machucada. Todo o meu corpo dói. Olho ao redor e vejo a bagunça que fizemos: cadeiras caídas, toalhas de mesa jogadas no chão com pratinhos plásticos amassados, salgados pisoteados e arranjos de flores destruídos. Na entrada, outra roda de curiosos se formou, olhando para baixo. Escuto uma respiração pesada, sufocante, soluços intensos.

"Chama uma ambulância!", alguém grita. "Chama uma ambulância!"

Desnorteada, abro caminho na multidão para entender o que está acontecendo. Sara está no chão, contorcida como uma boneca. Vicente está ao lado dela, medindo a pulsação e fazendo exercícios respiratórios. Ela se esforça para respirar, sobe e desce o peito inutilmente, enquanto escancara a boca. É como se o ar tivesse desaparecido. Com ajuda de Angela, Vicente desabotoa o vestido de Sara para que ela respire melhor. Os hematomas pelo corpo dela me horrorizam como se fosse a primeira vez; mesmo assim chego perto. Vicente me afasta com um empurrão.

"Vai pra lá… Não atrapalha. Olha o que você fez!"

O ódio na voz dele só não é mais forte do que o desespero.

Ele se volta para Sara e tenta outro exercício respiratório. Faço menção de me aproximar de novo, mas sou segurada por Carlos e outro vizinho. Penso em me debater, mas desisto. Sem poder fazer nada, observo Sara sufocar em espasmos violentos. As mãos fechadas em desespero amassam o rosto do reborn Pedrinho, e sua crise fica tão intensa que ela engasga e tosse sangue. Seu rosto vai arroxeando. Desesperada, só consigo pensar no que Vicente acabou de me dizer: *Olha o que você fez!*

Dentro da banheira, meu corpo pulsa, meus músculos ardem, sinto uma vibração que se acumula dentro de mim. O vapor quente cria uma espécie de neblina no banheiro e me permito ficar de olhos fechados por algum tempo, imóvel, com a cabeça dentro d'água, prendendo a respiração, como se tudo ao meu redor flutuasse. Então, sou invadida por pensamentos ruins, uma sensação crescente de que uma tragédia se aproxima e não pode ser evitada. Volto à superfície, no limite do sufocamento, e puxo o ar. Estou há horas aqui dentro, em banho-maria. Passo os dedos enrugados pelos arranhões na pele. Noto um hematoma na coxa e a marca da mão de Márcia no meu antebraço esquerdo. Sei que meu rosto também está machucado e inchado, porque a água foi ganhando um tom sutil de vermelho conforme eu molhava os cabelos. De modo estranho, estou tão ferida emocionalmente que os machucados não me parecem graves. Sinto que sou imune a qualquer tipo de dor.

Alcanço o celular que deixei na banqueta. São quatro e dez da madrugada, e Vicente não enviou mais nenhuma mensagem. Quando os paramédicos chegaram, ele foi com Sara, Angela e Lucas na ambulância e mandou que eu voltasse sozinha para casa. Seu último contato foi antes da meia-noite informando que o estado de Sara era estável, mas ela continuava em observação. A expectativa por mais informações é pior do que tudo. Penso em ligar para ele, mas desisto. Sei que vai me contar caso surja qualquer novidade.

Em vez de deixar o celular de lado, não resisto em acessar os stories das poucas pessoas do condomínio que ainda não me bloquearam. Minha briga com Márcia foi registrada dos mais diversos ângulos. Um dos vídeos, filmado bem de perto, foi postado no YouTube há quatro horas e já conta com seis mil visualizações e centenas de comentários. Prefiro não ler o que estão falando sobre mim. Talvez eu esteja em negação. Ou talvez tenha chegado ao meu limite. Estou tão fraca que não tenho mais forças para sofrer. Estou seca por dentro.

Saio da banheira e me enxugo sem pressa. Escolho uma roupa confortável, sigo para o quarto do Lucas e fico na escuridão por muito tempo, observando o berço vazio. Meus olhos pesam, meus ombros latejam, estou cheia de sono, mas não vou descansar enquanto não tiver notícias de Sara. O que mais quero é que ela fique bem.

Quando o dia ameaça nascer, vou para a sala e fico no sofá, encarando a porta com a expectativa de que Vicente entre a qualquer momento, o que não acontece. Ligo a TV e tento pensar em outra coisa, me distrair. É impossível. Já são cinco e meia da manhã, Vicente não pode demorar muito mais. Espero. E espero mais um pouco. De repente, desperto da sonolência com um barulho de chave na porta. Não sei se cochilei por um minuto ou uma hora. O sol entra forte pelos janelões da varanda e ilumina toda a sala. Fico de pé tão depressa que até tonteio.

Vicente entra no apartamento ao lado de Angela e manda que ela vá direto para o quarto. A menina obedece, sumindo pelo corredor sem olhar para mim. Lucas está no colo dele, bem desperto, atento a tudo. Antes que eu me aproxime, Vicente faz um gesto na direção da porta entreaberta e um jovem de cabelos arrepiados aparece. Em um tom formal, o sujeito se apresenta como agente de polícia, confirma meu nome e me estende um papel e uma caneta.

"A senhora está intimada a prestar depoimento. Na próxima quarta. Pode assinar, por favor?"

Passo os olhos pelo texto e assino no automático. O policial deixa uma cópia comigo, deseja um bom-dia e vai embora, fechando a porta. Volto a encarar o papel que assinei, mas as letras se embaralham. Deixo a intimação de lado, como se não fosse importante. Tenho preocupações mais urgentes.

"E a Sara?"

"Continua no hospital, foi intubada. O pulmão dela já estava fraco. E o estresse piorou tudo."

O estresse que você causou, fica implícito.

"Desculpa, eu não queria..."

"Parece que ela não estava tomando os remédios nos últimos meses..."

"Mas ela estava." Soo mais defensiva do que pretendia. "O dr. Ary até comentou que talvez fosse o caso de mudar a medicação depois dos exames."

Mas não fizemos os exames, porque nossa vida virou um pesadelo, penso. Vicente vai até o quarto para deixar Lucas no berço. Depois, segue para a cozinha e se serve de um copo d'água. Quando ele volta, me encara:

"Tem certeza? Você não se esqueceu de dar o remédio nenhum dia?"

"Como pode duvidar tanto de mim?"

Ele bebe em goladas. Então, suspira. Os cabelos bagunçados, a pele oleosa e a camisa de linho amassada, com manchas de sangue na gola, confirmam que está destruído.

"Não vai falar nada?"

Não sei o que Vicente quer saber. Como continuo em silêncio, ele insiste:

"Tem alguma noção do que causou ontem? Aquela confusão toda?"

"A Márcia que começou. Ela veio pra cima de mim, me atacou."

"Você invadiu a festa do filho dela."

"Ela convidou a gente!"

"Eva, por favor, sem hipocrisia! Você foi lá pra provocar."

"Eu só estava me defendendo."

"Não é isso que os vídeos mostram..."

Então ele também tinha visto. Uma (sem dúvida, mais de uma) daquelas milhares de visualizações era dele. Acuada, resolvo partir para o ataque:

"E você? Onde você estava na hora da briga, Vicente? Por que não me defendeu?"

"Não adianta entrar em guerra com o condomínio inteiro!"

"Eu estou sendo atacada. Olha o que fizeram comigo..." Mostro o hematoma na coxa, mas Vicente não parece se abalar. "Preciso reagir."

"Você reage de maneira irracional!"

"Espalham fotos das nossas filhas no WhatsApp, jogam ovos na minha cabeça, picham nosso carro e sou eu, EU, que estou agindo de maneira irracional?"

Percebo que estou perdendo o controle e penso em pedir desculpas, mas já estou cansada de me desculpar por tudo. E é tarde; Vicente está chorando. Ele se aproxima de mim e me encara com os olhos fundos, opacos:

"Será que você não entende? Quando viram os machucados na Sara, os médicos ligaram pra polícia, Eva. Fizeram corpo de delito nela e na Angela. Elas vão depor. Eu também fui intimado. E os vizinhos vão ser chamados, claro. O que acha que vão falar de você?”

Eu me fecho, arisca, e sacudo a cabeça.

“Os próximos dias vão ser intensos. Preciso pensar nas minhas filhas”, ele diz. “Refleti muito e... É melhor você se afastar por um tempo.”

“Quê?”

“As coisas não podem fugir do controle de novo.”

“Você está me expulsando de casa?”

“Eu não queria. Mas é o melhor no momento...”

Nego com a cabeça, como uma criança birrenta.

“Melhor pra quem?”

“Pra todos nós. Pra nossa família. Agora que essa história cresceu, não é só você que está nos holofotes... Eu também corro perigo. Sou culpado por omissão, por não ter informado à polícia antes. O Conselho Tutelar...”

“Estou cagando pro Conselho Tutelar.”

“Eu não.” Um nó se entala em sua garganta. Ele tenta engolir, mas não consegue e acaba fazendo uma careta. As lágrimas voltam a escorrer, desta vez muito mais forte. “Eles podem tirar as meninas de mim, Eva.”

Vicente afunda o rosto nas mãos. Nunca o vi desse jeito, tão vulnerável. Eu me aproximo para abraçá-lo, mas ele segura meus ombros.

“Você precisa ir embora. Hoje. Agora.”

“Mas pra onde eu vou?”

“Já que você é tão apegada à casa da sua mãe, aproveita e vai pra lá...”

A sugestão me apavora, mas não tenho outro lugar para ir.

“E o Lucas?”

“Meu filho fica”, ele diz, seco. “Vou arrumar sua mala.”

20.

Mãe é quem cuida, quem protege, quem ama acima de tudo. É para a mãe que você liga quando está em dúvida, quando fez besteira, quando precisa confessar o inconfessável, quando está prestes a tomar uma decisão que vai mudar sua vida. Mãe nunca julga; acolhe. Mãe abraça, beija, dá colo. Mãe consola, ensina, ajuda sem pensar. Mas o que você faz quando sua mãe é uma grandissíssima filha da puta?

Sentada no chão de madeira, encaro a foto de Alma sobre a cômoda, com sua pose impecável, a cabeça levemente inclinada para a direita, a expressão séria e indecifrável, me vigiando com seus olhos profundos. Hoje, quando cheguei, pensei em jogar a foto fora, mas não tive coragem. Algo me impede; uma sensação estranha de que, mesmo que ela esteja morta, essa casa não é minha, é dela.

Estou parada aqui há horas, descalça, de short e blusão largo, observando a sala mergulhada na penumbra, enquanto seguro o porta-retratos que trouxe comigo, com as duas fotos da nossa família. Vicente enfiou quase todas as roupas do meu armário em duas malas de viagem, me chamou um Uber e disse que se encarregaria de pagar as contas atrasadas e cobrar que a luz e o gás voltassem. Acendi duas velas para não ficar na completa escuridão. Recostada, estudo as sombras agigantadas que as chamas criam nas paredes, me distraio com as silhuetas das bonecas do meu pai na cristaleira, tento não pensar em nada, mas é impossível.

Essa casa não está apenas atulhada de objetos, móveis e papéis velhos, mas também de pesadelos. Os gritos da minha mãe ainda ecoam pelos cômodos. Não consigo me lembrar da voz dela calma, conversando sobre assuntos normais, mas sou capaz de escutar claramente suas ofensas aos berros, sempre cuspindo, com o indicador em riste — como se ela estivesse aqui agora mesmo, diante de mim.

Balanço a cabeça e alcanço o celular. São duas e vinte da madrugada. Perdi totalmente a noção do tempo. Logo que cheguei, fui ao mercado a duas quadras daqui e comprei coisas que não precisam de geladeira, como pão e biscoitos, e produtos de limpeza. Então tentei me ocupar de atividades práticas para não ficar revirando memórias. Fiz uma faxina pesada na sala, no banheiro e na cozinha: tirei o pó dos móveis e dos tapetes, passei pano nas janelas, joguei fora tudo o que estava velho e quebrado. Fazia um calor intenso. Depois de algumas horas, suada, deixei os sacos de lixo diante da mureta recém-pintada e, contornando pela lateral externa, fui até o jardim. Vi o anoitecer sentada no balanço da minha infância, desejando um cigarro, mesmo que nunca tenha fumado.

Agora, estou exausta, cheia de dores, mas não consigo descansar. A casa continua abafada, o ar não circula aqui dentro. Mesmo depois da limpeza, os cômodos mantêm seu cheiro ocre e enjoativo. Abro o WhatsApp para ver se chegou alguma notícia de Vicente. Nada. As últimas mensagens que enviei para ele, perguntando sobre o estado de Sara, nem foram visualizadas. Tento não ficar preocupada e contenho a vontade absurda de ligar. Está tarde. Ele deve estar dormindo.

Sem pensar muito, entro no Instagram e descubro que meu número de seguidores subiu para quase nove mil. Quem são essas pessoas? Por que passaram a me seguir? Recebi dezenas de recados inbox e comentários nas minhas fotos. Mesmo imaginando o que vou encontrar, acesso as mensagens: áudios com xingamentos, pedidos de entrevista e nudes enviadas por perfis falsos. No meu feed, há muitos comentários nas fotos de trabalho e, principalmente, na foto que postei com Lucas. *De que adianta ser mãe desse menino lindo e ser uma vaca louca????* Ou *Ansioso pra ver essa puta que bate em criança na cadeia!* Ou *É verdade, Eva? A comunidade reborn está decepcionada com você.* Ou *Tadinho desse bebê!!!! Não sabe q a mãe é uma psicopata maluca!!!!!*

A maioria dessas pessoas nem me conhece. Elas extravasam seus ódios e frustrações, se indignam e me ofendem para provar para todos, até para si mesmas, que são diferentes de mim. Me tacham de puta, vadia e criminosa; alguns sugerem que devo ser internada, presa ou morta. Quase todos me chamam de louca. Louca, maluca, doente mental, surtada, psicopata e esquizofrênica. De maneira surpreendente, nada disso me afeta. Minha mãe fazia muito pior.

Não resisto à curiosidade de clicar no link do YouTube com o vídeo da minha briga com Márcia. O número de visualizações duplicou, e o assunto se estendeu. Em outras redes sociais, postam memes, criam hashtags (#reborndomal #evapsicopata), perguntam quais são meus perfis no Instagram e Facebook, querem saber se eu já fui presa e usam fotos do meu site para opinar sobre meu trabalho: *Tá na cara que essa mulher não é normal!!!!* Ou *Na boa, morro de medo desses bonecos bizarros!!! Sem dúvida, ela já bateu nas filhas antes!* Ou *Acabei de ler num site que ela não é mãe das meninas, é madrasta! Tipo uma madrasta da Disney que faz bebês macabros!!!*

Colecionadores e cegonhas entraram na conversa: *Não vamos confundir! Nós que amamos reborns já sofremos muito preconceito. Não tem nada de bizarro nesse trabalho!* Ou *Se ela bateu nas enteadas, que pague!!!! Mas isso não tem nada a ver com o universo lindo dos reborns.* Em pouco tempo, a discussão deixou de ser sobre a briga na festa, sobre os machucados nas gêmeas ou até mesmo sobre mim e passou a ser sobre o preconceito contra a arte reborn.

Para tentar melhorar o humor, abro o aplicativo BarraSafe. É provável que Lucas esteja dormindo, embora continue acordando várias vezes durante a noite, e ver meu filho descansando no berço vai me fazer bem. Fico surpresa ao descobrir que a câmera aparece como off-line. Só pode ser algum erro. Afinal, Vicente não teria motivo para desligá-la.

Deixo o celular de lado e fico de pé, sentindo uma forte cãibra na perna. Preciso tomar uma decisão simples, que adiei ao longo do dia: onde vou dormir? O quarto da minha mãe está fora de cogitação — muitas coisas ruins aconteceram nele. Só resta meu antigo quarto. Há anos não entro nele, mas chegou a hora.

Minha determinação começa a vacilar quase no mesmo instante em que enfio na porta a chave que peguei na gaveta da cozinha, segurando a maçaneta enferrujada. Acendo a lanterna do celular e respiro fundo antes de dar o primeiro passo. Com o feixe de luz, varro o espaço minúsculo e abarrotado que me abrigou por tantos anos. A cama de solteiro onde eu dormia está encostada no canto, coberta de caixas empilhadas que afundam o colchão. As portas entreabertas do guarda-roupa de madeira revelam cabides vazios, pilhas de apostilas e livros da faculdade que não me dei ao trabalho de vender ou jogar fora, e mais caixas de papelão. Preciso dar uma organizada mínima para tentar algumas horas de sono confortável. Sem dúvida, os sedativos que Vicente me deu ajudariam a apagar, mas não estou com vontade de tomá-los.

Com gestos automáticos, retiro as caixas de cima da cama e coloco tudo no chão ou dentro do armário. Uma delas está muito pesada e quase rasgando. Abro: tem doze garrafas empoeiradas de uísque. Até o final da vida, minha mãe bebia todos os dias. E muito. Os momentos em que ela estava alterada eram os piores. Resisto à tentação de abrir uma das garrafas e sigo em frente.

Em outra caixa, encontro troféus e medalhas descascadas de campeonatos de natação e handebol que recebi na infância. Eu fazia parte de vários times. Cada prêmio que eu ganhava me enchia de orgulho, mas, em casa, minha mãe fazia questão de destruí-los na minha frente. "Não quero que você fique se achando!", ela dizia. Chorando, eu catava cada pedaço no lixo e colava tudo. E, assim, remendados, com veios grossos de cola seca, ela deixava que eu os guardasse.

Sinto um medo quase físico de revirar essas memórias, mas preciso terminar o que comecei o mais rápido possível. Crio pilhas de caixas em um canto, coloco toda a papelada inútil num saco preto de lixo. O silêncio é total, ouço apenas minha respiração, e vou me acalmando. Já estou quase no fim quando vejo, no fundo de uma das caixas, o caderno amarelo.

Meu primeiro impulso é deixá-lo onde está, fingir que não vi, mas não adianta. Deito com o rosto colado ao piso de madeira e estico o braço, tateando a escuridão — no passado, me escondi muitas vezes debaixo da cama. Agora, a fresta mal dá passagem para minha cabeça. Eu me sento no colchão, segurando-o no colo. Aparentemente, é um caderno comum, de escola. As páginas estão gastas na lateral, sinal dos anos de uso, mas a capa dura permanece milagrosamente intacta.

Meu diário. Pensei que minha mãe o tivesse jogado fora há

muito tempo. A pequena Eva está aqui dentro, cheia de medos e sonhos. Hesito em ler, não quero dar brecha para me sentir pior do que já estou. Minhas mãos suam, sinto meu estômago se revirar. O sangue pulsa nas minhas têmporas, não consigo raciocinar direito, mas sei que vou ser vencida pela curiosidade. Prendo a respiração e abro o diário em uma página qualquer.

Hoje foi um dia feliz. A professora Sandra devolveu as provas de matemática corrigidas e eu tirei nove. Foi uma das maiores notas da turma. Mas não foi isso que me deixou feliz. O Léo veio falar comigo durante o recreio. Me deu parabéns pela nota e disse que está animado para o interescolar de vôlei. Eu não sabia que ele ia ver os jogos, mas ele disse que vai, sim. Vou pra te ver, foi o que o Léo falou.

Fiquei cheia de vergonha, até meio vermelha. Ele notou e começou a rir de um jeito fofo. Fui ficando nervosa e mais nervosa. Inventei uma desculpa, falei que tinha combinado de encontrar a Catarina e a Helena, e voltei pra sala. Não consegui prestar mais atenção na aula. Acho que estou gostando do Léo. Ele é lindo, engraçado e é um dos poucos meninos da turma que falam comigo. Gosto muito do cabelo dele, e também do jeito dele, que não é bobo que nem o dos outros meninos. Mas não sei se ele gosta mesmo de mim ou se estou inventando coisa.

O trecho me emociona. Eu não tinha noção de que escrevia tão bem nessa idade, não há erros perceptíveis. Também não lembrava que minha caligrafia era tão bonita, com as letras arredondadas, todas juntinhas. Hoje em dia, não escrevo mais assim — uso letras de forma. Perdi a prática.

Folheio mais um pouco e decido ler outra página:

Aconteceu de novo, igual semana passada. Eu estava no quarto, fazendo o dever de casa, quando minha mãe começou a gritar sem motivo de dentro da banheira. Depois, ela gritou na sala, gritou nos corredores e entrou no meu quarto para gritar também. Ela estava chorando muito, com a voz arrastada e confusa. Não entendi direito o que queria, mas ela repetia sem parar o nome do meu pai. Como se ele estivesse em casa.

Senti um cheiro forte de álcool. Tenho certeza que ela bebeu de novo, mas não falei nada porque sabia como minha mãe ia reagir. Pedi para ela ficar calma e perguntei se tinha tomado os remédios. Minha mãe disse que sim, claro que sim. Remédio com uísque, só pode ser. Ela parecia um zumbi. Era impossível conversar. Do nada, minha mãe segurou meus braços com raiva e começou a me dizer coisas horríveis, me chamou de inútil, de imprestável, disse que sou um fardo na vida dela. Não importa o que eu faço, nunca é suficiente. Ela me odeia. E eu também odeio ela. Ela só quer saber do meu pai. Eu também queria que ele estivesse aqui. Mas ele morreu.

Termino de ler a página e percebo que estou tremendo — a luz da lanterna do celular, que seguro com a outra mão, treme. Gotas de suor escorrem pelas minhas costas e entre meus seios. Minha mãe era obcecada pelo meu pai. Durante seus surtos, ela chamava o nome dele sem parar. E sempre colocava a culpa em mim: segundo ela, meu pai tinha ido embora porque eu era uma péssima filha, porque eu era preguiçosa e não ajudava em nada, porque a convivência comigo se tornou insuportável. Era fácil fazer essas acusações: meu pai não estava mais entre nós.

Um ano depois de sair de casa, ele morreu atropelado. O responsável nunca foi encontrado. De modo difuso, minha mãe me culpava até mesmo pelo acidente — era como se, não fosse por mim, meu pai não estaria naquela rua, naquela hora, naquela noite e, por consequência, não teria morrido. Pelo que eu soube mais tarde, ele tinha arranjado uma nova namorada e estava recomeçando a vida. Isso devia ser insuportável para minha mãe. Até hoje, me pergunto se não foi ela que o matou.

Volto ao diário.

Não sei o que pensar. Estou nervosa e com medo até agora. Essa semana, a gente fez um trabalho especial na escola, para o Dia das Mães. A Beth, professora de artes, pediu pra cada um pensar no que queria. Decidi fazer uma pintura inspirada em uma fotografia da minha mãe. Ela gosta de quadros, tem vários aqui em casa. Peguei a foto dela na formatura sem ela saber. Ia ser uma surpresa. Desenhei minha mãe de um jeito lindo na cartolina, bem colorido, do jeito que eu sei que ela gosta. A professora elogiou, disse que ela ia amar. O Léo também veio elogiar e me deu um presente: uma pulseirinha. Ele fez uma pra mãe e outra pra mim, com meu nome escrito, corações e estrelas nas continhas. Coloquei na hora. Ele disse que fiquei linda e me matou de vergonha de novo.

Na saída da aula, enrolei a cartolina bem bonitinha, desenhei copos-de-leite na embalagem (são as flores favoritas da minha mãe) e fui caminhando de volta para casa. É bem rápido. Menos de dez minutos. Mas, quando estava chegando na esquina, pensei que era melhor esconder a pulseirinha. Minha mãe ia notar e não ia gostar. E foi então que pensei que não estava com vontade de dar presente nenhum para ela. Minha mãe não merece. Sem pensar, amassei a cartolina com as mãos, pisei nela, picotei todinha e joguei na lixeira.

Logo depois, me arrependi. Mas era tarde demais. Não dava tempo de fazer outro desenho. E, se eu demorasse a chegar, minha mãe ia estranhar. Ela sempre controla meus horários. Cheguei em casa, muito tensa, mas ela não falou nada. Achei que nem lembrava que era Dia das Mães. Agora de noite, ela entrou no meu quarto. Gritava e chorava, me chamando de ingrata. Ficou sabendo pela vizinha que todas as mães ganharam presente. Menos ela. Tentei inventar alguma coisa, mas não deu. Ela segurou meus braços com força e foi me arrastando até o banheiro. Comecei a chorar e pedir desculpas, mas ela não queria saber.

Tentei sair correndo e minha mãe me segurou, puxou meu cabelo e enfiou minha cabeça na banheira cheia. A água encheu minha boca, meu nariz, meus olhos e até meus ouvidos. Lutei pra escapar, mas ela estava em cima de mim, gritando que eu ia pagar por tudo, que eu era filha do diabo. Quanto mais eu sacudia os braços e as pernas, mais ela afundava minha cabeça. A água borbulhava. Senti minha força ir embora. Pensei que ia morrer. E só pensava no meu pai. Por que ele não está aqui pra me proteger?

Interrompo a leitura. Estou ofegante, sem ar, em pânico. Encaro minhas mãos — as veias azuis saltam sob a pele. Largo o diário sobre a cama, saio do quarto e corro até a sala. Tudo o que acabo de ler se revolve dentro de mim. Alcanço o porta-retratos na cômoda e, trêmula, retiro a foto da minha mãe da moldura. Picoto e jogo os pedacinhos pela janela entreaberta. Sem querer, arranho o polegar na grade enferrujada. Eu o levo à boca e sinto gosto de ferro. Não consigo deixar de pensar que, onde quer que minha mãe se encontre, ela deve estar sorrindo ao me ver desse jeito, destruída, sangrando.

21.

Chego à delegacia às nove e dez; vinte minutos antes do horário marcado. Envio mensagem perguntando se Vicente está chegando, mas ele não responde. Espero sentada na entrada, observando o movimento. Ninguém parece prestar atenção em mim. O lugar é todo cinza e arrumado, com um ar-condicionado na temperatura mínima para tentar vencer o verão carioca. Alguns policiais caminham depressa de um lado para outro, entrando e saindo de salas, outros estão sentados diante de suas baias, digitando sem parar ou folheando pastas de investigação. Qual deles é responsável pelo caso das meninas? Tento adivinhar, troco olhares, mas nenhum parece me reconhecer.

Curiosamente, não estou nervosa, nem tensa. *Ansiosa* talvez seja a palavra certa. Não vejo a hora de encontrar Vicente e dar um beijo no meu bebê. Passar a terça-feira sozinha naquela casa foi horrível. Ao longo do dia, enviei muitas mensagens para ele, especialmente pedindo notícias sobre Sara, mas Vicente só me respondeu uma vez, monossilábico, frio, talvez até irritado. Sei que ele está ocupado com questões mais graves e urgentes, e fiquei feliz quando ele se ofereceu para me acompanhar no depoimento de hoje.

Às nove e meia em ponto, Vicente chega afobado, com duas marcas de suor na camisa social. Ele se desculpa porque perdeu a hora, me dá um abraço e um beijo na testa. O gesto, mesmo carinhoso, me incomoda. Por que não me beijou na boca?

"Veio sozinho?", pergunto. "E o Luquinhas?"

"Ficou com a babá nova. Ela parece ótima, veio por indicação e disse que pode ficar até tarde ou passar a noite quando eu precisar."

Ele podia ter contratado essa babá antes, quando implorei por ajuda. Tento não me ofender com a resposta e forço um sorriso. Penso em perguntar sobre a câmera desligada, mas não quero que ele se lembre de que tenho acesso a ela. E, definitivamente, não quero arrumar confusão.

"E a Sara?"

"Voltou pra casa ontem. Passaram uma nova medicação, mais forte. Hoje à tarde saem os resultados dos exames preliminares. E aí vamos ver como vai ser..."

O tom dele soa desesperançoso. Seguro a mão de Vicente e olho no fundo dos seus olhos. Ele parece outra pessoa, com o rosto vincado, o cabelo despenteado e a barba por fazer.

"Vai ficar tudo bem", digo, tentando criar alguma conexão.

Ele desvia o olhar e suspira. É surreal que eu precise consolá-lo quando sou eu que estou na berlinda, acusada por tudo e por todos. De um jeito prático, como se eu fosse uma de suas clientes, Vicente repete todas as orientações para o depoimento: não sou obrigada a responder a nada, não devo fornecer provas contra mim mesma. Detesto a maneira como ele me trata, como se eu fosse culpada, mas faço que sim com a cabeça, enquanto tento controlar a respiração.

Um sujeito careca, de camisa florida, se aproxima e se apresenta como delegado Aquino. Fico surpresa ao ver que está vestido de modo despojado, como se tivesse acabado de voltar da praia. Aquino nos encaminha a uma sala pequena, com uma mesa e quatro cadeiras, e informa que nossa conversa será gravada. De modo burocrático, ele repassa as informações sobre a investigação. Parece impaciente, com uma urgência de terminar tudo logo, o que me deixa satisfeita. Também quero ir embora daqui o mais rápido possível.

"A senhora não é a mãe biológica de Angela e Sara." Não é uma pergunta, mas uma afirmação. "Como é a relação de vocês?"

"Eu e Vicente nos conhecemos quando as meninas tinham sete anos. Amo as duas mais do que tudo. É como se fossem minhas filhas de sangue. E sei que elas me amam também."

O delegado desvia o olhar para Vicente, buscando uma confirmação, mas ele continua sério, com sua postura de advogado, como se o assunto não fosse sua família.

"Suas enteadas foram agredidas", Aquino diz. "E disseram que foi a senhora."

Detesto que ele as chame de enteadas. Detesto que me acuse de modo tão direto.

"Na minha frente, elas nunca disseram isso. Disseram na frente do senhor?"

Aquino recua e, com um suspiro, se recosta na cadeira.

"Elas ainda não prestaram depoimento. O Conselho Tutelar vai acompanhar a diligência nos próximos dias. Então, a senhora nega que fez isso? E nega que elas te acusaram?"

"Não fiz nada contra as minhas filhas."

"A Sara tinha o desenho de um coração na nuca. É o mesmo desenho que a senhora faz nos seus bonecos..."

"Sem dúvida fizeram isso pra me provocar. Ou para me culpar. Seria burrice deixar na minha filha uma marca que leva diretamente a mim, não é?"

Olho para Vicente, buscando aprovação. Pensei nesse argumento ontem, enquanto me preparava sozinha para o interrogatório. Parece um ponto irrefutável, mas o policial não se abala.

"O que a senhora acha que aconteceu, então? Que existe alguma espécie de complô?"

"Não tenho dúvida. Estão inventando coisas contra mim, me machucaram, destruíram meu carro, querem me cancelar. Precisei sair do condomínio pela minha própria segurança."

Esse é um jeito menos doloroso de encarar minha saída do Blue Paradise. Aquino aperta os olhos e tamborila a caneta na mesa, pensativo.

"Quem a senhora acha que machucou suas enteadas então?"

Penso em contar minha teoria sobre Alice. Ela está viva, descobriu que Vicente se casou outra vez e que as meninas seguiram adiante sem ela. A ideia tem suas falhas: por que ela machucaria as próprias filhas? Mas não preciso ter todas as respostas.

"Eva?" Ele percebe meu silêncio. "Você suspeita de alguém?"

Vicente me encara sério, sentado na ponta da cadeira. Desisto de mencionar Alice. Não sei como ele vai reagir se eu ousar levantar essa hipótese. Da última vez que toquei no nome dela, ele ficou bastante irritado e me chamou de louca.

Então me dou conta de que Vicente não ajudou em nada até agora. Desde que entramos nessa sala, não disse nenhuma palavra. Por um instante, cogito que veio não para me proteger, mas para me impedir de falar algo que o desagrade. Vicente sempre gostou de ter tudo sob controle.

"Só sei que não fui eu", digo, finalmente.

Vicente faz que sim com a cabeça, em uma aprovação silenciosa.

O delegado aponta o curativo na minha mão direita.

"Você se machucou?"

"Não foi nada demais", digo, sacudindo a mão machucada no ar, num gesto vago. "Aconteceu na segunda. Fui mover uma cômoda e acabei me arranhando sem querer."

Aquino faz uma anotação rápida e volta a jogar o corpo para a frente, apoiando os cotovelos na mesa:

"E o seu filho? O Lucas... Ele também apareceu machucado, não foi?"

Meus pensamentos se embaralham, meu corpo pulsa, parece que o coração vai sair pela boca. *Como ele sabe disso?* Vicente se ajeita na cadeira, incomodado, e baixa a cabeça, entrelaçando as mãos. Foi ele. Só pode ter sido ele que passou essa informação à polícia. Sinto-me traída.

"Na segunda à noite, Lucas aparece com um hematoma na barriga. No sábado pela manhã, suas enteadas aparecem machucadas", Aquino diz. "A senhora não acha muita coincidência?"

"Não sei", respondo, num fio de voz. Tenho a impressão de que estou encurralada.

"O machucado no seu filho... A senhora admite ser a responsável, mesmo sem querer?"

"Não, eu..." Dou um soco na mesa. Quero ir embora. Agora. "Não admito nada. O que o senhor quer de mim?"

Sou tomada por uma vontade imensa de gritar, mas me contenho.

"A senhora frequenta algum psicólogo? Ou psiquiatra?"

Vicente fala pela primeira vez:

"Ela começou a fazer terapia na semana passada. E deve ir ao psiquiatra em breve."

"Tive uma espécie de depressão pós-parto. Mas nunca machucaria ninguém."

"A senhora faz uso de drogas ou de bebidas alcoólicas com frequência?"

"Não."

"A senhora faz uso de algum medicamento controlado?"

Suspiro, esgotada. Percebo que não sei o nome do remédio que Vicente tem me dado, por isso não digo nada.

"A senhora tem lapsos de memória? Apagões?"

Apagão. Foi essa a palavra que Vicente usou ao me interrogar sobre o machucado de Lucas. Agora, tenho certeza de que ele e o delegado estão mancomunados. Se eu não tomar cuidado, vou sair daqui presa.

"Não, nunca tive", minto.

O delegado continua a fazer perguntas, mas passo a responder com monossílabos. Vicente percebe minha mudança de postura e não diz nada. Minutos depois, o interrogatório termina. Aquino pede que eu não saia do Rio de Janeiro nos próximos dias e avisa que entrará em contato. Vicente segura meu antebraço e me ajuda a seguir pelo corredor até a saída. O toque dele me provoca repulsa, até mesmo seu perfume me enoja. Do lado de fora, ele aponta o carro, estacionado na lateral da delegacia, e se oferece para me deixar em casa. A lataria está limpa, mas ainda há vestígios de arranhões e tinta. Ainda estou impactada pela punhalada que levei nas costas, mas aceito a carona. Não quero pegar um Uber.

Ao longo do trajeto, Vicente dirige olhando para a frente, os ombros tensionados, as duas mãos no volante. Ele sabe que me traiu ao contar sobre o machucado de Lucas e o apagão. Não trocamos nem uma palavra até chegar na frente da casa. De um jeito seco, agradeço por ter me acompanhado e faço menção de sair do carro. Vicente segura meu braço.

"Eva, eu... Eu não podia mentir pro delegado", ele diz. "Me desculpa."

"Tudo bem."

Bato a porta e caminho até o portão sem olhar para trás. Subo os degraus da entrada, procurando as chaves no bolso da calça jeans. Quando me viro para fechar a porta, o carro já foi embora. Testo o interruptor, mas a luz ainda não voltou. A sala está uma bagunça, com um emaranhado de lençóis e travesseiros no sofá onde tenho dormido, vigiada pelas bonecas do meu pai. O sofá de dois lugares é pequeno e desconfortável, para caber preciso ficar encolhida, com os braços envolvendo as pernas dobradas. Mesmo assim, é melhor do que dormir no quarto da minha mãe ou no meu.

Ao me sentar, sinto um peso enorme sair das minhas costas. Meu corpo todo treme, no entanto, como se eu estivesse com frio, mesmo no calor abafado dessa quarta-feira. Repasso todo o interrogatório policial mentalmente. O que Vicente pretendia ao se oferecer para acompanhar meu depoimento? Pensei que ele queria me ajudar, mas agora tenho quase certeza de que sua intenção era me vigiar.

Por algum motivo, não consigo ficar indignada nem tenho vontade de chorar. Na verdade, não sinto nada — é como se eu estivesse descolada de mim mesma, como se eu fosse uma boneca de pano que se pode girar no ar, bater contra a parede, pisar e amassar, e ela continua inteira, disponível.

Passo a tarde deitada no sofá, sem a menor vontade de me mover. Quando já anoiteceu, acendo as velas, já que a luz ainda não voltou, e sou tomada pela súbita necessidade de sentir alguma coisa. Penso em me beliscar ou até me estapear. Em vez disso, algo me impele em direção ao meu antigo quarto. Quero voltar ao diário.

Usando a luz do celular, que carreguei na delegacia, sento na cama e abro em duas páginas um pouco depois da metade:

Estou de castigo desde ontem. Não sei direito o motivo. Eu estava fazendo o café da manhã quando, do nada, minha mãe surtou. Gritou que eu queimei a comida de propósito, que não valorizo nada. Ficou um tempão gritando. Corri para o quarto e me tranquei. Ela bateu na porta sem parar, ameaçou arrombar, mas depois desistiu. Só saí quando minha barriga começou a roncar. Fui até a geladeira, mas estava vazia. Minha mãe jogou toda a comida fora.

Ela aproveitou que eu saí para me colocar de castigo. Tive que ficar de pé na sala, virada pra parede, até de noite, quando ela me mandou de volta pro quarto, no escuro. Quase não dormi. Fiquei a noite toda tentando relaxar, ouvindo meu discman, pensando no Léo. Hoje aconteceu de novo, igualzinho. Ela me proibiu de ir pra escola e me mandou ficar de pé na sala. Não como desde ontem. Nem tomo banho. Eu só queria que tudo fosse normal, mas parece que nunca vai ser. Assim que der, vou fugir.

Eu me lembro bem do dia em que tentei fugir de casa. E me lembro do que minha mãe fez comigo quando uma vizinha me encontrou no ponto de ônibus e me levou de volta para casa. Estou nervosa demais, preciso relaxar. Abro o armário e pego uma garrafa. Não deixa de ser uma espécie de vingança beber o uísque de Alma. Giro a tampa e dou o primeiro gole, que desce rasgando pela minha garganta. Viro mais dois goles antes de voltar ao diário, quase nas páginas finais.

Minha mãe me acordou de madrugada. Mas não foi para brigar. Ela se deitou na minha cama, me abraçou e começou a fazer carinho nos meus cabelos. Percebi que ela estava chorando. Minha mãe começou a pedir desculpas, bem baixinho, no meu ouvido. Disse que eu não merecia nada do que ela fez. Senti seu bafo de bebida, mas continuei quieta, enquanto ela me abraçava e chorava muito. Minha mãe perguntou se eu a amava, se eu a perdoava por tudo... Não sei em que momento acabei dormindo, mas quando acordei estava deitada no chão da cozinha. Não lembro de ter saído do quarto, mas saí. Também não lembro do que respondi pra ela...

Paro de ler, perturbada com o fato de que despertei no chão da cozinha sem lembrar. Por algum motivo, apaguei isso da memória. *Assim como apaguei a noite em que o Lucas foi machucado, e a noite em que as meninas foram espancadas*, penso. Há quanto tempo tenho esses apagões? Bebo mais alguns goles do uísque, enquanto folheio as páginas do diário para trás, tentando descobrir o que motivou as desculpas de Alma.

> *Quero matar minha mãe. Estava tudo certo para a viagem pro interestadual de vôlei, mas ontem ela remexeu minhas gavetas, encontrou a pulseirinha que o Léo me deu e ficou brava. Ela perguntou o que era e eu não tive coragem de mentir. Falei a verdade, falei que eu e o Léo estamos namorando. Ela virou uma fera. Rasgou o elástico e destruiu a pulseirinha na minha frente, espalhando todas as contas pelo chão. Depois, pegou um cinto no armário e começou a gritar: Você fez seu pai me largar! E agora quer ir embora? Você não vai me abandonar! Essa é sua maldição. Você nunca vai se livrar de mim.*
>
> *Então, ela me bateu. Com tanta força que estou cheia de marcas até agora. Meu corpo está doendo, mal consigo ficar de pé. Tenho roxos nas pernas, na barriga e no braço. Hoje, ela ligou na escola e mentiu que eu estou doente. Disse que não vou conseguir competir. Tudo o que eu queria era fugir daqui e pedir ajuda pra polícia. Mas estou presa nesse quarto. E tudo o que eu penso é que preciso pegar a faca de cozinha e enfiar nela. Quero matar minha mãe. Ou nunca vou escapar dela. Esse pesadelo não vai ter fim.*

Paro de ler e viro o uísque em goladas. Estou entorpecida, porque a garrafa já está no fim. Escuto minha mãe gritando *Você não vai me abandonar! Essa é sua maldição* e consigo senti-la aqui, viva. E se foi ela? Até agora, tenho buscado explicações realistas para o choro constante de Lucas, para o ferimento na barriga, para a babá eletrônica quebrada, para os hematomas de Angela e Sara. Mas e se a resposta não for racional? E se tudo o que está acontecendo for de outro plano, sobrenatural?

Nunca acreditei em espíritos. Mas não tenho dúvida de que, se pudesse voltar para me atormentar, minha mãe faria isso. Será que ela se incomodou ao ver minha felicidade e resolveu se vingar? Nesse caso, ela deve estar aqui, nesta casa, neste exato momento, se divertindo ao me ver sofrer com o passado. Talvez ela mesma tenha colocado o diário no fundo da caixa, cuidadosamente posicionado para que eu o encontrasse.

De repente, o terror me domina e prendo a respiração. Entre a realidade e a fantasia, me forço a investigar. Passo o feixe de luz pelos cantos, procuro na banheira e dentro dos armários, reviro os lençóis da cama dela, ansiosa por desvendar qualquer sinal de sua presença. Quando me dou conta, já estou tremendo e gritando pela casa, destemida. "Você está aí, sua desgraçada?", pergunto para o nada, enquanto choro sem parar. "Aparece! Aparece, diaba!"

Arrisco seguir para os fundos. O jardim está no breu absoluto. Passeio no mato alto, piso descalça na lama, gritando o nome dela. Nas sombras, tento capturar algum espectro, chego a imaginá-la escondida entre as árvores, com a boca arregaçada, os dentes tortos num sorriso debochado. Mas ela não está aqui. Ou, pelo menos, não quer aparecer para mim.

Esgotada, me deito na grama úmida, observando o céu sem estrelas. De repente, rio e choro sem parar. Como é possível que eu pense que minha mãe está de volta? E que ela bateu nas meninas? É um absurdo. Eu a vi morta com meus próprios olhos. Eu mesma a enterrei sem velório. Talvez eu mereça o que está acontecendo. Talvez a explicação para tudo seja a mais simples de todas: eu bati nas minhas filhas e não me lembro. Machuquei meu bebê e não me lembro. Quando apago, viro outra pessoa, encarno minha mãe, dou vida à sua maldição. Vicente e os vizinhos do condomínio têm razão. Sou louca.

22.

Uma musiquinha instrumental preenche meus ouvidos. Entreabro os olhos, sentindo a cabeça explodir enquanto tento me localizar. Vejo o cabideiro de madeira, os janelões com vista para a rua e a penteadeira com três folhas espelhadas. Imediatamente, uma sensação de pânico me invade: estou na cama da minha mãe, deitada toda torta no colchão velho e manchado, sem lençóis nem travesseiros. Levanto-me tão depressa que tonteio e preciso me apoiar nas costas da cadeira para não tombar no chão. Como vim parar aqui? Não faço a menor ideia. Bebi demais ontem à noite e só me lembro de me deitar na grama do jardim.

A musiquinha irritante volta a tocar. No chão, próximo ao tapete, encontro o celular. Agacho para alcançá-lo, na esperança de que seja Vicente. Atendo depressa, antes que desistam.

"Vadia que bate em criança merece ser estuprada!" É uma voz masculina. "Cuidado, piranha! Eu sei onde você mora."

Antes que eu tenha tempo de responder, o sujeito desliga. Seu tom rouco e ameaçador me deixa em estado de alerta, mas continuo fraca e confusa por causa da ressaca. Não devia ter bebido tanto. Abro a porta do quarto e me surpreendo ao perceber que todas as lâmpadas da casa estão acesas: o lustre sobre a mesa de jantar, o abajur em estilo francês na cômoda e até o banheiro e a cozinha. Arrisco dois passos para frente e noto, pelo corredor, que a porta dos fundos está aberta. Ou melhor, escancarada — consigo ver o varal e a lateral da oficina do meu pai. *Tem alguém aqui?*

O pânico me domina, como se fosse uma espécie de segunda pele: todo o meu corpo formiga, desde as pontas dos dedos até a cabeça. Hesito em caminhar sobre o chão de madeira, que pode ranger sob meu peso. Será que o sujeito que telefonou está dentro de casa, escondido em algum canto, pronto para me machucar? Quem vai escutar meus gritos de socorro? Por experiência própria, sei que as paredes são grossas o bastante para que os vizinhos não escutem nada.

Desesperada, alcanço o cinzeiro Campari sobre a cômoda e ergo o braço, atenta aos sons ao redor. O cinzeiro é redondo e pesado, um disco de cerâmica, mas sei que não é suficiente para que eu leve a melhor contra um homem. Sem saída, avanço pelo corredor, mas meus ouvidos zunem, minha vista embaça e sinto meu estômago revirar de fome. Arroto sem querer e sinto o gosto enjoativo da bebida da noite anterior voltar ao céu da boca. É patético. Ainda estou bêbada, mais indefesa do que nunca.

Antes de seguir adiante, me lembro do celular e, mantendo o cinzeiro erguido com uma mão, telefono para Vicente com a outra. Chama, chama, e nada. São sete e vinte da manhã de quinta-feira. Vicente ainda está em casa. Por que não atende? É urgente! Sinto um medo palpável, que logo se transforma em uma crise violenta que me deixa sem ar. Inspiro fundo, com a boca aberta, e tento me apoiar na cômoda. O cinzeiro desliza da minha mão e se espatifa em um estardalhaço que reverbera pela casa. No susto, eu também caio no chão e rastejo para debaixo da mesa, na certeza de que alguém está se aproximando e vai puxar minhas pernas, montar sobre mim e tirar minhas roupas.

Ninguém aparece. Ofegante, espero por muito tempo, escondida entre os pés da cadeira. Então, recolho os cacos do cinzeiro e me levanto. A casa está vazia? Ou o invasor quer me torturar e continua escondido? Ele sabe que tem vantagem e espera para dar o bote. Sei que não posso relaxar. Não agora. Segurando um pedaço pontiagudo do cinzeiro, caminho até a cozinha. Está vazia, com tudo no seu devido lugar. A geladeira voltou a funcionar e zumbe baixinho. Talvez não seja nada, no fim das contas. Apenas a energia elétrica que voltou. Mesmo assim, pego um facão de churrasco na gaveta do armário e sigo cautelosa até a porta dos fundos. Tranco-a, dando três voltas com a chave.

Em movimentos lentos, tomada por uma intensa dor de cabeça, passo um pente fino por toda a casa. Mesmo com grades, fecho as janelas, passo o ferrolho na porta da frente, confiro debaixo das camas e dentro dos armários. Tudo limpo. Apenas por precaução, escondo um objeto em cada cômodo: uma tesoura sob o tapetinho do banheiro, uma faca debaixo das almofadas do sofá da sala, outra faca entre os troféus no meu antigo quarto e mais uma na gaveta da penteadeira do quarto da minha mãe. Escondo uma colher de pau atrás da moldura de um dos quadros no corredor e deixo outra no batente da janela dos fundos, perto da porta. Preciso conseguir me defender.

Por volta das nove e meia, me sento na mesa da cozinha. Mesmo sabendo que possivelmente ninguém entrou na casa, demoro a sossegar. Viro três copos d'água, mas meu coração ainda bate forte, estou elétrica. Penso no homem que me ligou. Quem pode ser? Alguém do condomínio? Ou um desconhecido que conseguiu meu telefone na internet? É impossível saber. Mas agora tenho a sensação de que podem me matar a qualquer momento.

Tento ligar mais uma vez para Vicente, preciso contar tudo a ele, mas ninguém atende. Envio uma mensagem pedindo que me retorne assim que puder e fico na expectativa para que a visualize, mas isso não acontece. Por um momento, penso que, se tivesse alguém dentro da casa, eu já estaria morta. Quando Vicente sentiria minha falta e entraria em contato? Quando estranharia meu sumiço e descobriria meu corpo na casa? Em que estado ia me encontrar? Volto a pensar na minha mãe, quatro dias depois de morta, já apodrecendo, o cheiro de carniça espalhado por todo o quarto.

Passo um café e me sirvo da última fatia de pão de forma. Não tem manteiga nem geleia. É um café da manhã pobre e triste, bem diferente do que os que eu adorava fazer para minha família. Agora que a geladeira voltou a funcionar, posso comprar frios, carne e salada no mercado. Mas não tenho nenhuma vontade de sair de casa.

Sentada na cadeira de ferro da cozinha, acesso meus e-mails pelo celular. Nada de novo. Sem pensar, quase no automático, clico no link do vídeo da briga com Márcia, que já deixei salvo nos favoritos. O número de visualizações está chegando a cinquenta mil. O vídeo não para de crescer, mas isso não me espanta. Estou curiosa para descobrir se a discussão sobre os reborns continua. Passo os olhos pelos comentários e noto que a maioria das pessoas que chegou ali recentemente foi atraída porque o vídeo viralizou no TikTok.

Depois de algum tempo, encontro um comentário de Sílvia, que identifico pela foto de perfil: *Essa mulher demorou mais de um ano para me entregar um boneco que paguei adiantado. Ele só chegou na semana passada. Muito malfeito e horroroso. Me arrependo de ter confiado a ela a chance de fazer um reborn do meu filho. Além de perigosa, ela fez um serviço porco.* O comentário de Sílvia mexe comigo, machuca mais do que qualquer ofensa com palavrões. Penso em escrever uma resposta, perguntar por que ela está detonando assim um trabalho que fiz com tanto carinho, quero saber do que exatamente ela não gostou, mas desisto. Não quero que todos saibam que estou lendo os comentários. Só vai piorar tudo.

Perdi a noção do tempo. Já são quase duas da tarde. É dia de sessão com o psicólogo, mas não tenho a menor condição de ir à Barra da Tijuca agora. Ainda estou enjoada, com a cabeça latejando. Além do mais, o que eu poderia dizer a ele? Que minha vida virou de cabeça para baixo, que fui expulsa de casa e que, depois de achar que a responsável por espancar minhas filhas foi a mãe morta delas, agora desconfio que foi *a minha* mãe morta?

Você não vai me abandonar! Essa é sua maldição. Você nunca vai se livrar de mim! Quanto mais penso, mais sinto minha mãe aqui comigo. Seu espírito assombra toda a casa, sua energia pesada me consome. Ela quer provar de uma vez por todas que não sou uma boa mãe. *Mas sou uma boa mãe*, penso. Ficar longe de Lucas tem me causado uma espécie de dor física. Também não paro de pensar em Angela e Sara. Amo meu filho, amo minhas filhas. Sou capaz de matar e morrer por eles. Não entendo por que elas mentiram quanto a quem as machucou. Pego o telefone e ligo para Vicente mais uma vez. Só toca.

Sem nada para fazer, digito o nome Alice Funaro no Google. Percebo que a morte dela não mereceu tanto destaque na época. Na manchete de *O Globo*, publicada um dia após o acidente, Alice ainda não é dada como morta.

MARINHA BUSCA PROFESSORA DESAPARECIDA
EM PASSEIO EM ANGRA DOS REIS

Segundo o texto, ela estava numa lancha alugada com o marido e as filhas. Eles haviam passado o dia visitando ilhas e aproveitando o sol. Após o almoço, ancoraram no meio do nada para descansar. Quando o marido acordou, Alice não estava na lancha.

Tento buscar mais informações em sites menores, mas eles apenas reproduzem os artigos dos jornais. Em outra reportagem, publicada uma semana após o acidente, o delegado responsável, Evandro Caldeira, informa que as buscas cessaram e que o corpo de Alice não foi encontrado. Ao final, seguem as informações sobre uma missa que a mãe de Alice, Marlene Funaro, marcou em sua homenagem. Depois disso, mais nada. O desaparecimento foi esquecido entre as centenas de tragédias que acontecem todos os dias.

Minhas costas doem, estou sentada há muito tempo. Me deito no sofá e me abano com um pedaço de papelão. É impressionante o calor que faz aqui dentro. Tento não pensar em nada, esquecer minha mãe, Alice e Vicente, que ainda não visualizou minhas mensagens. Quando percebo, anoiteceu lá fora. Acho que cochilei por algumas horas. Fico de pé, sentindo minha barriga roncar. Não comi quase nada hoje, apenas pão, e tomei café e água. Enfio a mão no pacote para pegar os últimos biscoitos. Bebo água para enganar a fome. Está tarde. Não vou sair à noite para ir ao mercado. Também me recuso a pedir comida, porque não quero ninguém vindo aqui em casa.

Enquanto eu dormia, meu celular ficou sem bateria. Conecto na tomada e espero carregar por alguns minutos. Vejo que Vicente ligou duas vezes e mandou uma mensagem: *Desculpa, dia cheio aqui. Te liguei. Chama quando puder.* Retorno, mas ele não atende. Tento mais uma vez, sem sucesso. Parece que estamos nos desencontrando. Sem nada para fazer, penso em acessar o Instagram, mas não quero ficar lendo mais xingamentos contra mim. E não quero voltar ao diário — lê-lo ontem à noite me fez muito mal. E decididamente não quero mais beber.

Então, de repente, uma ideia me invade. Pego o diário, uma garrafa de uísque, um isqueiro e o facão de churrasco e saio para os fundos. Agora, com as luzes na área externa, fica mais fácil avançar pelo jardim. Sem dificuldade, empilho três pneus velhos, coloco alguns gravetos e, com o isqueiro e um pouco de uísque, acendo uma fogueira tímida, que crepita na escuridão. Seguro o diário e passo a mão na capa, em tom solene. Antes que eu desista, arremesso o caderno amarelo no fogo. Fico observando o papel ser devorado em poucos minutos e, por um instante, imagino minha mãe queimando no inferno.

Quando volto para casa, estou me sentindo inesperadamente bem. Deito no sofá, ainda impactada pelas chamas destruindo minhas memórias, e durmo um sono tranquilo. Desperto bem cedo, às seis, com a barriga ardendo de fome. Não dá mais para adiar. Tomo um banho rápido, troco de roupa, tentando vestir algo um pouco mais apresentável do que os blusões largos que tenho usado desde que cheguei, e saio de casa.

A rua ainda está vazia, o que me parece bom. Caminho de cabeça baixa, evitando encarar as fachadas tão familiares. Atravesso a rua principal, atenta ao fluxo de carros. Na esquina, percebo uma picape preta parada, com o motor ligado. Daquele ponto, o motorista consegue observar a entrada da minha casa. O vidro escuro está aberto pela metade e vejo uma loira ao volante. Ela está nas sombras, mas tenho a impressão de que se parece muito com Alice — o mesmo tipo de cabelo, o mesmo nariz bem desenhado. Paro diante de uma banca de jornal, finjo observar as manchetes, enquanto decido o que fazer: seguir adiante até o mercado ou mudar o trajeto e passar ao lado da picape para ver se é Alice quem está ali, me vigiando? Arrisco.

Coloco o celular para gravar e começo a andar pela calçada

no sentido contrário aos carros, de cabeça baixa, tentando não acelerar demais o passo para não parecer suspeita. Falta pouco, menos de dez metros até a picape. Aperto o telefone na mão, pronta para erguê-lo e flagrar Alice, mas, quando estou bem perto, o vidro escuro se fecha e a picape acelera, cortando entre os carros e ultrapassando o sinal amarelo no cruzamento. Observo o carro dobrar a esquina, enquanto meu coração bate mais forte.

Com as mãos trêmulas, assisto ao vídeo que acabo de fazer e pauso no exato momento em que a mulher misteriosa aparece: ela está de perfil, usando óculos escuros. Quando tento aproximar, a imagem perde definição e fica pixelada. Frustrada, dou meia-volta e retomo o caminho para fazer as compras. Os corredores do mercadinho estão vazios, mas me sobressalto com a sensação de que alguém me espreita entre as prateleiras. É horrível. Olho por sobre o ombro a cada minuto, me agacho e viro o rosto para os dois lados, para ver se ninguém se aproxima.

Vou pegando tudo de que preciso: frango, salada, pães, frutas, manteiga, geleia e ovos. Amanhã pretendo fazer um café da manhã um pouco mais digno. Procuro grão-de-bico ou cuscuz, mas não encontro. Um funcionário uniformizado passa por mim, mas prefiro não pedir ajuda. Não quero correr o risco de ser reconhecida por alguém, do passado ou do presente. Caminho até o caixa e sinto um arrepio ao avistar, através das portas envidraçadas, a picape de vidros escuros parada, com o motor ligado.

A loira continua ali sentada — consigo ver seus braços finos, com pulseiras, enquanto as unhas esmaltadas apertam o volante. Penso em deixar a cesta de lado e sair correndo em direção à picape, pegá-la de surpresa. Mas não tenho dúvidas de que ela aceleraria e fugiria de novo. Então, decido agir normalmente e entro na fila para pagar. Há um único caixa em funcionamento. Uma senhora baixinha, vestida com três camadas de roupa nesse calor, encheu um carrinho com carnes, linguiças, refrigerante e cerveja.

Espero impaciente, enquanto a atendente preguiçosa vai passando os produtos com má vontade, mascando um chiclete. Um jovem de óculos e cabelo raspado entra na fila atrás de mim e fica mexendo no celular. A proximidade dele me incomoda e me força a chegar um pouco mais para a frente. *Vamos logo!*, penso, enquanto observo a picape lá fora. A senhora retira notas amassadas da carteira para pagar. Finalmente, chega minha vez. Vou colocando os produtos depressa na esteira, evitando encarar a atendente com seus olhos de peixe morto. Estou tão ansiosa que derrubo sem querer um pacote de balas exposto no mostruário. O jovem atrás de mim se agacha para pegar e me estende o pacote, com um sorriso.

"Obrigada."

Enfio o cartão de crédito na máquina e começo a digitar a senha. O sujeito chega ainda mais perto. Consigo sentir seu perfume masculino, com toques de couro.

"Acho que a gente se conhece, não?", ele pergunta. "Você mora por aqui?"

"Não, não moro", digo.

Era só o que me faltava: um babaca me dando mole no mercadinho. Quero ir embora o mais rápido possível.

"Mora onde, então?"

Não respondo. Coloco tudo de qualquer jeito nas sacolas plásticas.

"Espera... Conversa comigo", ele insiste.

Agora, está ainda mais perto, o que me força a olhar para ele. Só então, percebo que o rapaz não tem nenhum carrinho, nem traz nada nas mãos, além do celular. Por que está na fila?

"Quem é você?", pergunto, muito assustada.

Ele arregala os olhos e engole em seco. Não estava esperando que eu o confrontasse.

"Quem é você?!", pergunto de novo, desta vez aos gritos.

A atendente nos observa, parecendo mais desperta. As poucas pessoas que fazem compras a essa hora e outro funcionário uniformizado também se aproximam, curiosos. O jovem suspira e segura meu braço.

"Sou do blog Barra Alerta", diz, quase murmurando. "Só quero ouvir seu lado."

Olho para o celular na mão dele e noto que está gravando nossa conversa. Eu me desvencilho com um gesto brusco, pego as sacolas e olho lá para fora: a loira baixou um pouco mais o vidro para assistir à confusão. Aperto os olhos para tentar enxergar melhor e vou saindo. Antes que eu cruze as portas automáticas, a picape vai embora.

"Você bateu nas suas filhas? Por que fez isso?"

O jovem continua atrás de mim. Tento caminhar a passos largos, mas não consigo. As sacolas estão pesadas e agora faz um calor intenso. Sigo depressa pela calçada, mas toda a situação me deixa mais nervosa e vulnerável.

"Fala comigo... Eu conversei com algumas pessoas..."

Olho por sobre o ombro: ele está cada vez mais perto, com o celular na vertical, me filmando enquanto fala. Baixo a cabeça, cobrindo o rosto com os cabelos compridos, como fazem os criminosos escapando das coletivas de imprensa.

"A Isabela, sua diarista... Ela contou que a senhora mal cuidava do filho... E que foi racista com ela. Isso procede?"

Estou suando, zonza, com o coração quase saindo pela boca. Chego à esquina, mas os carros passam em alta velocidade e não consigo atravessar. Sou forçada a parar.

"É verdade que você e sua mãe tinham uma relação péssima? Você apanhava dela?"

Fico toda arrepiada. *Ele leu meu diário?*

"Não sei de onde você tirou isso..."

Coloco os pés na rua. Uma moto desvia, outro carro freia e buzina. Continuo atravessando, sem medo de ser atropelada. Só não quero conversar com esse babaca. Chego ao outro lado e sigo pela calçada, quase correndo.

"Seu Jonas te conhece desde criança. Ele contou que você sumia por semanas, ficava sem sair de casa, sem ir pra escola, porque estava machucada... Ele ouvia seus gritos..."

Paraliso, chocada. Então ele escutava meus gritos? Por que nunca chamou a polícia? Por que ninguém apareceu para me ajudar? Ofegante, não consigo prestar atenção em nada ao meu redor. O jovem está na minha frente, filmando sem parar.

"Sua mãe te batia... É por isso que você machucou suas enteadas?"

A pergunta dele me desperta. Volto a caminhar depressa. Falta pouco para chegar. Coloco toda a minha energia em andar mais rápido. Estou quase correndo. Já vejo o muro recém-pintado de azul. Resfólego. Do outro lado da rua, a picape preta surge mais uma vez, mas nem penso em chegar perto. Estou fugindo, só preciso ficar sozinha.

Atravesso o portãozinho, subo os degraus e deixo as sacolas no chão da entrada para pegar as chaves no bolso.

"Sua mãe se matou nessa casa, não foi?", ele pergunta, debruçado sobre o muro baixo. "Foi você que encontrou o corpo."

Meu Deus, como ele sabe disso? Me apresso em colocar a chave na fechadura. Dou duas voltas, mas esqueço que também tranquei em cima. *Merda, merda.* Giro a outra chave com urgência.

"Você diria que sua família tem tendências violentas e suicidas?"

Finalmente, consigo abrir. Entro em casa e bato a porta, sufocando a voz do rapaz que grita meu nome e insiste em fazer perguntas sobre minha mãe, enquanto filma a fachada da casa. Depois de algum tempo, ele desiste e vai embora, mas continuo recostada à porta, tremendo toda, com as compras largadas pelo chão. Chafurdaram minha história, meu passado, meus segredos. Se Alice está viva ou não, não importa. Minha vida acabou.

23.

No final da tarde de sexta, o celular apita com um aviso de menção ao meu nome. A matéria com o título MADRASTA VIOLENTA: CONHEÇA O PASSADO SOMBRIO DA BARBIE QUE BATEU NAS ENTEADAS EM CONDOMÍNIO NA BARRA acaba de ser publicada no site Barra Alerta. Repleta de fotos e aspas de entrevistas, a reportagem escrita por Adalberto Gesualdi relata a morte de Alice, o início do meu relacionamento com Vicente, as primeiras impressões que tiveram de mim no condomínio e a doença de Sara.

> *"Desde o início, a Eva era esquisita, quieta, tinha um sorriso falso e estava sempre tentando agradar, sabe? Ela nunca se encaixou, tem uma energia pesada. Não duvido nada que tenha batido nas meninas", diz uma moradora e amiga da família que prefere não se identificar.*

Outro depoimento anônimo atesta: "*Para mim, tudo pareceu muito rápido e precipitado. Vicente tinha acabado de perder a esposa! Em poucos meses, Eva já se aboletou na casa dele. Pelo que sei, foi ela que insistiu pra se mudar, ela que fez pressão".*

A escolha de cada palavra — Barbie, sorriso falso, madrasta, passado sombrio — me violenta, mas não consigo parar de ler. O jornalista informa que tentou contato comigo e com Vicente, sem êxito. Um link leva direto para o vídeo "Busca por respostas" que ele fez ao me abordar no supermercado, mas não clico. Preciso saber o quanto descobriu sobre a morte da minha mãe. Devoro o texto sem respirar. Em poucos parágrafos, ele esmiúça nossa relação conturbada, entrevista seu Jonas e vizinhos do Cachambi cujo nome não reconheço, mas que parecem saber muito sobre mim. Ao final, o suicídio de minha mãe é descrito em detalhes, com uma cópia do atestado de óbito dela que me faz sentir como se uma foto íntima minha tivesse vazado.

Dois dias antes do meu aniversário de vinte e sete anos, visitei minha mãe. Comprei um arranjo de copos-de-leite e um vestido florido para ela. Nossos encontros não eram mais tão frequentes, porque eu estava morando numa quitinete perto da faculdade. A distância vinha fazendo bem a nós duas: quando nos encontrávamos, tínhamos muito a conversar, e as tensões da nossa relação pareciam algo distante. Eu estava disposta a perdoá-la; e ela também parecia disposta a *tentar* me amar. Por isso, naquele dia, contei para ela que a faculdade estava terminando, que eu procurava emprego na minha área enquanto continuava a fazer meus reborns (cuja venda pagava minha mensalidade e o aluguel) e, finalmente, mencionei que tinha conhecido Vicente e que estávamos namorando.

Pensei que ela fosse me criticar pelo namoro repentino, reclamar por eu não ter contado a notícia antes, mas minha mãe pareceu muito feliz, me deu um abraço (posso contar nos dedos as vezes em que ela fez isso), um beijo e, com entusiasmo, pediu para conhecer Vicente. Fiquei tão aliviada com a reação dela que, descumprindo tudo o que havia programado para dizer, acabei contando que ele era viúvo e tinha filhas gêmeas de sete anos, e que comemoraríamos meu aniversário em um almoço na área de festas do condomínio onde ele morava. Seria uma boa oportunidade para se conhecerem. Alma ficou claramente surpresa com o convite e disse que iria, claro. Até pegou um papel e uma caneta para anotar o endereço e o horário.

No dia da festa, eu era pura tensão e arrependimento. Vicente comandava a churrasqueira e fazia piadinhas com o fato de que ia conhecer a sogra. Solange, de quem eu já estava ficando amiga, percebeu meu nervosismo e tentou me acalmar. Mesmo assim, mal consegui aproveitar a tarde. No fim das contas, minha mãe não apareceu nem atendeu ao telefone. Eu disse a Vicente que ela havia avisado que estava indisposta. Liguei algumas vezes, naquele dia e no outro, e ela não atendeu. Eu não sabia se ficava preocupada que algo pudesse ter acontecido, ou brava comigo mesma por ter pensado que ela havia mudado.

Dois dias depois, fui até a casa dela. Nunca vou me esquecer do que encontrei ao entrar: o cheiro podre dominava tudo. Minha mãe estava morta na cama, com os pulsos rasgados. Na penteadeira, uma faca ensanguentada, frascos de remédio vazios e o arranjo de copos-de-leite que eu tinha dado para ela, já murchos, sem água. Não tive coragem de chegar perto. Saí do quarto e chamei a emergência. Mais tarde, soube que ela estava morta havia quatro dias — se matou na noite em que a visitei. Enterrei minha mãe o mais rápido que pude e depois disse a Vicente que ela tinha infartado. Ele brigou por eu não ter avisado antes, disse que teria ajudado nos trâmites, mas eu estava tão fragilizada que ele não insistiu nem voltou a falar no assunto. Melhor assim.

Minha mãe não deixou nenhuma carta, nenhuma mensagem de despedida. Mas não precisava: ela se matou logo após a visita em que contei que tinha conhecido um namorado legal, que minha vida finalmente estava decolando. Usando o vestido florido que dei para ela, Alma deixou o arranjo na penteadeira, se entupiu de remédios e cortou os pulsos para me punir, para me lembrar de que eu nunca poderia ser feliz.

Quando me dou conta, estou aos prantos, com o celular nas mãos. A reportagem já conta com mais de dez mil leituras e dezenas de comentários. Não tenho condições de ver o que as pessoas estão dizendo. A essa altura, Vicente já leu a matéria. Ligo para ele, que não atende. Envio uma mensagem pedindo para conversar, mas ele não aparece on-line. São nove e pouco da noite. Estou tão solitária e angustiada que a vontade de beber uísque surge de repente e me domina por completo. Preciso me anestesiar. Decido ligar para Solange. O telefone chama, mas ela não atende. Tento de novo, mais duas vezes, e agora nem chama mais. Como é possível que eu tenha sido apagada da vida de todos com tanta facilidade? É como estar morta.

Pego o uísque na cozinha e fico deitada no sofá, bebericando, enquanto zapeio pelas redes sociais de Vicente. Na maioria das fotos, ele aparece de terno, em selfies que mostram sua mesa do escritório organizada, sua participação em algum congresso, ou com Lucas no colo, com roupinhas e poses variadas. Há também muitas fotos de Angela e Sara com ele — na praia, na piscina do condomínio, em um parque de diversões e até na sala do apartamento, jogando video game. Fico surpresa ao perceber que raramente apareço. Até então, nunca tinha reparado que ele me postava tão pouco. Em geral, sou eu que tiro as fotos, porque, segundo ele, a câmera do meu celular é melhor.

Já passa da meia-noite. Ao me sentar, noto que estou bêbada. A garrafa de uísque está pela metade na mesa de centro. Sinto meu estômago roncar e me forço a ficar de pé. Como não estou com vontade de cozinhar, passo geleia no pão e como sem pressa, sentada na cozinha, observando os quadros cafonas de paisagem que minha mãe tanto adorava.

Estou distraída quando escuto um barulho vindo da frente da casa. Imediatamente, me levanto e apuro os ouvidos. Procuro meu celular, mas o deixei no sofá quando vim para a cozinha. *Merda!* Com cuidado, abro a gaveta. As melhores facas estão espalhadas pelos outros cômodos. Alcanço um socador de alho e o seguro como um martelo.

A casa está mergulhada na escuridão. Não escuto nenhum som além do canto das cigarras nos fundos. Sigo para o corredor e giro a maçaneta do banheiro, cuidando para não fazer qualquer ruído. Quando me agacho para pegar a faca sob o tapetinho, escuto um rangido metálico bem perto. De dentro da casa. Não estou imaginando coisas. Tem alguém aqui. Todo o meu corpo pulsa. Prendo os cabelos num coque desajeitado para que eles não me atrapalhem, aperto o cabo da faca e, recostada à parede, vou me aproximando da sala.

Mais sons chegam através do breu completo — o invasor revira objetos, deve estar me procurando. Arrasto os pés pelo piso de madeira, mantendo a faca em riste. Sinto que vou desmaiar. Vejo pontos pretos diante dos meus olhos, engulo em seco e respiro fundo. A sensação de impotência é pior do que tudo. Encontro a sala vazia, mas a porta de casa está entreaberta. *Quem está aí?*, penso em perguntar, mas contenho o impulso.

O barulho vem do quarto da minha mãe. É ali que o invasor está. Pela luz que entra pela janela, vejo sua silhueta ao lado da penteadeira. É um homem alto, de costas largas e cabelo curto. Preparo o golpe e, tomando coragem, entro depressa no quarto. Desço a faca no ar. O sujeito se vira e segura meu braço. Estou tão assustada que demoro alguns segundos para perceber que é Vicente. No automático, puxo a faca e a lâmina rasga a mão dele.

"Que porra você está fazendo?!", ele grita, com os olhos injetados.

Não sei como reagir. Largo a faca e me aproximo para ajudá-lo. Vicente recua, apertando o ferimento com a outra mão para conter o sangue.

"Como você entrou?", pergunto.

"Eu tenho a chave, esqueceu?"

"Por que não avisou que vinha? Por que não me ligou?"

"Eu liguei. Você não atendeu."

Eu não devia ter deixado o celular no sofá. Merda! Corro até a sala e pego o telefone. Há cinco ligações perdidas. Acendo as luzes e vou para o banheiro buscar um curativo. Estendo para Vicente, mas ele recusa — já envolveu um pano branco na mão machucada. Aos poucos, o pano vai ganhando um tom vermelho.

"Você precisa ir ao médico", digo. "Desculpa, eu não queria..."

"Você nunca quer, não é? Até quando ia mentir pra mim, Eva?"

Seu tom agressivo me encurrala. Baixo a cabeça e noto a faca caída perto da cama.

"Sua mãe... É verdade que ela se matou?", ele pergunta. "Você disse que ela infartou. Me proibiu de ir ao enterro."

Sinto que estou prestes a desmontar, mas continuo a encarar meus próprios pés.

"É verdade que você apanhava dela?"

Não sei o que responder. O silêncio é mais opressivo do que calmante. Vicente dá um soco na penteadeira, e uma das faces espelhadas acaba rachando. Levanto os olhos: ele está completamente fora de si, nunca o vi desse jeito. Avança sobre mim e me aperta contra a parede, segurando meu braço. Estou com medo.

"E esse cheiro? Você anda enchendo a cara?"

"Quero ver o Lucas, Vicente", digo. "Estou com saudades dele."

"É melhor não... Pelo menos por enquanto."

O tom calmo dele me enerva.

"Por que você desligou a câmera do quarto dele? O que não quer que eu veja?"

"Do que está falando?"

Vicente me aperta com mais brutalidade. Quer me vencer pela força.

"Você quer me afastar dele, eu sei! Por quê?", insisto. "E as meninas? Elas perguntaram por mim? Sentem a minha falta?"

"A Sara... O resultado saiu... O remédio não fez nenhum efeito nos últimos meses. Quer saber o que eu acho? Que você não estava dando os remédios pra ela. Que bateu nas duas. Que é uma psicopata que nem sua mãe!"

Sinto uma enorme onda de calor quebrar em cima de mim, cobrindo-me por inteiro. Eu achava que conhecia o Vicente. Sabia que ele não era perfeito, mas achava que o conhecia. Conhecia seus gestos, suas expressões, seus mecanismos de defesa. Sempre acreditei que ele era bom. Que era o homem da minha vida. Estava enganada? Agora, olho para ele e não o reconheço mais. Não se trata apenas do seu jeito. Ele também mudou fisicamente: está sem barba, com o cabelo cortado baixo, com uma aparência de delinquente juvenil. Sinto raiva dele, um misto de ódio e indignação. Preciso colocar tudo para fora.

"Quer saber o que *eu* acho?", provoco. "Que você me isola, que está contra mim, que só queria uma mulher pra trabalhar de graça e cuidar das crianças."

Não tenho mais nada a perder. Ele sacode a cabeça e se afasta, desnorteado.

"Chega!", grita, dando um chute na cadeira, que tomba no chão. "Acabou! Eu não quero você perto dos *meus* filhos!"

"Você não pode me impedir."

"Na segunda, vou entrar com um pedido de medida protetiva. E com o processo do divórcio. Você não vai machucar mais ninguém!"

A ameaça dói fundo: a simples ideia de que nunca mais vou ver as crianças me faz perder o chão. Estou tão nauseada que preciso me apoiar na cômoda alta. Meus dentes rangem, meu peito treme. Avanço para cima dele, socando seu peito.

"Foi você, não foi? *Você* me incriminou com o delegado! *Você* vazou as fotos! *Você* queria que todo mundo apontasse o dedo pra mim, pra me deixar desse jeito!"

"Por que eu ia fazer isso, Eva?! Me dá a porra de um motivo. Só um!"

Antes que eu responda, ele me empurra com força e sai do quarto. Zonza, me apoio na cama para não cair. Pego a faca ensanguentada e corro até a sala. Vicente suspira e me encara com repulsa.

"O Scheiffer contou que você não foi essa semana." O desprezo em sua voz é evidente. "Você tem que se tratar. A gravidez mexeu com sua cabeça, Eva. Você está louca. E essa merda dessa casa não está ajudando."

Vicente bate a porta. Penso em correr atrás dele, mas não temos mais nada para falar. Na verdade, sinto certo alívio por ele ter ido embora. Estou machucada e tonta. Borbulho em pensamentos, mas, num estalo, tudo parece se encaixar. *Você está louca*, ele disse. Mas algo dentro de mim diz que não, não estou louca. E, se não estou louca, se espíritos não existem, se não sou uma filha da puta violenta como minha mãe... Então, outra pessoa é a culpada. Outra pessoa machucou meu bebê e as meninas.

Outra pessoa forçou Sara e Angela a mentirem, me acusarem, ficarem contra mim. Outra pessoa vazou minhas fotos, destruiu minha imagem diante do condomínio inteiro. Agora, eu vejo com clareza: nem Alma nem Alice nem Isabela. Se não fui eu, só pode ter sido Vicente.

O filho da puta é ele.

UMA SEMANA ANTES DO FIM

24.

Desço do metrô na estação Saens Peña e tento encontrar o endereço. As ruas estão cheias neste sábado — crianças brincam na praça, camelôs oferecem de tudo em toalhas espalhadas na calçada, velhos bebem nos bares e grupos de jovens vão de um lado para o outro. Caminho abraçada à bolsa, cobrindo o rosto com os cabelos, tentando passar despercebida pela multidão. Ninguém parece me reconhecer. Atravesso a Barão de Mesquita e chego à Severino Brandão, menor e mais vazia.

Olho para trás para confirmar que não estou sendo seguida — nenhum sinal da picape preta nem de qualquer outro carro estacionado com o motorista ao volante. Começo a me sentir mais segura e confiante. Finalmente, encontro o número seis. É um sobrado antigo e malconservado, com uma fachada branca que foi acinzentando ao longo dos anos. Uma porta alta e fina está encostada. Eu a empurro e vou subindo a escada de madeira que range sob os meus pés.

Conforme me aproximo do terceiro andar, escuto o som de um tango melancólico. No salão, seis casais — todos de cabelos brancos — dançam no ritmo da música, em passos bem desenhados pelo piso de tacos, guiados por uma professora de vestido preto com um broche de rosa vermelha. É como se eu tivesse sido transportada de uma rua da Tijuca para El Caminito, em Buenos Aires. A música tem uma dramaticidade que me perturba e me entristece, mas tento não mergulhar nisso.

Precisei de muita coragem para vir até aqui. Tive uma noite péssima, não consegui pregar os olhos. Quanto mais eu pensava, mais fazia sentido que Vicente fosse responsável por tudo o que aconteceu. Só que várias perguntas continuam sem resposta. Basicamente: *Por quê?* Por que machucar as próprias filhas? Por que vazar as fotos? Por que colocar todo mundo contra mim e me expulsar de casa?

Enquanto espero a aula terminar, volto a fantasiar hipóteses. E se Vicente nunca me amou? E se nosso casamento não passou de uma fachada? Ele sempre ligou muito para as aparências. E a verdade é que fui muito importante para sua "família perfeita" — cuidei da casa, criei as meninas nos últimos anos, fiz tudo correr nos trilhos para que ele pudesse focar na carreira.

Não, não posso acreditar nisso. Nossa relação não é uma mentira, ele me amou — ou *ama*. Então, o que mudou? *Lucas*. Sem dúvida, um bebê na casa sacudiu nossa rotina, diminuiu o tesão, prejudicou as horas de sono, trouxe à tona incômodos que estavam soterrados. Mas Lucas também reforçou para todos ao redor — para o condomínio, para os colegas do escritório, para os pais dele — a imagem que Vicente sempre fez questão de manter, de um pai carinhoso e presente. E se o que ele queria de mim fosse exatamente isso: um filho? Um filho e nada mais. Agora que Lucas nasceu, sou descartável. Fui incriminada para ficar longe, para que ele possa viver em paz com seus filhos. Não, isso não faz sentido. *A menos que ele seja um psicopata calculista*, uma voz interior me provoca. *E só um psicopata calculista pode ter feito o que fez com Lucas, com as meninas e comigo.*

O fato é que, com o nascimento de Lucas, nossa vida mudou, eu mudei — parei de me cuidar, deixei o casamento de escanteio, ganhei rugas, celulite e olheiras. E Vicente conheceu outra mulher. Me dói só de pensar, mas faz todo o sentido. É por isso que Vicente volta tarde do escritório às vezes. É por isso que anda tão estranho, não atende o telefone e me trata com desprezo. Ele quer se livrar de mim para ficar com os filhos e com a amante. E não seria a primeira vez que uma mulher vai embora da vida dele em circunstâncias estranhas...

Alice. A mãe das meninas. Penso logo nela, em seu desaparecimento misterioso, o assunto proibido dentro de casa. Eu já sabia que Alice era da Tijuca, e, um tempo atrás, quando Angela e Sara pediram para fazer balé, Vicente mencionou que a ex-sogra era professora de dança. Depois que vi o nome dela no site que avisava da missa, fiz uma rápida pesquisa na internet e encontrei o endereço e os horários das aulas no Espaço Cultural Marlene Funaro. Agora estou aqui. Em busca de respostas.

Às onze em ponto, a aula termina. Marlene desliga o rádio, agradece os alunos e deseja a todos um ótimo fim de semana. Ela tem uma voz baixa e grave, de quem fumou por muitos anos. Enxuga a testa com um paninho, enquanto desvia o olhar para mim, na porta, e faz sinal para que eu me aproxime. Mesmo de maquiagem e bem-vestida, tenho a impressão de que estou acabada. Encaro a parede espelhada, estico a blusa, prendo os cabelos atrás das orelhas e caminho até ela.

"Muito linda sua aula", digo, forçando simpatia. "E sua academia de dança também."

"O que você quer?"

Meu sorriso desaparece e pisco nervosa.

"Meu nome é Eva..."

"Sei quem você é", ela me interrompe. "Já vi fotos suas."

Seu tom direto me atordoa. Será que foi nas notícias que viu fotos minhas? Então me dou conta de que, se Marlene acredita que espanquei suas netas, ela me odeia e não vai querer me ajudar.

A sala vai esvaziando, enquanto ela começa a arrumar suas coisas em movimentos ágeis: desconecta o rádio da tomada, guarda o broche de rosa vermelha em uma mochila e se senta em um banquinho para tirar os sapatos de salto baixo.

"É sobre a Alice que eu quero falar", digo.

"Por que está interessada nela agora?"

Dou de ombros, enquanto esfrego as mãos suadas. Ainda não tenho coragem de apontar minhas suspeitas.

"O Vicente nunca me falou direito o que aconteceu… Como ela morreu…"

"Ele nunca falou?" Ela arqueia as sobrancelhas, enquanto termina de tirar as meias. "Deve ser porque não tem muito para falar. Eles passaram o dia navegando em Angra. Almoçaram e tiraram um cochilo na lancha. Quando Vicente acordou, minha filha não estava mais lá. Simplesmente desapareceu. A polícia acredita que ela caiu no mar."

"E você? No que acredita?"

Ela fica de pé e faz um gesto vago com as mãos. Em seu rosto fechado, encontro semelhanças com a foto de Alice na Disney: a testa larga, os cabelos lisos caídos sobre o ombro, o olhar expressivo e amedrontador.

"Alice não era uma mulher perfeita, Eva", diz, depois de algum tempo. Essa fala, vinda da mãe dela, me pega de surpresa. Vicente sempre me contou coisas incríveis sobre a primeira esposa: que ela era uma mãe maravilhosa, uma boa companheira, uma mulher eficiente. "Desde muito jovem, era instável… Tinha oscilações de humor, tomava muitos remédios para ansiedade e para dormir. Vicente mencionou isso em depoimento na época. Que ela se automedicava. E encontraram o frasco dos sedativos dela na lancha. A polícia acredita que Alice estava dopada e acabou caindo e se afogando enquanto todos dormiam."

Marlene encara seu relógio de pulso. Tenho a impressão de que serei expulsa a qualquer momento.

"Depois da morte dela... Por que você não manteve contato com suas netas?"

"Eu e Alice... A gente sempre teve uma relação difícil. Meu marido morreu cedo e... bem, eu e minha filha, a gente brigava muito, feito cão e gato. Nunca nos demos bem. Pra ser honesta, sempre achei que ela não daria em nada na vida. Não é fácil pra mim dizer isso, mas é a verdade... Quando ela encontrou o Vicente, foi um alívio pra todo mundo. Pra mim e pra ela."

Fico chocada ao ouvir Marlene falar sobre a própria filha com tanta frieza.

"Então, você nunca foi próxima das gêmeas?"

"Quando as meninas nasceram, tentei me aproximar um pouco... Gostei da ideia de ter netas. Mas Alice tinha um pé atrás comigo. E Vicente sempre foi apaixonado pelas filhas. Obcecado por elas. Quando Alice morreu, foi um trauma. Era difícil pra mim olhar para as meninas, tão parecidas com ela... Cheguei à conclusão de que não nasci para ser mãe. Muito menos avó."

Estou tão perturbada que, por um instante, fico com muita raiva. Tenho vontade de descontar nela tudo o que sinto, mas me contenho.

"Por que você veio aqui?", ela pergunta, depois de algum tempo. "As meninas estão bem?"

Fico sem reação. Então ela não está sabendo. Talvez as notícias sobre o caso não estivessem tão em evidência. Ela está conversando comigo porque não sabe que fui acusada. Melhor que continue assim.

"Sim, elas estão ótimas..."

"Que bom", Marlene diz, seca.

Ela termina de recolher suas coisas e faz menção de seguir para dentro. Antes que se afaste, chego mais perto e coloco a mão no ombro dela. É a primeira vez que nos tocamos. Fixo meu olhar no dela.

"O Vicente... Ele ganhou alguma coisa com a morte da sua filha?"

"O apartamento. Ela era professora, sempre ganhou muito menos do que ele. Mas, na época, ajudou com o valor de entrada do imóvel. E ele pagava as parcelas."

Eu não sabia que o apartamento onde nós morávamos tinha sido comprado com a ajuda dela. Em nossas discussões, Vicente sempre fez questão de se gabar de que aquele teto era fruto do suor de seu trabalho, sem mencionar Alice. Finalmente, tomo coragem de fazer a pergunta entalada em minha garganta:

"Marlene, você nunca cogitou a possibilidade de Vicente ter feito alguma coisa? De... ter matado a Alice?"

Ela me encara, surpresa. Passa os olhos pelo salão. Até que sorri, sacudindo a cabeça em negativa.

"Olha, Vicente sempre pareceu muito apaixonado pela minha filha. Não faria sentido", ela diz. "Como te falei, eu e a Alice... A gente conversava muito pouco. A gente se falou pela última vez uns dias antes que eles fossem pra Angra... E... foi estranho."

Ela morde os lábios, está se revirando por dentro. Sinto que quer me contar algo, mas está indecisa. Não tem por que confiar em mim.

"O que aconteceu?"

"Alice quase nunca me ligava. Mas, naquele dia, ligou...

Disse que ia pra Angra no fim de semana, mas não estava muito animada… Parecia preocupada, talvez incomodada. Não queria fazer a viagem, mas Vicente insistiu muito. Percebi que tinha mais alguma coisa… Tentei perguntar o que era, mas ela foi evasiva, contou que andava dormindo mal, tendo pesadelos. Enfim, o de sempre. Como falei, ela tinha essas oscilações… Então acabou me contando que as meninas apareceram um pouco machucadas e ela não sabia o que fazer…”

Uma espécie de corrente elétrica percorre meu corpo. Preciso me apoiar na barra junto ao espelho para continuar de pé.

“O quê? Machucadas?!”

“É, com arranhões, inchaços… Ela não me deu detalhes. Fez parecer que era algo simples, que já estava se resolvendo, e mudou de assunto”, Marlene explica. “Posso apostar que foi ela que fez isso. Alice nunca foi uma boa pessoa. Mas ela jamais ia confessar, claro. Devia estar com medo do Vicente brigar com ela.”

“Espera… O Vicente… Ele sabia que as meninas estavam machucadas?”

“Não sei. Não lembro direito. Aí a Alice morreu. E acho que ninguém mais ficou sabendo dessa história.”

Desde muito jovem, ela era instável… Tinha oscilações de humor, tomava muitos remédios para ansiedade e para dormir. As frases de Marlene reverberam dentro de mim. *Alice não era uma mulher perfeita.* Sentada na mesa da cozinha, com o notebook fechado à minha frente, tento encaixar as peças do que escutei de manhã. *Alice nunca foi uma boa pessoa.* Vicente mentiu. Pintou a imagem de uma mulher impecável. O que ele queria? Que eu me comparasse a ela? *Meu marido morreu cedo e… bem, eu e minha filha, a gente brigava muito, feito cão e gato.* A semelhança da minha história com a de Alice é perturbadora.

Por um instante, me lembro do meu terceiro encontro com Vicente. Fomos ao cinema e depois comemos pizza e tomamos vinho em um restaurante dentro do Blue Paradise. Naquela noite, ele perguntou sobre meus pais. Era um assunto difícil para mim, e eu disse isso para Vicente, de cara. Contei que meu pai tinha morrido e que a relação com minha mãe era complexa, repleta de altos e baixos. Se não me engano, contei também que minha mãe era depressiva e que brigávamos muito. Então, com brilho nos olhos, ele me contou de seus pais, da ótima relação que mantinham, das viagens que faziam juntos, e terminou com um "tenho certeza de que eles vão te adorar" que me deixou lisonjeada e ansiosa.

Talvez Vicente só se interesse por mulheres com famílias instáveis. Por quê? Porque somos mais fáceis de controlar. E mais fáceis de incriminar. *Vicente mencionou isso em depoimento na época. Que ela se automedicava,* Marlene me disse. Agora, tenho certeza de que Vicente só me acompanhou à delegacia para me vigiar. E que contou sobre o machucado em Lucas ao delegado para piorar minha situação. Mas essa traição não é nada comparada à verdade assustadora que se insinua. *As meninas apareceram um pouco machucadas e ela não sabia o que fazer...* Por que Vicente não falou nada sobre essa outra vez quando aconteceu de novo?

Por mais lógico que seja, tenho dificuldades em acreditar que Vicente bateu daquele jeito nas próprias filhas. É bem verdade que ele é um pouco egoísta, que se irrita em excesso e que pode até ser grosseiro quando as coisas não saem como quer, mas ele nunca se mostrou fisicamente violento. Tento rememorar a noite de sexta. Vicente foi para a festa no Copacabana Palace e voltou de madrugada, bêbado. Eu me lembro de seu corpo sobre o meu, querendo transar na madrugada. Me lembro de escapar para o quarto de Lucas e cair no sono. O que aconteceu depois? Ele dormiu sozinho? Ou foi para o quarto das gêmeas? No dia seguinte, descobrimos os hematomas.

Abro o notebook. Vejo que o provedor de internet disponibiliza uma rede fraca; só preciso entrar com minha senha. Acesso nosso drive e passeio pelas fotos tiradas nos últimos meses. São registros variados: algumas viagens para a serra, o grupo de amigos na piscina do condomínio ou na praia, selfies em festas infantis e churrascos, fotos dentro de casa, no café da manhã ou de noite, jogando video game ou vendo TV. De repente, uma foto chama minha atenção: Vicente está ao centro, com seu sorriso impecável, sentado no sofá ao lado de Angela e Sara. Suas mãos estão nas coxas das meninas, que vestem shorts curtos de pijama. É um toque familiar, que eu jamais enxerguei com maldade. Mas, agora, o gesto ganha um novo significado. *Vicente sempre foi apaixonado pelas filhas. Obcecado por elas.*

Fecho o notebook. Estou suando frio. É repugnante pensar que ele abusa das próprias filhas. Ele sempre tomou banho com as meninas, mas, agora que penso a respeito, é bem estranho. Elas já têm dez anos, afinal de contas. Observo o ambiente ao redor, a cozinha mergulhada no breu, o silêncio ensurdecedor me permite escutar as batidas do meu coração. Penso nas gêmeas encolhidas no canto do quarto, amedrontadas, indefesas. E penso em Lucas... Meu bebê tem poucos meses. O hematoma apareceu na barriguinha dele, bem perto da virilha. Preciso beber um copo d'água e respirar fundo para não vomitar. Lucas corre perigo. Não posso hesitar.

Muito nervosa, abro o computador de novo e digito no Google: abuso + criança + pai + relação incestuosa + silêncio. Rapidamente, encontro muitos textos teóricos de revistas e periódicos sobre saúde e centros de psicologia. Clico no primeiro link e leio:

> *O abuso sexual infantojuvenil é um dos tipos de violência mais comuns no ambiente familiar. É uma relação de poder desigual, uma vez que o agressor se utiliza da fragilidade da criança e da relação de hierarquia para viver sua sexualidade através da vítima, que está em posição inferior, sendo incapaz de compreender a natureza real dessa relação no contexto de tantas outras que mantém com seus progenitores e/ou cuidadores.*

Nervosa, continuo a ler:

> *Na cabeça da criança, não fica claro se o que acontece é uma violência. Em geral, ela não denuncia porque não tem certeza de que o que o agressor está fazendo é errado. Afinal, ele é o adulto. E o abuso pode inclusive ser prazeroso, fazendo com que a criança se sinta confusa e culpada. É comum o agressor pedir segredo, e a vítima obedecer e sentir necessidade de protegê-lo.*

Paro. É doloroso demais ler isso. Volto para as fotos da nossa família. Há muitas delas em que Vicente carrega as filhas nos braços ou as abraça com intimidade. Sinto falta de ar quando encontro fotos de Angela no colo dele ou beijando-o na bochecha ou de Sara sorrindo, com a cabeça inclinada, de mãos dadas com o pai, como se fosse sua namoradinha. A maioria dos registros foram feitos por mim, que nunca vi nada de errado. Como pude ser tão cega? Encontro um link do YouTube com a entrevista de uma psicóloga. No que parece ser um consultório, a mulher explica os principais sinais de abuso infantil e os desafios de denunciar.

O abuso sexual intrafamiliar nem sempre deixa marcas físicas, justamente por não ocorrer mediante violência física. Por isso, com frequência, ele não é detectado e se prolonga. Essa situação pode ser mantida em segredo por gerações, o que acaba impedindo a busca de ajuda. Esses são, sem dúvida, os casos mais delicados. Quando a violência física ocorre, costuma ser fruto de uma coação do agressor, que se utiliza do medo, da ameaça e da punição para garantir o silêncio da criança.

Avanço o vídeo em alguns minutos.

O primeiro sinal de abuso é a mudança no padrão de comportamento da criança, como alterações de humor entre retraimento e extroversão, agressividade repentina, vergonha excessiva, medo ou pânico. Outro sinal, mais complicado, pode ser uma proximidade excessiva. Apesar de, em muitos casos, a criança demonstrar rejeição ao abusador, também precisamos ficar atentos à proximidade excessiva.

Angela e Sara são muito apegadas ao pai, elas o endeusam.

Às vezes, a criança passa a apresentar de repente comportamentos infantilizados, que já tinha abandonado. Coisas simples, como fazer xixi na cama ou chupar o dedo. Também pode começar a chorar sem motivo aparente.

Avanço um pouco, porque não aguento ouvir isso.

Para manter o silêncio da vítima, o abusador pode usar presentes, dinheiro ou outro tipo de benefício material. É comum também que faça ameaças de violência física e promova chantagens para não expor fotos ou segredos que ela tenha contado.

Paro de assistir ao vídeo, horrorizada. O iPhone que ele insistiu em dar de presente para Angela, o desenho que ela fez de Vicente, bem grande e sorridente, o xixi na cama de Sara. Tudo se encaixa. As gêmeas sofrem abusos, se acostumaram a isso. Em algum momento, Vicente as machucou fisicamente e Alice descobriu. Sem dúvida, ficou tão perturbada e confusa que precisou recorrer à mãe. Como poderia revelar suas suspeitas contra o marido? Era algo quase impronunciável. Vicente matou Alice para impedi-la de denunciá-lo. Depois, rapidamente casou comigo para manter sua imagem de pai e marido perfeito. E eu ainda lhe dei um filho.

Tenho vontade de gritar. Fico de pé, ando de um lado para o outro, estou fora de mim. Me sinto inútil, de mãos atadas. Preciso salvar minhas filhas, preciso salvar meu filho. Mas como? As meninas mentiram para proteger Vicente. Por um instante, recordo a conversa que escutei naquela segunda-feira. Vicente agachado diante das duas. *Vocês não podem fraquejar agora. Preciso de vocês... É o papai que está mandando... Vocês têm que me obedecer, entenderam?* Agora, as frases me soam como uma ameaça. Ele bateu nelas e precisou encontrar um culpado. Como vou fazer com que elas digam a verdade? Parece impossível vencer esse ciclo doentio.

Começo a abrir gavetas e armários, soco as paredes, jogo panelas e talheres no chão. O som ensurdecedor não apazigua em nada o que estou sentindo. Claro, foi por isso que Vicente desligou a câmera do quarto de Lucas! Para escapar impune! Me deito no chão, exausta, sem ar. Então tenho uma ideia. Já sei como provar que ele é um canalha abusador.

25.

Os hábitos nunca mudam. Aos domingos, às dez e meia, Solange se encontra com as amigas da época de escola em um café francês charmoso no shopping Vogue Square. Sei disso porque ela me convidou uma vez, mas fiquei com vergonha de ir. Não queria ser uma intrusa em um grupo de cinco mulheres que se conhecem desde os treze anos.

Chego ao shopping pouco depois das onze. Precisei passar na loja da BarraSafe antes, que abria às dez. Visto calça jeans e uma blusa preta discreta, estou sem maquiagem, de óculos escuros, com os cabelos presos. Quero passar despercebida. Estou perigosamente próxima — a menos de dez minutos de carro — do Blue Paradise. E, aos fins de semana, o shopping fica mais cheio. Não posso correr o risco de ser reconhecida. Desço a escada rolante e localizo o tal café ao lado de dois restaurantes. O lugar é todo temático, com mesinhas redondas, garçons vestidos com boinas e Édith Piaf no som ambiente.

Localizo facilmente a mesa de Solange — ela está de costas para a entrada, conversando animada com outras quatro loiras, todas com o mesmo corte de cabelo e o mesmo nariz e a mesma boca. Sento em um banco no corredor lateral e apoio as duas sacolas cheias que trago comigo. Fico observando os frequentadores do shopping. Acho impressionante como, nos últimos anos, as pessoas resolveram ficar parecidas — para os homens, queixo quadrado, barba desenhada, topete discreto e músculos saltando da camisa com logo de marca; para as mulheres, lábios grossos, maçãs do rosto fartas e um vestido colado ao corpo, marcando bem a bunda e os peitos. Um casal passa por mim e, minutos depois, outro casal idêntico vem no sentido contrário — parece que são as mesmas pessoas, com roupas diferentes. É como um grande exército de Barbies e Kens, todos com a mesma harmonização facial. Então, me lembro de que o Barra Alerta me chamou de Barbie. Não sou como essas pessoas, sou?

Por volta das onze e meia, percebo uma movimentação na mesa delas — o garçom recolhe os pratos, uma das loiras faz sinal pedindo a conta e a hostess se aproxima com um tablet. Solange se levanta e vai saindo do restaurante, enquanto as outras continuam sentadas. Deve estar indo para o banheiro. Eu tinha planejado abordá-la na saída, a caminho do estacionamento aberto nos fundos do shopping. Mas agora ela está sozinha. Talvez seja minha melhor chance.

Tomo o corredor até o banheiro feminino. Empurro a porta com o cotovelo e vou entrando, com o coração disparado. Deixo as sacolas na bancada e lavo o rosto. Em outra cuba, uma senhora termina de lavar as mãos. Ela retoca o batom e sai, estranhando minha agitação. Escuto o som da descarga em uma das cabines, e Solange caminha até a pia. Ao encarar seu reflexo, ela percebe minha presença. Arregala os olhos e se recosta à parede, como se eu fosse uma assassina.

"O que você está fazendo aqui?"

"Solange, calma, por favor... Me escuta."

"Não quero escutar nada."

Ela arfa, desesperada. Com os olhos agitados, busca uma rota de fuga. Sei que anda com um spray de pimenta, mas deve ter ficado na bolsa, que deixou no café. Estamos só nós duas nesse banheiro todo branco, com luz incômoda e espelhos infinitos. Ergo as mãos para mostrar que não quero machucá-la e me aproximo devagar, tentando olhar em seus olhos.

"É importante, Sô. Questão de vida ou morte."

"Se Carlos me vir falando com você, vai ser um inferno."

"Deixa o Carlos pra lá. Você é minha amiga. Sempre foi. Me escuta, por favor", digo. "O Vicente... É ele que está batendo nas meninas. Nem sei como falar isso, mas... Acho que ele abusa das duas... Há algum tempo... E a Alice descobriu. Então ele matou a primeira esposa..."

Estendo o celular. Na tela, a foto de Vicente abraçado às filhas. Passo para o lado, mostrando outra em que ele está com as mãos nas coxas delas, no sofá. Solange observa tudo com atenção, mas sacode a cabeça em negativa.

"Não acredito em nada disso... Você está em surto. Depois que saiu de casa, as meninas não apareceram mais machucadas. Até voltaram pra escola."

"Quem te contou isso? O Vicente?"

"Ele jamais encostaria nas filhas..."

"Eu procurei a Marlene, mãe da Alice", digo. "Você sabia que as meninas já apareceram machucadas antes, quando tinham sete anos? A Alice comentou com a mãe, só que ninguém mais ficou sabendo... Porque logo depois a Alice desapareceu no mar."

Solange levanta os olhos para mim, confusa.

"Pergunta pra Marlene. Ela vai te confirmar."

"Não quero perguntar nada. Só quero viver em paz..."

Ela desvia de mim e caminha para a saída, mas eu a seguro pelo braço.

"Não paro de pensar no Vicente dando banho nas meninas, deitado na cama com elas e fazendo sabe Deus o quê... Sem mim, sem você, isso nunca vai acabar. Elas não têm mais ninguém... Você vai mesmo fechar os olhos?"

Solange suspira, pensativa. Seu silêncio me dá fôlego para fazer perguntas.

"Quem foi que vazou as fotos dos hematomas?"

"Parece que algumas mães receberam por e-mail... Um e-mail enviado por você."

Franzo o cenho. Por mim? Não faz o menor sentido.

"Acha mesmo que eu faria isso?", pergunto, enquanto tento concatenar as ideias. "Foi o Vicente. Só pode ter sido ele... Ele tem minhas senhas. Deve ter enviado as fotos pra me incriminar..."

"Por que Vicente faria isso?"

"Pra ficar sozinho com as meninas... E com o Luquinhas." Dizer isso em voz alta me dá arrepios. "Ele deu um jeito de me tirar de casa para ficar com o caminho livre."

"Como você quer que eu acredite? Você mentiu, Eva. Mentiu sobre a morte da sua mãe, escondeu que apanhava na infância... Você mentiu sobre tudo."

Não quero entrar nesse assunto; é um terreno espinhoso, que me coloca em desvantagem. Sinto que estou perdendo tempo; em breve, as amigas vão estranhar a demora dela e vir ao banheiro.

"Escuta, Solange, nos últimos meses, eu tive apagões... Lapsos de memória... De início, pensei que podia ser por causa da falta de sono... Agora, acho que foi o Vicente... Ele me deu remédios para ansiedade. Acho que estava me dopando. De propósito."

Solange respira fundo, assustada. Está contra a parede, não sabe o que fazer.

"Sei que é difícil, mas... Faz sentido, não faz?", insisto.

"Por que as meninas te acusaram então?"

"Elas têm medo do pai. Mas também têm carinho por ele. São sentimentos confusos", explico. "Você me conhece... Sabe quem eu sou."

"Não, não sei..."

"Você sempre esteve ao meu lado... Sempre me contou seus segredos."

Ela mexe nos cabelos e morde os lábios, ansiosa.

"O quê? Você vai me chantagear?"

"Não, Solange, pelo amor de Deus!", digo, com firmeza. "Só quero te mostrar que sou a mesma Eva em quem você sempre confiou. Sei que errei ao mentir pra você, mas não machuquei as meninas. Não fiz nada do que estão me acusando... E, se não fui eu, foi o Vicente!"

Percebo que ela começa a ceder. Lágrimas escorrem por seu rosto.

"O que você quer de mim?"

"Quero provar que ele abusa das meninas... E sei como vou fazer isso." Pego as sacolas e mostro para ela. "Preciso da sua ajuda."

Gotas de suor escorrem pelas minhas costas e entre os seios. Estou na completa escuridão, encolhida em posição fetal no porta-malas, abraçada às duas sacolas, atenta ao trânsito do lado de fora. Dentro dessa caixa preta, os sons reverberam mais alto — buzinas, roncos de motores, ônibus em alta velocidade. Sacudo e bato no forro interno quando o carro faz curvas ou sacoleja ao trocar de faixa. Tento adivinhar onde estamos, mas não consigo. O trajeto deveria durar menos de dez minutos, mas já estou aqui há quinze. E o carro continua avançando em alta velocidade.

Subitamente, um pensamento horrível me invade: e se Solange não acreditou em mim? E se, em vez de me ajudar, ela estiver me levando para a polícia? E se ela me deixar presa por muito tempo? Começo a sentir falta de ar. Tento me ajeitar no espaço minúsculo, mas ao girar o corpo meus joelhos batem no topo do bagageiro. Esticar as pernas tampouco é possível. Penso em chutar as costas do banco, mas não quero assustar Solange. Ainda tenho esperanças de que ela está fazendo o que pedi. Respiro fundo e fecho os olhos para me acalmar. Volto a prestar atenção aos sons lá fora.

Agora, o carro diminuiu de velocidade. Não escuto mais o trânsito. Será que já estamos dentro do condomínio? Passamos por uma lombada. E mais outra. Sim, estamos dentro do Blue Paradise! Meus pelos dos braços se eriçam, fico ainda mais agitada. O carro se inclina para descer uma ladeira e, logo depois, o motor é desligado. Em segundos, Solange abre o porta-malas e olha para os dois lados antes de fazer um gesto para que eu saia.

Estamos no estacionamento do prédio, no subsolo. Me sinto muito exposta. É hora do almoço. Alguém pode chegar a qualquer momento. Encaro Solange e, sem pensar muito, a abraço.

"Obrigada, amiga. Obrigada por confiar em mim."

Ela engole em seco e me devolve um olhar hesitante.

"Tem certeza de que ele não está em casa?"

"Tenho."

Pela manhã, liguei para Vicente para tentar descobrir seus planos para o domingo, mas ele não atendeu. Desde que brigamos feio, ele tem me evitado. Mesmo assim, eu achava difícil que ele estivesse em casa com Lucas e as meninas a essa hora. Nos fins de semana, elas sempre pedem para dar uma volta no shopping, ir ao parquinho, à praia, à piscina ou ao boliche. Domingo é o dia que o apartamento fica vazio por mais tempo. E, de fato, nosso carro não está na garagem.

"Espero não me arrepender", Solange diz. "Você tem quinze minutos."

Faço que sim e me afasto, levando as sacolas comigo. Olho o relógio do celular: meio-dia e quarenta e sete. Quero terminar tudo até uma da tarde. No hall, desisto de pegar o elevador — não posso correr o risco de parar em outro andar. Empurro a porta da escada de emergência e começo a subir. Quando chego ao décimo andar, estou suada, com o peito ardendo e os braços doloridos de carregar tanto peso. Recupero o fôlego e, apoiada no corrimão, continuo por mais dois andares. Checo o relógio — meio-dia e cinquenta e um. Pego a chave na calça jeans e, por um instante, vislumbro a hipótese de Vicente ter trocado a fechadura.

Tomo o corredor até o apartamento, giro a chave, baixo a maçaneta e empurro a porta bem devagar, temendo encontrar Vicente no sofá. Levo um susto quando a porta bate no carrinho de bebê encostado próximo ao espelho da entrada — sempre proibi que ele deixasse o carrinho aqui, mas agora não mando em mais nada. A sala está vazia, nenhum som vem dos outros cômodos. Parece que não tem ninguém em casa mesmo. Um sol forte entra pelos janelões, iluminando todo o ambiente. Conforme avanço, sou tomada por uma dolorosa nostalgia: há pouco tempo, eu era feliz aqui. Agora, a casa parece um lugar fúnebre, pesado, palco de atrocidades veladas.

Não tenho tempo para sofrer. Preciso ser objetiva. Coloco as sacolas sobre a mesa de centro e vou retirando as embalagens com as microcâmeras que comprei, do tamanho de bolas de gude. Passo os olhos pela sala e encontro um lugar que me parece perfeito na estante alta ao lado do corredor. Coloco uma ali, entre os bibelôs, as lembranças de viagem — I ♥ Poços de Caldas — e os porta-retratos com nossa família feliz e sorridente. Encarar a foto de Vicente me enche de angústia e repulsa. Não sei como vou conseguir olhar para ele outra vez.

Acesso o aplicativo do BarraSafe e, mexendo a câmera um pouco mais para a esquerda, consigo um ângulo que captura os movimentos desde o sofá até a mesa de jantar. Sigo para a cozinha, onde prendo uma microcâmera acima da máquina de lavar, em um ângulo que alcança desde a geladeira até a bancada da cozinha e o fogão.

Faço um esforço para não me emocionar quando entro no ateliê. O lugar está uma bagunça, com tintas reviradas, pincéis sujos, moldes de cabeça mal pintados, olhos, bracinhos e perninhas espalhados pela bancada. Foram as meninas que fizeram isso? Ou foi Vicente? Tenho o ímpeto de arrumar tudo, mas me contenho. Não posso deixar rastro da minha visita, ou todo o plano vai por água abaixo.

Olho o relógio. Meio-dia e cinquenta e sete. Preciso me apressar. Instalo a terceira câmera na prateleira de reborns e conecto à internet da casa. No corredor, instalo uma câmera no teto, em um canto que me parece mais discreto, e corro para o quarto das gêmeas. Não é difícil encontrar o melhor esconderijo aqui — coloco a microcâmera dentro de uma casinha de boneca de plástico, em um ângulo que alcança as duas camas de solteiro.

Vou para o quarto de Lucas. Procuro um lugar diferente da câmera anterior — no espaço onde ela estava, agora resta apenas uma marca sobre a tinta branca do teto. Escolho um ponto bem escondido, de onde consigo ver o berço inteiro e a entrada do quarto no lado direito: a tromba de um elefantinho de pelúcia na segunda prateleira da estante, perto dos carros em miniatura. Dessa distância da janela, a microcâmera não consegue recarregar pela luz solar, mas o vendedor garantiu que a bateria dura uma semana. É o tempo que tenho para conseguir alguma prova.

Meu celular começa a vibrar. Na tela, aparece o nome de Solange. Uma e cinco da tarde. Sei que estou atrasada, mas não posso recuar. Ainda faltam três câmeras. Recuso a ligação e corro para o banheiro das gêmeas. Tento encontrar um ponto dentro do box, perto do chuveiro, mas não consigo. Mesmo no teto ou no basculante, a câmera ficaria muito aparente. Encontro um lugar no armário acima da pia, ao lado do espelho. Na prateleira mais baixa, reparo no novo medicamento de Sara — um vidro grande com tarja vermelha no rótulo e tampa rosa. Ao lado da bancada, o banquinho de madeira que ela usa.

Mais uma ligação de Solange. Recuso e, finalmente, chego ao nosso quarto. Para minha surpresa, tudo está impecável, com a mesinha de canto e a cadeira de metal vazias, o closet sem cabides ou roupas do lado de fora e a cama perfeitamente arrumada. Vicente nunca foi de esticar lençol e amaciar travesseiros. Será que ele anda dormindo com as gêmeas desde que me expulsou? Esse pensamento me faz querer vomitar. Tento me concentrar em encontrar o melhor lugar para a câmera. Subo na cadeira e experimento no teto, ao lado do armário, em um canto escuro. Desse ângulo, enxergo a cama, a porta do banheiro, a entrada do closet e a mesinha de trabalho onde às vezes Vicente abre o notebook para checar os e-mails. Perfeito!

Entro no banheiro do quarto e começo a instalar a última microcâmera quando escuto a chave girar na porta. Congelo. Solange deve ter me ligado não para me cobrar, mas para avisar que eles estavam subindo. As gêmeas conversam animadas, riem e gritam. Preciso pensar rápido. Desço da privada e passo os olhos pelo banheiro para ver se não estou me esquecendo de nada. As vozes estão cada vez mais perto. Começo a sair do quarto, mas escuto Vicente surgir no corredor e mandar que as duas sigam para o chuveiro. Recuo antes que ele me veja. Por sorte, ele estava de cabeça baixa, carregando Lucas nos braços. De soslaio, observo Angela e Sara entrarem no banheiro, enquanto Vicente vai para o quarto do bebê.

Penso em atravessar o corredor depressa, levaria só cinco ou dez segundos, mas nosso quarto é o último cômodo. E se alguém me vir? Estou encurralada. Espero, atenta aos sons, debruçada ao batente da porta. No banheiro, as gêmeas continuam a conversar enquanto se despem. Vicente sai do quarto de Lucas e caminha na minha direção. *Puta merda, ele está vindo para cá.* Recuo depressa e me jogo embaixo da cama. Segundos depois, ele entra no quarto e bate a porta.

Prendo a respiração, desesperada. Pelo vão, observo Vicente se apoiar na parede para descalçar os mocassins e descer a bermuda, que ele joga em cima da cama. Vicente se aproxima da mesa de cabeceira — seus pés a centímetros de mim —, tira o relógio de pulso e segue para o banheiro. Escuto o jato de urina bater no vaso. Acredito que dá tempo de escapar antes que ele termine. Fico de pé, caminho até a porta do quarto e a abro. Olho por sobre o ombro uma última vez e... *as sacolas!*

Deixei as sacolas pretas da BarraSafe, com as embalagens vazias das microcâmeras, em cima da cadeira do quarto. Por sorte, Vicente não as notou ao entrar. Volto correndo para pegá-las e escuto Vicente fechar a torneira da pia. Não vai dar tempo. Me deito no chão e rolo para debaixo da cama outra vez. Recupero o fôlego, enquanto Vicente sai do banheiro só de cueca e para ao lado da cama. Como só consigo ver suas pernas, não sei o que ele está fazendo. De repente, percebo que deixei a porta do quarto aberta. Ele a bateu ao entrar. Será que vai perceber? Aguardo, ansiosa.

Pouco depois, Vicente sai do quarto, digitando no celular. No mesmo instante, meu telefone vibra na calça. Olho o visor:

Vicente. Merda, merda, merda. Ele resolve me telefonar logo agora? Desligo o celular e deslizo para fora da cama. Confiro o corredor. A porta do banheiro está encostada. Um vapor de água quente sai pela fresta. Escuto Angela perguntar ao pai sobre o horário do filme que ela quer assistir mais tarde no cinema. Vicente responde que precisa confirmar certinho se vai conseguir levá-las ao shopping. Eles parecem entretidos na conversa, acredito que agora é seguro. Tomo coragem e, a passos calculados, cruzo o corredor.

Tomada de adrenalina, chego à sala vazia e caminho na direção da porta. Então escuto às minhas costas:

"Mamãe?"

Em choque, eu me viro. Sara acaba de sair da cozinha. Está a apenas alguns metros, só de calcinha, com um copo d'água na mão e o reborn Pedrinho debaixo do braço. Nós nos encaramos por alguns segundos. Ela parece não ter medo de mim, mas lança um olhar preocupado para o corredor. Penso em dizer que só quero protegê-la de Vicente, que vou provar para todos as coisas horríveis que ele faz, mas não posso. Não sei como ela reagiria. Então, apenas levo o indicador à boca, implorando que guarde segredo. Sem se mover, Sara faz que sim com a cabeça. Hesito, mas não consigo resistir e me aproximo. Dou um beijo na testa dela. É um beijo rápido, furtivo, que revigora minhas energias. Minha vontade é levá-la daqui agora mesmo, mas não posso fazer isso.

Giro a chave e lanço um último olhar para Sara antes de ir embora. Meu coração está apertado, é uma dor aguda, real. Tenho vontade de chorar, mas me contenho. Desço as escadas do prédio o mais rápido que consigo. Solange me espera dentro do carro, tamborilando as unhas no volante. Quando entro no banco traseiro e me agacho, ela começa a brigar comigo porque viu Vicente chegar e tentou me avisar, mas não atendi. Irritada, reclama da minha irresponsabilidade e diz que se arrepende de ter me ajudado. Peço desculpas, mas não me abalo. Sei que está falando da boca para fora.

Durante todo o trajeto, não trocamos uma palavra sequer. Melhor assim. Ainda estou inebriada, num misto de sentimentos confuso — tristeza, ansiedade e nojo. Pela primeira vez, chego à casa de subúrbio sem pensar em como odeio esse lugar. Corro para a penteadeira no quarto da minha mãe, onde deixei o notebook ligado à tomada, e abro o aplicativo do BarraSafe. Após digitar um código, uma grade de nove telas surge na minha frente, mostrando todos os cômodos onde instalei as microcâmeras, em tempo real, com um contador de horas, minutos e segundos no canto inferior. As imagens são em preto e branco quando as luzes estão apagadas e coloridas quando acesas.

Pelo computador, com um clique, consigo escolher a câmera que quero acompanhar, reassistir às últimas doze horas de qualquer câmera e fazer download de trechos do vídeo. É como uma central de segurança. Cedo ou tarde, Vicente vai cometer um deslize e eu estarei filmando. Assim que ele encostar nas meninas ou no meu filho, vou conseguir a prova de que preciso. Ele tentou me incriminar, me pintou de louca para todo mundo, mas não vai vencer desta vez. Porque eu estou de olho. Estou dentro da casa.

26.

Recostada ao sofá, sinto minha cabeça pender e bocejo. Não consegui dormir nem um minuto essa noite. Já amanheceu, mas continuo com o notebook no colo, observando o movimento no apartamento. Ontem, após o banho, Vicente saiu de novo com as crianças — possivelmente para ir ao cinema — e só voltou à noite, por volta das nove. Jogaram um pouco de video game na sala e, depois, Vicente deu banho e mamadeira para Lucas enquanto as gêmeas brincavam no quarto. Ele dormiu na cama de casal com Lucas do lado, o que me deixou muito tensa e ansiosa, mas não fez nada além de atender o bebê durante toda a madrugada.

Agora são seis e quarenta e cinco da manhã de segunda-feira. A casa despertou. Vicente coloca Lucas na cadeirinha para conseguir tomar banho e se arrumar para o trabalho. Na cozinha, Angela frita os ovos enquanto Sara espera, brincando com Pedrinho. As duas já estão de uniforme. Volto ao mosaico de telas: Vicente pega Lucas no colo, corre para a cozinha e começa a esquentar a mamadeira, enquanto Angela serve os pratos, pega uma jarra de suco, um pote de Nescau, leite, copos e talheres e leva tudo para a mesa de jantar.

Percebo que a bateria do notebook está no final. Preciso fazer um esforço enorme para me levantar — estou esgotada, sinto como se meus braços e pernas estivessem prestes a derreter. Sacudo a cabeça, bagunçando os cabelos, e esfrego o rosto para acordar. Coloco um pão de forma com manteiga na chapa e fervo a água do café, enquanto observo, na tela do computador, o café da manhã no apartamento — Vicente dá a mamadeira a Lucas, Sara brinca com Pedrinho no colo e Angela vê alguma coisa no celular enquanto bebe o Nescau. Fico tão absorta pela cena cotidiana que chego a me esquecer de que estou aqui, nesta cozinha velha e abafada, e não lá, com os filhos que amo.

O notebook apita, vai desligar a qualquer momento. Corro ao quarto para buscar a bateria e o conecto à tomada. Um cheiro de queimado invade todo o ambiente — o pão! A água está borbulhando e quase transborda, mas desligo o fogo a tempo. Passado o susto, termino de fazer o café e me sento na cadeira, bebericando a xícara, com os olhos fixos na tela. Vicente agora está de pé, rodeando a mesa. Ele dá um beijo na testa das filhas e faz um carinho no rosto delas. Logo depois, se senta na cadeira e Angela vai para o colo dele. Percebo certo incômodo nela, uma leve retração em seu jeito agitado, mas talvez eu esteja imaginando. Só sei que a imagem me incomoda terrivelmente.

Rebobino o trecho e tento identificar Vicente chamando a filha para se sentar no colo dele. Infelizmente, não tem áudio e ele está com a cabeça baixa, servindo-se de suco, de modo que não consigo ver sua boca se mover. Só dá para ver Angela saindo de seu lugar e se sentando no colo do pai, como se fosse algo natural. Assisto e reassisto em câmera lenta, mas não encontro nada. Volto ao tempo real. Agora eles já estão terminando de comer. Lucas agita os braços e gargalha. Vicente e as gêmeas riem também, parecem estar conversando sobre algo divertido. A sintonia deles é como um golpe na minha barriga. Tudo parece perfeito e feliz sem mim.

Pego o celular e ligo para Vicente. Não conversamos desde a briga. Não tenho nada para falar, só quero interromper, lembrar a ele que eu existo. Na mesa de jantar, o celular dele acende. Vicente baixa os olhos para o telefone, que chama, chama e chama, mas continua a comer e conversar com as meninas, até que a ligação cai. Quando ligo outra vez, ele aperta o botão lateral do aparelho para recusar, fica de pé e veste o paletó. São sete e quinze. Uma jovem, com roupas simples, entra na sala, deixa sua bolsa no sofá e se aproxima da mesa, fazendo um gesto para que as gêmeas se apressem. Fico me perguntando quem é ela, até que a jovem volta da área dos fundos vestindo um uniforme de empregada.

Em outra câmera, vejo Sara entrar no banheiro e subir no banquinho. Ela estende o braço na direção do frasco de tampa rosa, enquanto cantarola, com o rosto bem na frente da câmera, sem saber que está sendo filmada. Sara engole o remédio, desce do banquinho e sai, apagando a luz. Vê-la assim, de perto, me dá vontade de entrar na tela para abraçá-la. Ela não contou a Vicente que me viu no apartamento. Parece que, mesmo que de maneira inconsciente, sabe que corre perigo e precisa de ajuda.

De volta à sala, a empregada já está com Lucas no colo, andando de um lado para o outro. Com ela, ele não chora. Ao contrário, gira os olhinhos e sorri quando a mulher junta o nariz ao dele ou quando o ergue no ar. Vicente pega sua pasta, a chave do carro e sai com as meninas. Finalmente, parece que encontrou tempo para levá-las à escola. Quando eu estava na casa, mesmo grávida ou com Lucas recém-nascido, ele dizia que o desvio o faria chegar depois das oito no escritório, no centro da cidade, o que prejudicaria sua imagem.

Por mais alguns minutos, assisto à empregada brincar com Lucas, dar banho nele e trocar sua fralda, então meus olhos voltam a pesar. Estou cansada. Sei que a casa ficará praticamente vazia pelas próximas horas, até que as gêmeas cheguem da aula no fim da tarde. Aproveito para tentar dormir no sofá. Cochilo por algumas horas — um sono inconsistente, interrompido por pesadelos curtos e carros barulhentos passando na frente da casa. Acordo pouco depois das três da tarde e ainda parece que fui atropelada por um trem. Mesmo com dores no corpo, vou para a cozinha. Ligo o notebook e esquento arroz e feijão.

Nas câmeras, Lucas dorme no berço enquanto a empregada varre a sala e passa pano nas janelas. Diante do marasmo, penso em olhar as redes sociais, mas já não aguento ler xingamentos e ameaças absurdas nos comentários das minhas fotos. Na última vez que conferi, o vídeo da briga no YouTube havia passado de cem mil visualizações. Sirvo minha comida e, enquanto dou garfadas de má vontade, acesso a caixa de e-mails (sem novidades), pesquiso um pouco sobre abusos contra crianças e anoto dois telefones de psicólogos especializados no tema. Sem dúvida, quando a situação estourar, as gêmeas vão precisar de todo o apoio possível.

Deixo o prato sujo na pia e, enquanto pego a esponja, percebo que continuo a usar a aliança. Depois de um ano juntos, Vicente fez questão de fazer uma festa no salão do condomínio e comprou para mim um anel de ouro, com um pequeno diamante, que me deixou ainda mais feliz e apaixonada. Agora, vejo como fui idiota. Foi esse anel que me fez aceitar mais facilmente suas pressões para cuidar da casa, das meninas e — por que não? — de ter um filho. Por causa desse anel, fui me moldando a ser a mulher que Vicente queria que eu fosse.

A aliança escorrega pelo dedo ensaboado. Eu a observo de perto e guardo na gaveta de talheres. Volto a me sentar diante do computador. No automático, digito o endereço do meu site de reborns. A página demora a carregar e, quanto completa, a tela inicial está diferente. Uma música soturna toca, em vez das cantigas de ninar instrumentais que selecionei com tanto carinho. Meu site foi hackeado: as fotos dos reborns foram substituídas por fotos minhas, com rabiscos, chifrinhos de diabo desenhados, xingamentos em letras maiúsculas: VAGABUNDA, LOUCA e PUTA. Meus dedos tremem enquanto movo o mouse, meu batimento cardíaco acelera. Fecho a aba rapidamente, tentando não me abalar pelo linchamento. Essas pessoas não sabem o que estão fazendo. Não sabem que estão atacando a pessoa errada.

Acesso o BarraSafe e espero. Lucas está dormindo de novo, parece não dar trabalho nenhum agora que não está mais comigo. Pouco depois das seis, as gêmeas chegam da escola. Devido ao ângulo da câmera, não consigo ver se Solange as trouxe ou se elas vieram sozinhas. Vicente sempre foi contra elas andarem desacompanhadas, mesmo a escola sendo perto, com guaritas de segurança e câmeras a cada quarteirão. Parece que muita coisa mudou na rotina da casa desde que fui expulsa.

Em vez de seguirem para o banho, Angela e Sara se despem no quarto e vão, só de calcinha, se juntar à empregada. Acompanho atenta enquanto a empregada sobe na escadinha para alcançar os produtos de limpeza no armário da área de serviço — que ficam fora do alcance das crianças, por segurança. Para minha surpresa, as três trabalham em conjunto para lavar o banheiro, limpando a privada, passando alvejante e esfregando os azulejos com esponja enquanto cantam e dançam uma música que não consigo escutar. Será que Vicente sabe que a empregada colocou as meninas para limpar o banheiro? Ou será que entendi tudo errado? Será que ela é a amante?

Dou zoom para analisá-la mais de perto quando vai pegar Lucas: é mais baixa do que eu, tem cabelos castanhos e a boca bem desenhada. É, sem dúvida, uma mulher bonita. E jovem. Deve ter, no máximo, vinte e cinco anos. Mas por que Vicente pediria para ela usar um uniforme se os dois estivessem de caso? *Para disfarçar*, penso. Vicente sempre precisou de fachadas. Alice era uma fachada, eu fui uma fachada. Essa moça talvez seja sua nova vítima. Observo-a se divertir com as gêmeas, enquanto tento me lembrar se já a vi antes em algum lugar. Não. Tenho certeza de que não. Como Vicente a encontrou?

Por volta das oito da noite, Lucas dorme no berço e as meninas estão no quarto, fazendo o dever de casa. Vicente chega do trabalho e ela vai embora. Faço questão de prestar atenção na despedida deles — é fria, sem beijo nem abraço, o que me faz descartar a hipótese de que são amantes. Vicente toma banho sozinho — seu corpo nu, que antes me excitava, agora só causa repulsa. Mais tarde, de short e sem camisa, ele vai até a sala e pega uma caixa de pizza com o entregador. As meninas vêm correndo de dentro e se sentam à mesa, já de pijama. É horrível não poder escutar o que eles conversam enquanto jantam.

Às dez, Angela e Sara recolhem a louça para a cozinha e escovam os dentes. Fico sem ar quando vejo que elas vão para a cama do meu quarto, em vez de seguirem para o quarto delas. Vicente já as aguarda ali, debaixo do lençol. Com um sorriso asqueroso, ele faz sinal para que se deitem ao seu lado. Na mesa de cabeceira, ele pega um livro do Pedro Bandeira, *A droga da obediência*. Enquanto lê para elas, move muito as mãos, faz cosquinha na barriga delas, aperta seus braços e coxas, engancha as pernas peludas nas filhas, como se representasse as ações da história. Elas mal piscam, atentas.

Todos esses toques, os corpos se encostando, me causam repulsa, mas estão longe de serem criminosos. Pode haver algo de sexual, mas também pode ser apenas um pai brincando com as filhas. Meia hora depois, ele fecha o livro e apaga a luz. Os três ficam deitados na cama, no escuro. Consigo ver suas sombras imóveis sob as cobertas na imagem em preto e branco — Vicente com um travesseiro entre as pernas, Sara com a mão na boca, Angela deitada de bruços, abraçada pelo pai. Continuo alerta, na expectativa de que ele faça algo. Não consigo parar de assistir.

Esperar, esperar e esperar. É só o que faço nos últimos dias. Como um zumbi, me movo do sofá para a cozinha. Da cozinha para o banheiro. Do banheiro para o sofá. Continuo nesse ciclo, sempre com o notebook a tiracolo, assistindo às câmeras do meu apartamento. Estou vivendo a vida deles, não a minha. Acabei me adaptando aos seus horários: durmo do final da manhã até o início da tarde, quando as gêmeas e Vicente estão fora. Passo as noites em claro, vigiando.

Nada acontece. Depois de três dias, minhas costas doem, meu pescoço está dolorido e meus olhos ardem assim que ligo o computador (a luz branca da tela rasga minha vista como uma farpa). Experimentei todas as posições possíveis — sentada diante da penteadeira, na mesa da cozinha, no chão, no sofá e até no balanço nos fundos. Já começo a pensar em abrir concessões: talvez eu não precise ficar olhando o tempo inteiro, talvez esteja exagerando, talvez Vicente cometa seus crimes fora de casa — no carro ou em algum outro lugar.

Abandono essas ideias e me mantenho firme no plano. Estou frustrada e ansiosa, mas não posso me deixar vencer pelo cansaço. É claro que Vicente abusa das meninas dentro de casa — é o ambiente mais seguro e controlado. Pelo que li em algumas matérias, a frequência dos abusos pode variar em dias, semanas ou até meses. O agressor possui uma espécie de catalisador que o leva a desejar o sexo com a criança. Qual pode ser o catalisador de Vicente? Tenho a sensação de que há algo óbvio que ainda não enxergo. Minha única certeza é que não posso desistir.

Assisti a cada segundo do que aconteceu no apartamento quando Vicente ou as gêmeas estão nele, mas a verdade é que, até agora, descobri pouca coisa. Na terça à noite, Vicente ficou muito tempo em uma conversa por vídeo com seus pais. Dei Zoom e consegui identificar que eram eles, mas só. Pelos gestos de Vicente, percebi que era uma conversa tensa. Eles deviam estar preocupados com as netas, deviam ter visto as matérias sobre mim, deviam estar se oferecendo para cancelar a viagem e voltar ao Brasil. Mas Vicente sempre foi muito bom em manipular os pais. Tenho certeza de que, se for o caso, ele conseguiu convencê-los a seguir viagem. Depois de quase cinquenta minutos, ele desligou, apagou a luz e foi se deitar — sozinho, dessa vez.

A quarta-feira também não trouxe novidades. Insatisfeita com a monotonia das câmeras, comecei a arrumar a casa. Pensei em me desfazer dos santinhos, caboclos e pretos velhos do gongá de minha mãe, mas desisti. Nunca acreditei muito nessas coisas, mas achava que poderia dar azar jogar tudo fora. Fiz apenas uma faxina rápida na sala e nos banheiros. Estava empilhando papéis velhos para levar para a lixeira quando meu celular começou a tocar. Corri até ele, pensando que era Vicente. A tela mostrava um número desconhecido. Hesitei, mas atendi.

"Oi, tudo bem? Meu nome é Mara", a mulher do outro lado disse, com sua voz levemente anasalada. "Estou ligando por causa do anúncio."

"Anúncio?"

"É, estou procurando uma casa na área do Cachambi ou do Méier pra comprar. Passei na frente da sua, acho. É uma de muro azul, não é? Vi a placa e anotei o número."

"Ah, sim..."

Eu havia me esquecido completamente da placa de VENDE-SE na fachada. A tal Mara era a primeira interessada a ligar.

"Será que rola de visitar?", ela perguntou, diante do meu silêncio.

"Infelizmente a casa já foi vendida", menti e desliguei.

Meu coração batia rápido. Eu não podia receber uma estranha. Nada garantia que ela estava mesmo querendo comprar a casa. Podia ser uma jornalista, ou esses tiktokers que fazem vídeos só para viralizar. Por via das dúvidas, peguei uma das facas escondidas e saí. A rua estava vazia, não tinha ninguém suspeito me observando da calçada, nenhum carro estacionado com o motor ligado, nenhuma picape. Em poucos minutos, arranquei a placa amarela da fachada e a levei para os fundos.

Hoje é quinta-feira. Assim que amanheceu, decidi voltar à terapia. Peguei um táxi e cheguei ao shopping Downtown em quarenta minutos. Pedi desculpas pela minha ausência na consulta anterior e falei um pouco sobre a semana, omitindo minhas suspeitas sobre Vicente, a conversa com Marlene, o pedido de ajuda à Solange e tudo o que eu não queria que Vicente soubesse. Afinal, quem me passou o contato do Scheiffer foi meu marido. E na nossa última briga ele deixou escapar que os dois se comunicavam em paralelo. Fui à consulta para fazer um teatro, para fingir que acredito que preciso me tratar. Quero reconquistar a confiança de Vicente. Quero que ele não se sinta ameaçado. Só assim ele vai ficar à vontade para cometer seus abusos. Ao final da consulta, intuí que tinha feito um bom trabalho. O velho psicólogo estava com pena de mim. Ele ainda me enxergava como a esposa submissa e disponível que não via a hora de reconquistar o maridão. Melhor assim.

Agora, de volta à casa, assisto às gravações para confirmar que não perdi nada. Preciso desesperadamente que alguma coisa aconteça. Meu tempo está acabando. As baterias das câmeras vão acabar. Quando percebo, já são nove e meia da noite. Estranho que Vicente ainda não tenha voltado do trabalho. Na sala, a empregada serve o jantar das meninas e vai atender Lucas no quarto. Onde Vicente está? Telefono para ele, que não atende — de novo. Só pode estar com a amante, penso. Tento imaginar quem pode ser a mulher: alguma estagiária do escritório? Uma juíza? Se ele conheceu alguém, aposto que foi no trabalho. Ou no condomínio.

Solange, uma voz interna me sussurra. Será ela a amante de Vicente? Por que nunca pensei nisso? Espanto a ideia de cara. Ela jamais faria isso, é minha melhor amiga. Tento pensar em outra coisa, mas não consigo. Sinto algo se arrastando pelos meus ombros, como se um inseto percorresse todo o meu corpo. Mesmo sendo absurdo, faz sentido. O desespero dela de me contar sobre o novo affair era, na verdade, culpa. E sua hesitação quando perguntei se era alguém que eu conhecia…

Minha cabeça lateja, minhas mãos formigam. Se Solange e Vicente são amantes, isso muda tudo. Por que ela aceitou me ajudar e me levou ao apartamento? Porque eu a coloquei contra a parede, apresentei minhas suspeitas, fui firme. Solange não tinha como negar. Se tivesse negado, eu suspeitaria dela. O que ela fez com o que contei? Será que acreditou em mim? Ou contou tudo para Vicente? Claro que contou, ela mesma disse que está apaixonada pelo amante.

As coisas de repente se apresentam com uma clareza assustadora. É por isso que não acontece nada diante das câmeras, é por isso que Vicente parece o pai perfeito. Assim como eu no psicólogo, ele está fazendo um teatro. *Sabe* que entrei no apartamento. *Sabe* que está sendo filmado. *Sabe* que eu sei. E vai esperar até que as baterias terminem, até que eu desista, para voltar a praticar os abusos.

Sinto falta de ar. Estou presa, sem saída. Não adianta ir à

polícia, nunca vão acreditar em mim. Não tenho mais ninguém com quem contar. Além disso, estou na mira de Vicente. Se ele sabe que fui até Marlene e que estou fazendo perguntas incômodas por aí, represento um perigo para ele. Caso se sinta ameaçado, ele pode me matar, como fez com Alice. Fico de pé e rodeio a casa, confirmando que todas as portas e janelas estão trancadas. Só então, me lembro de que Vicente tem as chaves e pode entrar a qualquer momento. Estremeço, angustiada. Pego a faca debaixo da almofada do sofá e a deixo ao meu lado. Volto a abrir o notebook, com os olhos injetados. Mais uma noite sem dormir.

27.

Estou deitada no sofá quando sinto uma mão agarrar meus pés. Levo um susto, mas sou puxada com tanta força que mal tenho tempo de reagir. Ergo os braços para me proteger, envolta em lençóis, almofadas, travesseiros, e tento entender o que está acontecendo. Um homem, todo de preto, com uma balaclava no rosto, está em cima de mim. Sacudo o corpo, tento me desvencilhar, grito, mas ele é muito mais forte do que eu e consegue me dominar. É Vicente? Ou alguém que ele contratou?

O invasor me arrasta pelos cabelos até o quarto da minha mãe e me estapeia até que eu fique tonta. Então, coloca os braços sob minhas axilas e me ergue. Ali, uma corda já está presa ao teto, com um laço de forca. Não é difícil entender o que ele pretende. Se eu aparecer enforcada, assunto encerrado. Eva bateu nos próprios filhos, foi expulsa do condomínio e estava tão fora de si que acabou cometendo suicídio que nem a mãe.

Balanço os cabelos, giro os braços no ar, mas ele aperta meu pescoço com violência e o força para dentro do laço. Estou agonizando, sem saída. Tiro forças não sei de onde para dobrar a perna e dar uma joelhada no invasor. Ele se contorce com o golpe e me solta. Aproveito para empurrá-lo e saio correndo, desesperada. Na sala, tem uma mulher morta. É Alice. Pálida, com os olhos arregalados, a boca torta e a língua para fora. O que ela está fazendo aqui? Não tenho tempo para pensar.

Abro a porta da frente e desço a escada, gritando por socorro. Está tudo apagado — não há luz em nenhuma casa, nem nos postes da rua. Tento abrir o portão, mas está trancado. A chave não está comigo. Merda! Vou pular. Já estou caminhando pelo matagal na frente da casa quando vejo um boneco caído ao meu lado. Demoro para reconhecer: é um reborn que fiz anos atrás — de olhos verdes, boca delicada, cabelos longos e franjinha. Não entendo o que ele está fazendo aqui. Eu me agacho para pegá-lo e vejo que está sem os braços e com o rosto pichado de preto. Levanto os olhos e, mesmo na escuridão, enxergo outros reborns espalhados, todos destruídos, com os cabelos arrancados, sem pernas, olhos furados, bochechas riscadas. Escuto um choro de bebê, alto e incômodo. São eles. Os reborns estão chorando. De verdade. Fico pasma por um instante, mas vejo que o invasor já começa a descer os degraus da entrada. Eu me encolho e grito, com as mãos tapando os ouvidos. Não aguento mais ouvir esse choro. A poucos metros de mim, o homem para e tira a balaclava que cobre seu rosto...

Desperto, ofegante. Tateio ao meu lado e encontro a faca no vão entre a almofada e o sofá, passo os olhos pela sala vazia. Foi só um pesadelo. Meu coração bate acelerado, minha boca está seca e, quando esfrego o rosto, percebo que estou com remelas. Cochilei sem querer. Não sei por quanto tempo. Olho o relógio do celular: sete e dez da noite de sexta. O notebook ainda está sobre minhas pernas, todo torto, quase caindo no chão. Clico na tecla de espaço para que a tela se ilumine, mas ela continua apagada. A bateria deve ter acabado.

Vou até a penteadeira e ligo o computador na tomada. É tão estranho entrar no quarto da minha mãe depois do pesadelo — o lugar onde a corda estava pendurada é, na verdade, ocupado pela cômoda ao lado da cama. Tento me acalmar, deixar as imagens vívidas para trás. Acesso o BarraSafe e vejo que a casa está animada. Na sala, Angela e Sara dançam diante da TV, fazem passos coreografados — esticam os braços, giram ao redor do próprio eixo, fazem coraçãozinho com a mão. Vicente está sentado no sofá, tomando uma longneck, com o bebê no colo. Dou zoom nele. Vicente mantém os olhos fixos, viciados, nas meninas e as incentiva a dançar mais, rebolar mais, com sensualidade. Discreto, ele sorri com o canto da boca e morde os lábios entre goladas da cerveja. Há desejo e perversão em seu rosto. Começo a passar mal, mas continuo atenta.

A empregada vem de dentro, de uniforme. Ela fala alguma coisa com Vicente e volta para a área dos fundos, onde está passando roupa. Na sala, a música terminou e as meninas estão bebendo água, ofegantes. Vicente estende a longneck para Angela e deixa que ela beba um pouco. Também oferece para Sara, mas ela nega. Fico mais agitada. Ele está querendo embebedar as próprias filhas? Rebobino o vídeo: será que isso é suficiente para provar minhas suspeitas? Um pai dando cerveja para uma criança de dez anos... Assisto em câmera lenta: Angela bebe duas goladas, parece estar apenas provando. Mesmo sendo errado, não é o bastante para alguém ir preso.

Volto ao mosaico. As meninas continuam a dançar na sala, a empregada foi fazer Lucas dormir, já é tarde para ele... E Vicente? Não o encontro. Clico nas telas, buscando-o pela casa. Será que saiu? Finalmente, eu o localizo no quarto, na parte inferior da imagem. Ele está no escuro, com a porta fechada. Sentado na cadeira, mexe em seu notebook sobre a mesinha de canto — a luz do computador ilumina parcialmente seu rosto e seu peitoral nu. Ele foi para o quarto trabalhar em plena sexta à noite?

Demoro a entender o que ele está fazendo. Dou zoom para enxergar melhor: Vicente está se masturbando, com o short e a cueca arriados. A imagem me soa patética e perversa ao mesmo tempo, mas fico arrepiada com a sensação de que estou caminhando para uma comprovação das minhas suspeitas. Vicente está excitado, movendo a mão com rapidez, os olhos presos à tela. Só para de se masturbar de vez em quando, para mexer no mouse e clicar em um novo vídeo ou foto. Desse ângulo, é impossível ver a tela, mas tenho certeza de que ele está consumindo pornografia infantil. Só pode ser. Li sobre isso em diversos lugares. Antes, ele estava "se aquecendo" com as próprias filhas, construindo seu imaginário sádico, e agora Vicente foi para o quarto para gozar. Como não estou em casa, ele não pode mais colocar a culpa em mim caso as coisas saiam de controle e ele machuque as meninas.

Sem pensar muito, pego meu celular e ligo para Vicente. Vejo o telefone acender ao lado do computador. Ele continua a se masturbar por mais alguns segundos, mas para logo depois, suspira, ajeita os cabelos e, para minha surpresa, atende, soltando um pigarro.

"Oi, Eva."

"Oi, amor, desculpa ligar assim... Te atrapalhei?"

"Não, não, tudo bem", ele diz. Ainda está sutilmente ofegante, não consegue disfarçar.

"Estava pensando em você, Vicente. Ando me sentindo tão sozinha..." Na imagem em preto e branco, vejo ele se deitar na cama, completamente nu, o pau já flácido. "Eu fui à terapia. Estou me tratando, Vicente... Queria te pedir desculpas pela nossa briga. Eu não devia ter mentido pra você... Mas fiquei com vergonha e..."

"Esquece isso."

Sinto que não tenho muito tempo. Ele quer desligar o mais rápido possível e voltar para os vídeos no notebook. Preciso atacar.

"Eu estava pensando... Hoje é sexta", digo, com a voz mais sensual e entregue que consigo. "Por que a gente não sai pra jantar? Só eu e você..."

"Quê? Não dá... Não posso deixar as meninas e o Lucas sozinhos."

"E a babá? Ela ainda está aí, não está?" Logo me arrependo: eu não teria como saber que a mulher ainda está na casa. Antes que ele me confronte, continuo: "Ela não pode ficar com eles? É só dar um extra... Vai valer a pena, prometo."

Ele pensa por um instante e suspira. Aproveito seu silêncio para sugerir, cheia de malícia:

"Estou com saudades. E com tesão, neném."

Saiu sem querer. Eu havia esquecido completamente que era assim que eu o chamava na cama antes de Lucas nascer: *neném*. Agora, o apelido soa de mau gosto. Solto um gemido leve perto do bocal do telefone, quero excitá-lo.

"Tudo bem", ele diz. "Onde você quer jantar?"

Sugiro o restaurante onde nos conhecemos, no Barra Shopping. Acredito que voltar lá vai ajudar a desarmar Vicente e conseguir o que preciso. Marco para uma hora e meia depois. Desligo, entro no banho depressa e escolho o vestido mais bonito que tenho comigo — um vermelho vibrante, com corte lateral e decote ousado. Calço saltos altos, capricho na maquiagem, no cabelo e no perfume. Com um socador de alho, amasso quatro pílulas de sedativo até que virem pó. Ponho tudo em um frasquinho de vidro e guardo na bolsa dourada, junto com a minha carteira e a chave do carro. Encaro-me no espelho da penteadeira. Estou linda. Deslumbrante, na verdade. Sei que ele não vai resistir a mim. É hoje que vou pegar esse filho da puta.

* * *

Entro no restaurante lotado, guiada pela hostess. O lugar tem as paredes escuras, a luz baixa e uma música um tanto barulhenta que obriga as pessoas a conversarem mais alto do que o normal. Parece até uma boate, mas com mesas e garçons circulando com bandejas. Apesar da semiescuridão, localizo Vicente com facilidade. Ele está em uma mesa no centro do salão, de cabeça baixa, mexendo no celular. Agradeço quando a hostess aponta a mesa e deseja um bom jantar.

Conforme caminho até a mesa, sinto os olhares, confirmando o efeito que meu vestido causa. Ao mesmo tempo, fico incomodada. Será que estão me reconhecendo das notícias? Acredito que não. Mesmo assim, aperto o passo. Ao levantar o rosto, Vicente fica até desconcertado por me ver tão arrumada. De um jeito estabanado, ele se levanta, segura minha mão e me dá um beijo na boca. Orgulhoso, olha ao redor, consciente de que estão reparando em nós dois. Sei que ele sempre gostou disso, de me exibir por aí.

"Uau, você está incrível..."

"Obrigada."

Eu me sento na frente dele e abro o guardanapo de pano sobre as pernas. Preciso parecer à vontade, mesmo fervendo por dentro. Bebo a água já servida. Quero limpar o gosto do beijo que ele me deu.

"Está tudo bem?", ele pergunta.

Vicente me conhece, percebe que estou nervosa, escondendo algo.

"Tudo ótimo. Que bom que você conseguiu vir..." Tudo nele me repele: seu cabelo cortado rente, seu rosto sem barba, parecendo o de uma criança, seu perfume amadeirado. Ele está de calça jeans preta, polo escura e mocassins de couro — nunca teve a menor vocação para escolher as próprias roupas. "É a mesma mesa onde a gente sentou da primeira vez..."

Ele concorda e pergunta, com ironia:

"Esse lugar já era barulhento desse jeito naquela época?"

"Acho que sim... Ou fomos nós que ficamos mais velhos."

Ele sorri com a minha piada. Forço um sorriso de volta, enquanto cruzo as pernas e prendo uma mecha de cabelo atrás da orelha. Algo está borbulhando dentro de mim. Minha vontade é pular em cima dele, confrontá-lo de uma vez, mas não posso fazer isso. É como um jogo de xadrez. Preciso ter paciência e ser estratégica se quero vencer.

Um garçom de origem asiática traz os cardápios e sugere o combinado do chef. Vicente concorda e pergunta se topo dividir uma garrafa de saquê.

"Saquê terminou mal daquela vez, não é?", digo, em tom de brincadeira.

Em nosso primeiro encontro, Vicente derramou sua bebida em mim logo que ela foi servida. Passei o restante da noite cheirando a álcool.

"Tem razão... O que você quer beber?"

"Uísque."

"Traz uma garrafa do melhor uísque japonês que você tiver."

O garçom recolhe os cardápios e se afasta.

"O melhor uísque japonês da casa?", pergunto. "Isso não vai sair barato..."

"Não tem problema. Nós estamos comemorando."

Ele estende a mão aberta sobre a mesa e sou obrigada a estender a minha também. Vicente a acaricia e me encara, com os olhos apertados. Pensei que ia ser mais difícil quebrar o gelo entre nós, mas ele parece disposto a ignorar tudo o que aconteceu e ter uma noite agradável.

"O que estamos celebrando?"

"O novo advogado sênior do escritório", ele diz, com orgulho incontido. "Sou eu."

"Uau, amor, isso é maravilhoso! Você merece."

"Sim... Essa é uma conquista nossa. Eu não teria conseguido sem você."

Meneio a cabeça, fingindo gratidão. Percebo falsidade e interesse em cada movimento dele, em cada sorriso, em cada agrado. *Para manter o silêncio da vítima, o abusador pode usar presentes, dinheiro ou outro tipo de benefício material*, a psicóloga disse no YouTube.

O garçom deixa a garrafa de uísque, dois copos de vidro e um balde de gelo sobre a mesa. Depois de nos servirmos, Vicente propõe um brinde.

"A nós dois", ele diz. "Aos recomeços."

Nossos copos tilintam. Há certo clima erótico no ar. Ele me devora com os olhos enquanto provo um gole do uísque. É fortíssimo, desce queimando pela garganta, mas finjo que achei uma delícia. Na verdade, o motivo pelo qual pedi uísque é muito simples: saquê é mais fraco e tem cor transparente; uísque é amargo e tem cor de madeira — ele mal vai perceber quando eu colocar o sedativo em seu copo.

"No que você está pensando?", ele pergunta.

"Nada", disfarço. "Só quero ser honesta com você. Quero te contar minha história."

Começo o discurso emocionado que ensaiei em frente ao espelho sobre minha infância difícil e a relação péssima com minha mãe. Conto como ela era instável, cruel, e acabou cometendo suicídio pouco depois que o conheci. Explico que não tive coragem de abrir tudo isso para ele quando estávamos nos conhecendo e que minha mãe nunca foi diagnosticada com nenhum transtorno. Não sei direito se essas coisas são genéticas, mas digo que estou disposta a procurar ajuda médica para me tratar, além de continuar a terapia, claro.

Tento ser o mais precisa possível, evito mentir, não quero que Vicente perceba que só estou dizendo isso porque quero que ele baixe a guarda e confie em mim. Só paro de falar por alguns segundos, quando o garçom chega à mesa trazendo uma barca de crus preparados pelo chef. Antes de segurar os hashis, Vicente se inclina para a frente, coloca as mãos no meu rosto e faz um carinho.

"Que bom que você confia em mim agora", ele diz. "Tem mais alguma coisa que você quer me contar?"

Quero contar que sei que você abusa das meninas. Que sei que você bateu nelas.

"Não, nada..."

"Ótimo." Ele dá duas batidinhas com os hashis na mesa antes de pescar um sashimi de atum. "Então vamos comer. Estou morrendo de fome. Mal almocei hoje."

Enquanto nos servimos, aproveito para perguntar sobre a nova babá. Quem é ela? Como ele a encontrou? De boca cheia, Vicente conta que a moça se chama Carla e que foi indicação de Vera.

"Acho que é prima ou sobrinha da empregada dela. Mas, honestamente, não sei se ela vai durar muito lá em casa..."

"Por quê?"

"As meninas gostam dela, mas... Outro dia, cheguei em casa e reparei que Angela estava cheirando a material de limpeza. Perguntei o que tinha acontecido e ela me contou que a tal Carla colocou as duas pra lavar o banheiro... Dá pra acreditar?"

Finjo surpresa.

"Nossa, como assim?!"

"Foi uma brincadeira, uma espécie de gincana, sei lá. Mas achei tão estranho", ele diz, dando de ombros. "E fiquei preocupado com a Sara. Ela ainda está se recuperando. Não pode fazer muito esforço."

"Alguma novidade do médico?"

"Ela vai fazer novos exames na semana que vem. Estou na esperança de que o novo remédio faça efeito."

Vendo-o falar desse jeito quase consigo acreditar que é um pai preocupado, mas não me deixo enganar. Por trás das aparências, sei bem o que esconde.

"O que aconteceu com a sua aliança?"

Olho para minha mão pálida. Preciso inventar uma desculpa depressa.

"Ah, nada demais...", digo. "O Cachambi anda meio violento, você sabe. Tirei a aliança pra ir ao mercado e esqueci de botar de novo."

Vicente parece acreditar. Come mais um sashimi e se levanta, avisando que vai ao banheiro. Chegou o momento. É agora ou nunca. Quando ele some de vista, retiro o frasco da bolsa, giro a tampa e observo o ambiente ao redor. Nas outras mesas, casais e grupos de amigos conversam animadamente; garçons circulam pelo salão. Ninguém parece prestar atenção em mim. Puxo o copo de Vicente para mais perto e, em um movimento rápido, viro o conteúdo do frasco ali dentro. Com o cabo da faca, mexo o uísque e as pedras de gelo. O pó rapidamente se dilui no líquido escuro. Deslizo o copo de volta ao lugar, guardo o frasco vazio na bolsa e pego a garrafa para servir mais um pouco. Vicente já está vindo na direção na mesa, enxugando as mãos molhadas na camisa. Termino de completar o copo dele e, quando Vicente está prestes a se sentar, faço o mesmo com o meu.

"Caramba, você quer me embebedar?"

"Quero. E quero muito mais...", digo, erguendo meu copo.

Sem hesitar, Vicente ergue seu copo, brinda e bebe dois goles do uísque. Apelar para a vaidade dele é sempre a melhor maneira de evitar mais perguntas.

"É impressionante aonde você chegou, amor... Quando a gente veio aqui naquela vez, você era só um advogado júnior. E agora é quase sócio! Olha quanto cresceu!"

Ele concorda com a cabeça e bebe mais um pouco do uísque. Volta a pescar sushis na barca e solta um bocejo, que cobre depressa com a boca. Não sei quanto tempo o sedativo vai demorar a fazer efeito, mas não posso correr o risco de que ele caia no sono no meio do restaurante. Termino de comer os sashimis e sugiro que a gente peça a conta. Por um instante, a ideia de que ele e Solange têm um caso volta à minha mente. Durante toda a noite, ele não deu nenhum sinal de saber sobre as câmeras. E chegou a se masturbar diante delas. Ele está disfarçando, à espera do momento certo para me confrontar? Estamos em uma guerra silenciosa. Não posso vacilar. Mesmo apertada para ir ao banheiro, tomo o cuidado de não sair da mesa em nenhum momento.

"E a Solange?", pergunto, atenta às reações dele. "Acha que ela ainda está muito chateada comigo?"

Vicente dá de ombros, bebendo mais um pouco do uísque.

"Queria tanto voltar a falar com ela... Mas ela não me atende."

"Acho que Solange está com mais problemas do que você imagina..."

Ele faz sinal para o garçom, pedindo a conta. Seus movimentos estão sutilmente mais lentos, nem sei se Vicente chega a perceber.

"Como assim?", pergunto.

"Parece que ela tem um amante, e o Carlos descobriu."

"Um amante?!"

"É... Um amigo de infância dela ou ex-namorado da época de escola, coisa assim. Acho que ela e o Carlos vão se separar. Está uma confusão danada. Ele me ligou ontem. Depois do trabalho saímos para tomar um chope e ele me contou tudo."

Fico confusa. Ele *realmente* chegou tarde em casa ontem. Sei porque vi no vídeo. Parece que está falando a verdade.

"Ela nunca comentou nada com você?", ele pergunta.

"Não, nada", minto.

O garçom se aproxima com a conta e a máquina do cartão. Vicente faz questão de pagar. Agradeço a gentileza dele e fico de pé, ainda refletindo sobre as informações que acaba de me passar. Se Vicente e Solange não são amantes, ele não sabe que estou suspeitando dele. Distraída, levo um susto quando Vicente se levanta e agarra a minha cintura, descendo maldosamente a mão até a minha bunda. Sou obrigada a beijá-lo. Olho para o copo na mesa e pergunto:

"Não vai terminar?"

Ele faz que sim e vira o uísque em três goles. Sorrio, satisfeita.

"Vamos pra casa?", pergunto, mordendo o lábio inferior. E mostro a chave que trouxe na bolsa dourada. "Eu dirijo."

Ele concorda na mesma hora, sem hesitar. Seguro sua mão e vamos saindo do restaurante, como dois adolescentes com os hormônios à flor da pele. Estou confiante, vibrando por dentro. Logo, logo Vicente vai cair no sono. E terei todo o tempo do mundo para investigar.

POUCAS HORAS ANTES DO FIM

28.

Quando entramos no elevador do prédio, Vicente já está trançando as pernas, com o braço sobre meus ombros, me obrigando a sustentar todo o seu peso. Ele fala sem parar, murmurando sacanagens no meu ouvido com a língua enrolada. Tomo o cuidado de também fingir que estou bêbada. No décimo segundo andar, ele me entrega a chave e diz, entre risadas, que não está em condição de acertar a fechadura. Giro a chave na porta e entro em casa. Enquanto seguimos pela sala, ele tropeça e esbarra na mesa de centro, derrubando um castiçal de metal que causa um pequeno estardalhaço. Eu o seguro com dificuldade e gargalhamos juntos, cúmplices. Vicente me encara com os olhos caídos e aperta minha bunda de novo, cheio de tesão.

A jovem babá surge no corredor, com cara de quem estava cochilando e acordou no susto por causa do barulho. Eu me apresento e aperto sua mão. É estranho conhecê-la pessoalmente depois de ter passado os últimos cinco dias assistindo-a pelo vídeo. Ela é ainda mais bonita do que parecia na tela — há algo de exótico em seu rosto que não consigo identificar. Pego meu celular — falta pouco para a meia-noite — e me ofereço para pedir um Uber. Ela diz que não precisa, pode dormir ali e pegar seu ônibus pela manhã. Talvez esteja preocupada de deixar um bebê aos cuidados do pai embriagado e de uma mulher que ela nunca viu. Insisto, porque preciso do caminho livre. A moça acaba aceitando, some por um instante na área dos fundos e volta com a bolsa. Eu a levo até a porta e passo o número da placa que vem buscá-la.

Quando entro no quarto, Vicente está sentado na cama, de cueca, esperando por mim. Ele se aproxima e beija minha boca. Tento entrar no clima, beijá-lo como sempre beijei, mas não consigo. Estou enojada. Ele percebe a diferença e puxa meu pescoço, passeia com a língua na minha nuca, dá mordidas de leve enquanto geme baixinho e desce o zíper do vestido. Eu o empurro para a cama para recuperar o fôlego. Monto em cima de Vicente e o chamo de neném, enquanto vou descendo sua cueca e brincando com seu pau. Prefiro fazer isso a ter que ficar nua.

Vicente está claramente fora de si, seus olhos giram, ele mal consegue completar uma frase, mas continua acordado. Por que o sedativo está demorando tanto a fazer efeito? Eu o entretenho como posso, beijo seu peitoral nu e vou descendo até a virilha. De repente, Vicente me puxa pelos cabelos e se deita sobre mim, roçando seu corpo no meu. Arranca meu sutiã e desce a calcinha, enquanto mordisca forte minha pele, me enche de saliva e deixa marcas com seus dentes — como todo bêbado, não percebe que está machucando.

"Ai, cuidado..."

Ele continua. Me prende com suas coxas e enfia a cara entre meus seios. Tento me desvencilhar, incomodada, mas Vicente mostra sua força — uma força que não sei de onde surge. Deixo que ele me lamba inteira, enquanto tento mentalizar o motivo para estar aqui, para suportar tudo isso: meu filho, minhas filhas.

De repente, seus movimentos vão ficando mais lentos, a pressão de suas mãos em minha cintura diminui e eu percebo que ele está com os olhos semicerrados. Com cuidado, tiro suas pernas de cima de mim, deslizo para fora da cama e o encaro: ele está deitado de barriga para cima, com os braços abertos e a boca escancarada. Chego perto e dou tapinhas de leve em seu rosto. Vicente mal reage. Está inconsciente.

Sem tirar os olhos dele, procuro a calça preta jogada de qualquer jeito no canto do quarto. Enfio a mão nos bolsos até encontrar o celular. Bingo! Sigo até a mesinha de canto, mas o notebook não está ali. Onde Vicente o guardou? Procuro dentro do armário e no closet. Finalmente, noto a pasta que ele costuma levar para o trabalho encostada na bancada da TV. Encontro o computador ali dentro. Um ronco barulhento me faz deixar cair o celular no chão. Eu o pego e subo na cama, cuidadosa. Aproximo a tela do polegar direito dele — preciso de sua digital para desbloquear. Na primeira tentativa, dá erro. Pressiono mais forte o dedo molenga na tela, até que funciona.

Caminho rumo à porta na ponta dos pés. Saio do quarto e tomo o corredor, levando comigo o celular e o notebook de Vicente. A casa está mergulhada em um silêncio perturbador. Não consigo resistir ao desejo de entrar no quarto de Lucas. Como sempre, ele dorme com as mãozinhas na bochecha. Vê-lo assim, sereno, me enche de determinação e coragem. Entreabro a porta do quarto das gêmeas — elas dormem profundamente, cada uma em sua cama. Não ouso entrar, porque não quero acordá-las.

Finalmente, me sento no sofá da sala. Escolho uma posição em que consigo escutar e ver caso alguém se aproxime no corredor. Estou elétrica e com dor de cabeça, mas ignoro essas sensações e começo a mergulhar no mundo de Vicente. Acesso as redes sociais dele, leio suas mensagens privadas, consulto os perfis que segue. Depois, procuro as conversas de WhatsApp —

para minha surpresa, a maioria é com colegas do escritório, com clientes e com os pais. Há centenas de mensagens não lidas nos grupos de que participa. Nada de errado ou ilegal.

Sinto o corpo relaxar, envolto pelas almofadas macias. Estou cansada e — preciso admitir — um pouco alterada. Tomei o mínimo possível de uísque, mas apenas um copo já é o suficiente para me deixar altinha. Meus olhos estão se fechando. Esfrego o rosto para continuar acordada. Clico no álbum de fotos, busco algum aplicativo secreto, onde ele poderia esconder registros incriminadores. Nada, nada. O celular parece perfeitamente limpo. Começo a ficar angustiada.

Ligo o notebook. Uma foto de Vicente e Lucas aparece como tela de fundo. Tirei essa foto na primeira semana de vida dele. Vicente sorri de um jeito bobo e tem lágrimas nos olhos, enquanto exibe seu filho como um troféu. Esqueci da senha de acesso. Tento meu aniversário. Depois, sua senha do banco e o aniversário das gêmeas. Nada. Tenho mais duas tentativas antes que o computador bloqueie. Arrisco a data do nascimento de Lucas... Incorreta! Só me resta uma chance. Digito o aniversário de Vicente, mas hesito antes de apertar o Enter. Ele seria tão óbvio? Arrisco.

Para minha surpresa, funciona. Realmente, o ego de Vicente é infinito. Colocar o próprio aniversário como senha! A foto de sua tela inicial foi tirada no último aniversário das gêmeas: nós quatro, sorridentes, ao redor do bolo. É a mesma foto que ele imprimiu e me deu de presente no porta-retratos. Olhar para ela me machuca. Tudo soa falso, posado, uma grande mentira. Abro o navegador e busco os últimos sites acessados — páginas do Tribunal de Justiça, artigos sobre recuperação judicial, alguns sites de esporte, além do Barra Alerta, claro, com a matéria sobre minha vida. Nada de pornografia.

Clico para abrir a aba anônima e finalmente encontro o

que estava procurando. Há diversas páginas do PornTube, RedTube e Xvideos já abertas. Vídeos de orgias, de dupla penetração, com mulheres fantasiadas de enfermeira, líder de torcida e professora. Todos os vídeos são com adultos, nenhuma criança ou jovem aparece. Me sinto estranhamente inadequada. E percebo que já estou relaxando de novo — esse sofá é uma tentação, suas almofadas abraçam e convidam ao sono. Muitas vezes, tentei assistir a filmes aqui e acabei dormindo. Não posso me deixar levar pelo cansaço.

Começo a buscar os arquivos de Vicente: abro todas as pastas, mesmo as que têm nomes que parecem de casos do trabalho, mas podem esconder pornografia infantil. Vou fazendo uma pesquisa minuciosa, arquivo por arquivo. Meus olhos estão quase se fechando, sinto uma ardência na testa, meu peito está quente, ainda que eu esteja de calcinha e sutiã. Preciso encontrar alguma coisa. Continuo a pesquisar. Mais um pouco. Só mais um pouco...

O choro de Lucas invade meus ouvidos e me desperta com a violência de um tapa na cara. Abraçada à almofada, franzo os olhos. Merda! Cochilei toda torta no sofá da sala. Fico de pé depressa, o notebook e o celular de Vicente estão caídos ao meu lado. São três e cinquenta da madrugada. Por quanto tempo dormi? Não sei. Não consigo pensar direito. Ainda estou sonolenta e o choro me irrita, cada vez mais alto. Ouço passos no corredor, uma agitação inesperada. Assustada, deixo tudo para trás e corro até o quarto de Lucas. Paro na porta. Vicente está agachado ao lado do berço, olhando para alguma coisa no chão.

"O que aconteceu?!"

Ele me encara por sobre o ombro. Quando vira o pescoço, vejo sob o halo de luz amarelada do abajur: caído no chão, de barriga para cima, Lucas esperneia. Para meu horror, seu bracinho está incomodamente fora do lugar. Há uma poça de sangue no chão. Angela e Sara se aproximam da porta, de pijama, muito assustadas. Tento impedi-las de chegar perto. Não quero que vejam o irmão desse jeito.

Lucas não para de chorar. Vicente passa as mãos por debaixo do corpinho dele e o ergue com todo cuidado. Meu bebê urra ainda mais alto. Seu bracinho direito pende para baixo, torto, e há um rasgo em sua bochecha, como uma flor desabrochada. É uma imagem horrenda, que se fixa na minha frente. Vicente começa a sair do quarto, mas grita com ódio ao passar por mim:

"O que você fez, Eva?! O que você fez?"

Estou no hospital há quase uma hora. Caminho de um lado para o outro, desesperada por notícias. Vicente está lá dentro, entrou correndo com Lucas nos braços e me deixou para trás com as gêmeas. Na sala de espera, Sara não para de chorar, muito impressionada com o que viu. Angela também está em estado de choque, séria, com os olhos arregalados e as mãos pálidas de tanto apertar o assento da cadeira. Elas não falam nada. Não aceitam o copo d'água e o suco de uva que uma enfermeira simpática lhes oferece.

Quando a enfermeira começa a se afastar, peço que as meninas me esperem aqui e a sigo. A mulher vai até o final do corredor, passa por uma porta de correr e desce uma escada. Sei que a qualquer momento vão me parar — estou muito chamativa, com o vestido vermelho e a bolsa dourada da noite anterior, destoando completamente das pessoas de uniforme branco ou azul. Vicente não queria que eu fosse com ele e as meninas no carro, mas insisti. Não havia tempo para discussões. Era urgente levar Lucas para o hospital. Ao dobrar um corredor, avisto Vicente conversando com um homem pálido, de jaleco, ao lado da porta vaivém que leva à área de cirurgia.

Quando vejo a expressão de Vicente, temo que o pior tenha acontecido.

"A queda foi forte", o médico está dizendo. Seu tom é pesaroso, mas calmo. "Não foi só o braço, ele também fraturou uma perna. Por sorte, parece que não sofreu nenhum traumatismo. Claro que a gente precisa observar. Ele caiu?"

Um silêncio pesado se ergue entre nós. Vicente esfrega as mãos suadas e suspira, irritado. Tenho a impressão de que está se segurando para não me acusar (e para não me bater).

"Parece que sim", diz, com a voz pastosa. "Ainda não sei direito."

"Ele vai ficar na UTI por vinte e quatro horas no mínimo, mas um responsável pode ficar com ele."

"Eu fico", Vicente se adianta, firme. Então, olha para mim. "Só preciso resolver uma coisa rápida antes."

"Claro, claro. Ele está sedado e sendo muito bem cuidado. Se tivermos novidades e não houver um responsável na UTI, ligamos."

O médico faz um gesto com a cabeça e se afasta, desaparecendo por trás da porta. Sem forças, recosto na parede e deixo meu corpo escorregar até o chão. Estou destruída, só quero chorar sem parar. Enfio os dedos nos cabelos, massageando as têmporas, tentando aliviar a tensão que se acumula dentro de mim e que parece que vai explodir a qualquer momento.

"O que você estava fazendo com meu celular na mão?"

O tom da pergunta é cheio de segundas intenções. Eu o encaro, tentando pensar rápido.

"Não adianta negar, Eva. Eu vi."

"A bateria do meu celular acabou. Peguei o seu para tentar pedir um Uber", minto. "Você estava bêbado, desmaiado na cama. Eu queria ir embora, mas acabei dormindo no sofá."

Ele suspira e fica de costas, olhando a vista lá fora, através dos janelões. As ruas ainda estão vazias, a escuridão da noite devora a cidade. Acho que ele não acredita em nada do que eu estou dizendo, mas isso não tem a menor importância agora. Fico de pé, sentindo meus ombros rijos. Toco o ombro dele com delicadeza:

"Posso ficar aqui. Se você achar melhor ir pra casa com as meninas..."

"Eu e você sabemos que é impossível ele ter caído do berço sozinho, Eva. Vou ficar com meu filho", Vicente diz. Sua voz é baixa, mas dura. "Você vai ficar longe dele... E das meninas também. Você vai embora daqui. Vai sumir da nossa vida."

"Lucas é meu filho."

Ele segura meus braços com força e aproxima o rosto, ameaçador.

"Estou falando sério. Vai embora. Não vou mandar duas vezes."

"Ele é meu filho. Eu vou ficar com ele na UTI."

Uma enfermeira surge no corredor, e ele me solta na mesma hora. A mulher percebe que estamos brigando e apressa o passo.

"Você machucou o Luquinhas", ele diz. "E eu te juro: você nunca mais vai chegar perto dele."

Sem dizer mais nada, Vicente cruza a porta da UTI.

Não fui eu. Foi você, penso, cheia de raiva. *E vou provar.*

Subo as escadas depressa e remexo a bolsa dourada até encontrar, bem no fundo, a minha chave do carro. Na sala de espera, Sara e Angela brincam com o reborn Pedrinho. Puxo as duas pelas mãos e vou levando para a saída. Não posso deixá-las sozinhas com esse monstro.

"O que foi?", elas perguntam. "O que aconteceu?"

"A mamãe vai levar vocês..."

"Pra onde?"

Não respondo. Saio depressa antes que Vicente apareça. Atravessamos o estacionamento deserto e entramos no carro, com a lataria ainda suja e riscada pelos vizinhos. Eu estava tão atordoada que me esqueci das câmeras. Claro, a câmera filmou tudo o que aconteceu no quarto de Lucas! Preciso ir para a casa da minha mãe. Preciso acessar o BarraSafe no computador. É minha chance de provar que sou inocente. Ligo o carro e olho pelo retrovisor central: minhas filhas no banco traseiro, a cadeirinha vazia. A lembrança de Lucas traz de volta uma vontade profunda de chorar. Não posso agora. Respiro fundo e acelero.

29.

Paro o carro diante do muro azul. A fachada da casa de subúrbio me soa opressora e perigosa em meio à rua escura. Atravesso o portão, subo as escadas depressa e vou entrando. Tiro o salto alto, deixo a bolsa sobre a mesa e acendo a luz. Confiro no celular que Vicente não me ligou nenhuma vez. Provavelmente ainda está na UTI com Lucas e não percebeu que peguei o carro e saí com as meninas. Melhor assim. Terei tempo de reunir todas as provas contra ele e apresentar à polícia.

Angela e Sara param na soleira da porta, observando assustadas a cristaleira de bonecas do meu pai. Só então me dou conta de que elas nunca estiveram aqui. É a primeira vez delas nesta casa. Faço um gesto para que entrem e se sentem no sofá. Puxo o lençol de lado e retiro o emaranhado de travesseiros e roupas usadas, abrindo espaço. Ligo a televisão de tubo e passeio rapidamente entre os canais até encontrar um desenho animado na madrugada — Pica-Pau. Abaixo um pouco o volume e deixo o controle sobre a mesa.

Angela fica jogando um joguinho qualquer no celular e

mal presta atenção ao desenho. Sara ainda está muito tensa. Abraçada a Pedrinho, ela mantém os olhos fixos na TV e respira de modo ofegante. Faço um carinho nela, aponto o controle remoto e aviso que pode mudar de canal, se quiser.

"Já volto, tá? Vocês me esperam aqui?"

Entro no quarto da minha mãe e sento na frente da penteadeira. Encaro meu reflexo nas três folhas espelhadas enquanto o computador liga. Estou com a aparência horrorosa: a maquiagem borrada nos olhos cansados, o batom manchado, os cabelos bagunçados. Mal me reconheço. Assim que a tela inicial aparece, acesso o BarraSafe e carrego a série de câmeras que nomeei como "Casa Família".

O mosaico de telas mostra o apartamento em tempo real, vazio e escuro. Volto o material gravado até 23h40, no exato momento em que eu e Vicente entramos em casa, abraçados e rindo. Eu o vejo tropeçar na mesa de centro e a babá surgir no corredor — ela estava cochilando no quarto de Lucas, recostada à poltrona de amamentação. Deixo a velocidade de reprodução três vezes mais rápida que o normal. No nosso quarto, Vicente tenta transar comigo, mas logo dorme. Saio da cama, pego seu celular e seu computador e escapo para a sala, onde investigo tudo minuciosamente. Por volta das 2h20, eu durmo. Meu corpo escorrega pelo sofá. Fico perturbada por me ver assim enquanto algo acontecia com meu filho.

Diminuo a velocidade e assisto a cada frame sem piscar. Vicente e as gêmeas continuam dormindo. Lucas descansa com as mãozinhas no rosto. O que pode ter acontecido então? As imagens de câmera de segurança me levam a pensar em eventos sobrenaturais. Imagino a porta do apartamento abrindo e Alice entrando ali, sorrateira, caminhando até o quarto de Luquinhas. Mas isso não acontece. Na verdade, nada acontece.

Esfrego os olhos e tamborilo os dedos no teclado, ansiosa.

Então, às 3h22, eu vejo. Alguém se movimenta devagar pelo corredor, arrastando os pés. Na imagem em preto e branco, parece mesmo um fantasma. Na sala, a sombra me observa dormir no sofá por alguns segundos. Está bem no canto da imagem, quase fora do alcance da câmera. Procuro nas outras telas: Vicente continua a dormir de braços abertos. No quarto das gêmeas, Sara está deitada de lado, chupando o dedo, num sono agitado. E Angela... A cama dela está vazia, com o lençol jogado para o lado. Um arrepio percorre todo o meu corpo. São 3h26. É mesmo Angela? O que ela está fazendo? Vidrada, assisto ao momento em que ela entra no banheiro, afasta o tapetinho para conseguir fechar a porta e acende a luz. No mesmo instante, a imagem ganha qualidade e fica colorida.

Agora, consigo ver com nitidez através da microcâmera instalada ao lado do espelho. Angela puxa o banquinho de madeira, sobe nele e estica o braço para pegar o remédio de Sara. Sem pressa, ela desenrosca a tampa rosa e joga as cápsulas sobre a bancada de mármore. Com os dedinhos delicados, as unhas todas coloridas, vai abrindo as cápsulas e as esvaziando na pia, como quem brinca de massinha. O remédio em pó tem uma cor marrom, quase preta, e vai se acumulando na cuba. Ao final, Angela abre um pouco a torneira, deixando um fio de água sair, apenas o suficiente para levar o remédio pelo ralo. Meu peito se aperta. Mesmo impactada, não consigo parar de assistir. Angela fecha as cápsulas vazias e as devolve ao frasco. Depois de alguns minutos, ela termina. Coloca o frasco na prateleira, apaga a luz e sai do banheiro, deixando tudo como antes.

Engulo em seco e sinto uma ardência dolorosa na garganta. É um misto de dor e indignação. Às 3h37, Angela entra no quarto de Lucas sem acender as luzes. Sua sombra se aproxima do berço como um mau agouro. Levo a mão à barriga, sentindo uma dor intensa. Angela se pendura nas grades e se inclina para a frente para pegar meu bebê adormecido no colo. Num movimento rápido, ela ergue os braços e, como se fosse um boneco de pano, arremessa Lucas com vontade no chão. Sai correndo logo depois, enquanto meu bebê esperneia e uma poça de sangue começa a crescer no porcelanato branco.

Clico na microcâmera no quarto das gêmeas: Angela entra depressa e se enfia debaixo do lençol, fingindo dormir. Sara acorda com o choro e, sem entender, cutuca a irmã, que disfarça. No quarto do bebê, Vicente surge, assustado e sonolento. Ele se agacha diante de Lucas com o braço quebrado e tenta acudi-lo. Segundos depois, eu chego à porta e Vicente passa correndo por mim, com o bebê no colo. Tudo acontece muito rápido, e, em poucos minutos, a casa fica vazia. Os gritos de Lucas, o caos absoluto enquanto eu me vestia, Sara assustada com o sangue, tudo volta em um pesadelo barulhento que vivi há poucas horas.

Estou tão transtornada que sou incapaz de chorar. Ainda não consigo assimilar direito o que acabei de ver. Levo a mão ao rosto, suando frio. Minha boca está seca. Desconcertada, caminho lentamente até a sala. No sofá, as duas continuam sentadas lado a lado. Sara tem o corpo ereto, tenso, com Pedrinho em seu colo, enquanto Angela parece mais relaxada, balançando as pernas para a frente e para trás, batendo-as de leve no pé da mesa de centro. Ela levanta os olhos para mim — inocentes, mas preocupados. Parece tão indefesa e frágil. Não consigo encará-la por muito tempo.

Sem pensar muito, me aproximo e a puxo pelo braço. Ela protesta, mas não me importo. Sara se encolhe, assustada, enquanto observa a porta do quarto se fechar. Sento Angela diante da penteadeira e dou play no exato minuto em que ela sai da cama na madrugada. Ansiosa, observo suas expressões enquanto ela assiste a si mesma no vídeo.

Durante toda a exibição, Angela fica séria, respirando normalmente, com os olhos frios, sem piscar. Em nenhum momento parece sentir vergonha ou desespero por ter sido flagrada. Ao contrário: há certo orgulho em sua postura com os cotovelos apoiados na mesa, as costas eretas e o queixo afundado nas mãos.

"Por quê? Por que você fez essas coisas?", pergunto com os dentes cerrados. "Com o Luquinhas! Com a Sara! Por que você fez isso?"

Angela continua a olhar para o computador. Deita a cabeça no ombro e morde os lábios quando, na tela, chega o momento em que ela joga Lucas no chão.

"Fala logo!", eu grito, chacoalhando o braço dela para chamar sua atenção. "Qual é o seu problema?! Por que fez isso? Me diz!"

Angela finalmente desvia o olhar do computador e me encara com desprezo. Meu sofrimento não a comove. Espero que ela diga alguma coisa, mas, de repente, surge algo novo em seu rosto, um sorriso discreto, de dentes separados, que sempre achei fofo, mas agora parece perverso.

"Porque eu te odeio. Odeio a Sara. O Lucas. Não quero vocês na nossa vida."

Nossa? De quem ela está falando? Sua voz infantil não combina com as coisas horríveis que está dizendo. Quero confrontá-la, exigir explicações, mas estou suando tão frio que parece que vou desmaiar. Sento na cama e dobro o corpo, pressionando a barriga, tentando controlar a respiração. Abro e fecho os olhos para focar.

Um grito visceral me desperta. Ergo a cabeça, ainda zonza. A porta do quarto está entreaberta, e vejo que Angela não está mais aqui. Aonde ela foi? A tela do notebook está escura, e o aplicativo BarraSafe não aparece mais. Ela desinstalou.

Os gritos aumentam, mais urgentes e sufocantes, pedindo por socorro. São de Sara. Confusa, fico de pé, me apoio nas paredes e corro pela casa. Na sala, o sofá está vazio, mas a TV continua ligada. Encontro as pulseirinhas de Sara caídas no meio do corredor. Tonteio e sigo para os fundos, depois volto, atraída pelos sons.

Elas estão no meu quarto. Paro diante da porta, tento abrir, mas está trancada. Bato com força, exigindo que Angela abra, mas não adianta. Do outro lado, escuto objetos caindo, gritos e a respiração intensa de Sara. Elas estão lutando? Forço a maçaneta. Tento mais forte, mas ela sai na minha mão. Merda! Preciso entrar.

"Abre a porta, Angela", grito. "Abre essa merda dessa porta!"

Escuto apenas um fio da voz de Sara, resfolegando, lutando pela vida. Depois, escuto golpes de algo metálico — uma sequência ritmada de batidas — e, então, o silêncio. Um silêncio aterrador.

"Socorro... A Eva... Ela me bateu. Machucou a Sara... Ela tá louca... Socorro!"

É Angela. O que ela está fazendo? Soco mais e mais forte. Minhas mãos estão em carne viva. Em frangalhos, jogo o corpo contra a porta e, desta vez, a fechadura estoura e a porta cede num estardalhaço. Angela está encolhida na frente do armário, com seu iPhone grudado ao ouvido. Avanço para cima dela, lhe dou um forte tapa na cara e pego o celular. Vicente grita do outro lado, mas desligo e enfio o telefone no decote. Não tenho tempo para explicar nada agora. Angela recua, alarmada, com o nariz sangrando.

Então, vejo Sara caída ao lado da cama, de bruços. Corro, viro seu corpo e tento erguê-la, mas a cabeça dela pende nos meus braços. Sangue vaza de um grande rasgo na testa afundada. O líquido viscoso escorre pelo chão de taco e mancha os cabelos loiros do reborn Pedrinho, que me encara com um sorriso doce e os olhos de vidro. Ao lado, o troféu enferrujado de um campeonato de natação que venci anos atrás está destruído, com sangue e fios de cabelos misturados à cola que usei para juntar as partes. Angela usou meu troféu para esmagar o crânio da própria irmã.

Tento reanimar Sara. Rasgo a parte superior de seu pijama de bolinhas e pressiono o peito aberto. Busco sua pulsação, enquanto faço respiração boca a boca. Dou tapinhas em seu rosto para reanimá-la. Seus olhos estão abertos, sem qualquer brilho.

"Sara... Acorda, meu amor... Sara."

"Ela não vai te escutar... Ela não tá aqui", Angela diz, sorrindo. "Ela virou uma es-tre-li-nha."

O tom debochado me desnorteia, e um choro primal escapa dos meus olhos. Sara está morta. Não há nada que eu possa fazer.

"Você é doente! Olha o que você fez!", grito enquanto agarro Angela pelos braços e a sacudo com violência.

"Eu? Eu não fiz nada. Foi você!", ela devolve. "Você matou a Sara. E machucou o Luquinhas. Você não sabe cuidar dele. Ele também vai morrer."

Um zumbido preenche meus ouvidos. Tenho dificuldade de entender o que ela está dizendo. Com os olhos vidrados em mim, Angela fica de pé e limpa com a língua o sangue que escorre de seu nariz.

"Vou ficar com o papai só pra mim", ela diz, com os olhos brilhantes.

Minha cabeça se agita, meus pensamentos giram em torno de alguma coisa ainda vaga. Durante todos esses anos, Angela vem tentando se livrar de tudo e de todos para ficar sozinha com o pai. Imagino o que ela sentiu quando ele me apresentou como nova namorada. Depois, a doença de Sara, que atraiu toda a atenção de Vicente. Era o fim de seu sonho. O nascimento de Lucas foi a gota d'água; a certeza de que eu não iria embora tão cedo. Um menino era um novo amor para Vicente, o filho homem que ele sempre quis. Angela se sentiu preterida, jogada de escanteio de vez. Vicente deu para o bebê toda a coleção de carrinhos em miniatura — a mesma coleção com a qual ela nunca foi autorizada a brincar. Desde que fui embora, ela assumiu o meu lugar: fritando os ovos, sentando-se na minha cadeira na mesa pela manhã, cuidando da limpeza da casa. Ela sempre quis ser como eu. Como não enxerguei antes?

Mergulho num misto profundo de pavor, repulsa e medo. Foi tudo ela? Desde a morte de Alice? Penso em ligar para Vicente, mas ele não vai acreditar em mim. Sem o vídeo, é minha palavra contra a dela. Ninguém vai acreditar em mim. É impensável. Monstruoso. *Não quero vocês na nossa vida*, Angela disse. Não posso deixar que ela consiga o que quer. A vida perfeita com Vicente. Sua família feliz.

Ela não vai desistir. Mesmo que Lucas sobreviva, vai acontecer de novo. Ele não tem a menor chance se Angela continuar viva. Eu me esforço para ficar de pé e a agarro com violência. Arrasto Angela para o quarto da minha mãe e a tranco lá dentro. Ela protesta, bate na porta, mas não tem como fugir — as janelas são gradeadas. Volto ao meu quarto e, com cuidado, pego Sara nos braços. Quero me despedir dela, dar à minha filha um fim digno. Enquanto sigo até o jardim dos fundos, com o corpo de Sara no colo, tomo uma decisão. Preciso salvar meu bebê. Não tenho escolha. É o meu sacrifício.

30.

Nunca pensei que chegaria a este momento. E aqui estou. Destruída, acabada, morta por dentro. Enxugo os olhos e volto ao que estava fazendo como uma funcionária diligente que não pensa, não hesita; só executa. Finco a pá na terra e vou abrindo a cova. Apesar de demandar grande esforço, tudo ainda parece um sonho. Na verdade, um pesadelo. Irreal, intangível, como se acontecesse em outro tempo ou com outra pessoa. A história absurda e violenta que se escuta da amiga de uma amiga. É cruel que uma coisa dessas aconteça *de verdade*. Mais cruel ainda que aconteça comigo. Enquanto revolvo a terra, repasso cada instante, cada escolha, cada migalha de culpa e omissão que me trouxe até aqui. É um caminho repleto de buracos e zonas cinzentas. Não posso ficar sofrendo. Não tem mais volta. Aconteceu.

Abrir uma cova é mais cansativo do que eu pensava. Sinto falta de ar, fico zonza e exausta. Solto a pá e aperto os olhos para medir o buraco. Acredito que, sim, é suficiente para uma criança. As lágrimas voltam, impossíveis de conter; é uma coisa física, não emocional. Deixo que sigam seu trajeto pelo meu rosto, levem consigo a maquiagem da noite de ontem e se misturem ao suor no meu pescoço até alcançarem o vestido vermelho, que, se antes era elegante e sedutor, agora soa inadequado, quase absurdo, neste lugar imundo e abandonado pelo tempo. A noite prometia tantas respostas. Cheguei a ter esperanças. Como tudo pôde terminar assim?

Indiferente à minha dor, o sábado amanhece. Um sol tímido, encoberto por nuvens, vai iluminando o quintal dos fundos da casa onde eu cresci, a casa que odeio e sempre odiei. É como se a luz trouxesse vida aos objetos, deixando a experiência mais brutal. O mato alto, com flores mortas e ervas daninhas, abraça as ferramentas enferrujadas, o entulho, o velocípede quebrado, os restos do meu caderno amarelo, destruído pelo fogo na pilha de pneus velhos, e o balanço de madeira preso aos galhos firmes da única árvore desse jardim patético que minha mãe um dia sonhou manter. Sinto uma vontade inconveniente de gargalhar, mas engasgo. Uma bola de fogo desce pela garganta na direção do estômago. Minhas entranhas fervem.

Não tenho muito tempo. Fico de pé e caminho até Sara. Eu a deixei deitada junto ao muro, fora do campo de visão, para não ser obrigada a olhar para ela enquanto abria a cova. Não posso mais adiar. Tenho que encarar o estrago. Eu me agacho para pegá-la no colo. Aos dez anos, ela pesa pouco mais de vinte e cinco quilos. Com delicadeza, eu a deito no túmulo e, evitando olhar para baixo, começo a cobrir seu corpinho com ajuda da pá. Primeiro os pés, com os All Stars coloridos que ela adorava, de cadarços fosforescentes; depois as meias longas listradas que chegam até a altura dos joelhos, e finalmente o pijama com bolinhas cor-de-rosa. A terra fofa facilita o trabalho. Em poucos minutos, só falta cobrir seu rostinho sereno, apesar do sangue coagulado na testa.

"Desculpa", sussurro.

Quase não reconheço minha voz. Acaricio o pescoço frio, ajeito os cabelos loiros e me controlo para não beijar sua bochecha uma última vez. Ela era tão doce, tão curiosa pelo mundo, tão forte e determinada a lutar. Não merecia esse fim horroroso. A culpa é minha.

Passarinhos cantam, a brisa sacode as folhagens, o mundo segue adiante. Meu corpo está quente, febril. Sinto que vou desmaiar a qualquer momento. Termino de enterrá-la e jogo a pá longe. Recolho algumas flores coloridas e deixo sobre a terra, junto ao bilhete que escrevi tentando explicar tudo. Estou tão ofegante que me assusto quando o celular volta a tocar. Demoro a reconhecer o toque, a musiquinha irritante de algum desenho animado.

Não é meu celular. É o de Angela, que guardei no decote. Atendo.

"Angela? Filha, o que aconteceu?", Vicente grita do outro lado. "Fala comigo! Onde vocês estão? Pra onde essa louca levou vocês?"

Mil respostas vêm à minha mente. Ensaio dizer alguma delas, mas não sai nada. Vicente identifica minha respiração pesada do outro lado da linha, porque logo emenda:

"Eva? Que merda você fez? Pra onde você foi?" Ele suspira. "Se machucar minhas filhas, eu te mato! Te mato!"

Conheço esse tom do Vicente. Ele sempre foi calmo, gentil, de fala mansa e racional. Mas, como bom filho único criado nas melhores escolas, com as melhores viagens de férias e os melhores pais do mundo, detesta perder o controle.

"Vai... Me diz. Onde? Confia em mim", ele arrisca, baixando a voz. Também conheço essa condescendência posada, típica dos advogados. Ele espera, mas não aguenta e logo se revela: "Anda! Fala logo, sua filha da puta!".

O palavrão não me machuca. Ao contrário, chega como uma confirmação óbvia, ainda que cruel: estou fodida.

"Que caralho você fez, Eva? Cadê meu carro, porra?", ele continua. "Passa o celular pras meninas!"

Enquanto ele fala sem parar, busco identificar os sons do outro lado. Ele ainda está no hospital? Ou já pegou um táxi? O som de uma buzina deixa claro que ele está na rua, no trânsito. Deve estar vindo para cá, atrás de mim. Devo ter mais quinze minutos, no máximo. Preciso me apressar. Não posso correr o risco de que Vicente me encontre.

Desligo. Dói demais ouvir a voz dele. Volto a guardar o celular e retorno à casa. Pontos pretos surgem à minha frente. Quero esfregar os olhos, mas noto o sangue nas mãos. Entro pelos fundos, cruzo o corredor até o quarto da minha mãe e destranco a porta. Angela está encolhida debaixo da penteadeira, com a cabeça enfiada entre as pernas, chorando. Usa um pijama igual ao da irmã, com bolinhas cor-de-rosa. Vicente sempre gostou de vestir as gêmeas com roupas iguais, até mesmo para dormir. Eu era contra. Agora esse tipo de discussão tão banal parece uma piada de mau gosto.

Quando avanço na direção dela, Angela levanta o rosto e me encara assustada. Na bochecha esquerda, a marca do tapa, uma mancha vermelha e disforme. Seu nariz continua a sangrar. Antes que eu diga qualquer coisa, ela se adianta:

"Cadê a Sara?! O que você fez com ela?"

Sem responder, afasto a cadeira e a puxo pelo braço. Angela grita, agita as pernas, tenta se desvencilhar, mas não consegue.

"Me solta! Eu quero meu pai... Me deixa falar com meu pai."

Com certo esforço, arrasto Angela para fora do quarto e cambaleio até a sala. A televisão ainda está ligada — o jornal mostra uma reportagem sobre os preços altos nos supermercados. Passo direto pela cristaleira cheia de bonecas e abro a porta da frente.

Desço os degraus, empurro com o quadril o portão baixo, que range, e vou para a calçada.

A rua está deserta. Sigo até o carro, estacionado na frente da casa. Na lataria, resquícios de arranhões e tinta. É impressionante como as pessoas podem ser cruéis e insensíveis. Logo abandono esses pensamentos, abro a porta do carona e empurro Angela para dentro. Bato a porta e aperto o botão para trancar, sem dar a ela qualquer chance de escapar de mim.

Enquanto contorno o carro pela dianteira, observo o terço com o pingente de Nossa Senhora Aparecida pendular no retrovisor interno. Nunca fui exatamente religiosa, mas sempre tive um pouco de fé. Em Deus. Nos santos. Em milagres e redenções. Depois de hoje, não acredito em mais nada. No banco do motorista, giro a chave na ignição. Encaro a casa de subúrbio uma última vez, com o número vinte e dois na fachada e o muro baixo que mandei pintar há algumas semanas. Piso no acelerador.

Felizmente, ainda não há trânsito. Em poucos minutos, cruzo ladeiras e margeio a linha do trem até deixar o bairro residencial e alcançar a via expressa, com as faixas opostas separadas por uma mureta. A musiquinha irritante volta a tocar, e só então me lembro do celular que guardei entre os seios. É Vicente outra vez.

"Quero falar com meu pai", Angela diz, estendendo a mão.

Entreabro a janela e, sem pensar muito, jogo o celular fora. Angela se aninha no banco, emudecida, pequena diante do painel. Deixo a Linha Vermelha e tomo a BR-040. Ali, o SUV ganha velocidade. Cem. Cento e vinte. Cento e cinquenta quilômetros por hora. Carros buzinam quando passo por eles, tirando fina de suas carcaças. Angela faz menção de colocar o cinto de segurança, mas eu a impeço com um tapa forte no braço. Acuada, tenta abrir a porta do carro em movimento, mas está tudo travado. Sem saída, ela segura a alça do teto e se agarra ao encosto, enquanto me encara com horror genuíno.

"O que você tá fazendo? Me leva pro meu pai!"

Acelero mais e mais. A esta altura, as pistas contrárias não têm mais nada que as separe, apenas a sinalização no asfalto. Pelo retrovisor, observo a cadeirinha com o cinto de ursinhos e as pelúcias de elefante e girafa que comprei para Luquinhas há poucos meses. Um pensamento bom me invade e consigo sorrir. Um sorriso curto, que logo vai embora.

Fecho os olhos e, lentamente, como quem se deixa guiar numa valsa, viro o volante para a esquerda. O carro abandona a pista e trepida quando os pneus atropelam as tartarugas da faixa dupla, chegando ao outro lado. Um coro de buzinas ressoa no sentido contrário. Carros desviam para a esquerda ou para a direita enquanto acelero. Entreabro os olhos a tempo de ver uma picape se jogar no acostamento. Por um triz.

Como um bicho, Angela pula em cima de mim, tenta puxar o volante, trazer o carro de volta à pista. Eu não deixo. Sigo na contramão. Um Siena avança contra nós e desvia no último instante. Então, a poucos metros, um caminhão surge na curva à esquerda e desce o declive. O motorista buzina, enquanto nossas velocidades em sentido contrário devoram a estrada. A carreta de cabine azul avança lenta e pesada, como uma onda gigante, um muro de concreto contra nós. Volto a fechar os olhos, mantenho firme o volante. Não posso hesitar, não agora. É minha única saída.

"Eu não quero morrer, mamãe!", Angela urra. "Por favor, eu não quero morrer!"

É a última coisa que escuto. Em um milésimo de segundo, tudo acaba. A buzina explode em meus tímpanos. O impacto projeta meu corpo e o de Angela pelo painel, cacos rasgam minha pele, meu peito rasga, minha cabeça gira. Então não sinto mais nada.

1ª EDIÇÃO [2024] 7 reimpressões

ESTA OBRA FOI COMPOSTA PELO ESTÚDIO O.L.M./ FLAVIO PERALTA EM ELECTRA E IMPRESSA EM OFSETE PELA LIS GRÁFICA SOBRE PAPEL PÓLEN DA SUZANO S.A. PARA A EDITORA SCHWARCZ EM MARÇO DE 2025

A marca FSC® é a garantia de que a madeira utilizada na fabricação do papel deste livro provém de florestas que foram gerenciadas de maneira ambientalmente correta, socialmente justa e economicamente viável, além de outras fontes de origem controlada.